MANUSCRITS
DE
PAULINE ARCHANGE

VIVRE! VIVRE!
LES APPARENCES

Œuvres de Marie-Claire Blais

Romans

La Belle Bête, Institut littéraire du Québec, 1959; Boréal, 1991.

Tête Blanche, Institut littéraire du Québec, 1960; Boréal, 1991.

Le jour est noir, Éditions du Jour, 1962; Boréal, 1990.

Une saison dans la vie d'Emmanuel, Éditions du Jour, 1965; Boréal, 1990.

L'Insoumise, Éditions du Jour, 1966; Boréal, 1990.

David Sterne, Éditions du Jour, 1967

Manuscrits de Pauline Archange, Éditions du Jour, 1968; Boréal, 1991.

Vivre! Vivre! (Tome II de *Manuscrits de Pauline Archange*), Éditions du Jour, 1969; Boréal, 1991.

Les Apparences (Tome III de *Manuscrits de Pauline Archange*), Éditions du Jour, 1970; Boréal, 1991.

Le Loup, Éditions du Jour, 1972; Boréal, 1990.

Un joualonais sa joualonie, Éditions du Jour, 1973

Une liaison parisienne, Stanké/Les Quinze, 1976; Boréal, 1991.

Les Nuits de l'Underground, Stanké, 1978; Boréal, 1990.

Le Sourd dans la ville, Stanké, 1979

Visions d'Anna, Stanké, 1982; Boréal, 1990.

Pierre — La Guerre du printemps 81, Primeur, 1984; Boréal, 1991.

Théâtre

L'Exécution, Éditions du Jour, 1968

Fièvre et autres textes dramatiques, Éditions du Jour, 1974

La Nef des sorcières, Les Quinze, 1976

L'Océan suivi de *Murmures*, Les Quinze, 1977

Récit

Les Voyageurs sacrés, HMH, 1969

Poésie

Pays voilés, Éditions de l'Homme, 1967

Existences, Éditions de l'Homme, 1967

Marie-Claire Blais

MANUSCRITS
DE
PAULINE ARCHANGE

VIVRE! VIVRE!
LES APPARENCES

Boréal

Maquette de la couverture: Gianni Caccia
Illustration de la couverture: Hono Lulu

© Les Éditions du Boréal
Dépôt légal: 3e trimestre 1991
Bibliothèque nationale du Québec
Diffusion au Canada: Dimedia

Données de catalogage avant publication (Canada)

Blais, Marie-Claire, 1939-
   Manuscrits de Pauline Archange
   (Boréal compact: 33)
   2e éd. canadienne.
   Dépouillement: t. 1. Manuscrits de Pauline Archange. - t. 2. Vivre!
Vivre! - t. 3. Les apparences.
   ISBN 2-89052-417-5
   I. Titre. II. Titre: Vivre! Vivre! III. Titre: Les apparences.
PS8503.L34M36 1991   C843'.54   C91-096763-6

MANUSCRITS
DE
PAULINE ARCHANGE

PREMIER CHAPITRE

Comme le chœur de mes lointaines misères, vieilles iro-
nies que le temps a revêtues du sourire de la pitié (une pitié
puant légèrement la mort), les religieuses qui, autrefois, berçaient ma vie de leur cruelle bonté, m'épient encore au grillage
d'un cloître perdu dans la fade campagne, sous un ciel mécontent, au bord de la tempête, mais qui accueille comme un
encens maladif la plainte de leurs prières, de leurs cantiques
au saint sacrement. La joue jaunie par les veilles, leurs petits
yeux courant comme des billes dans la lune contemplative de
leur visage, leur front trahissant (frivolité secrète) une noire
mèche de cheveux drus qui tremble fièrement au seuil de la
coiffe, elles suspendent aux carreaux de leur couvent (d'où je
vois encore de grands dos blancs majestueusement inclinés
vers l'autel où brille comme une furtive indécence la mince
bottine brune sous la lourdeur des robes, et un lacet dont le
nœud oublié au réveil semble rompre, aux yeux de la supérieure qui embrasse des yeux l'ensemble et les détails de sa

9

descripte des
tondues) rel.

chapelle, toute la discipline de sa maison) cette expression de
mépris que connaissent bien les mauvais élèves dont je fus:
«Pauline Archange a désobéi, nous la priverons des restes de
notre pain d'hostie...» *punité - à Pauline et à nous*

Les mains bleuies de froid, les cheveux captifs sous les
peignes glacés, la casquette de fourrure si rapidement jetée sur
le front qu'elle ne couvre qu'une oreille et abandonne l'autre
à la rigueur des vents, mais le cœur bondissant d'une humeur
folle, timide, mélancolique aussi, sous l'élan mystique de l'orgue qui gémit tout près le *Tantum Ergo*, tout en reprenant la
lancinante mélodie jusqu'à l'évanouissement, jusqu'au dégoût
parfois: les mendiants de mon espèce, sortis en courant de leur
classe au premier coup de cloche, attendent là — sous l'œil
austère des barreaux qui leur dérobent l'enfant Jésus caché
dans les plis d'or du calice — très loin dans sa chaude retraite
de parfums et de tissus brodés que soulèvera à la première
messe un prêtre las dont la main sans mystère, abondamment
velue, ouvrira simplement les secrets de Dieu comme s'il
s'agissait d'un petit coffre-fort personnel, dans l'intimité de
sa chambre.

— Revenez la semaine prochaine, il n'y a plus d'hosties
aujourd'hui.

On dit qu'elles ne vivent que de salades et de prières,
qu'elles ne dorment ni ne se lavent, et l'évidence est là qui
souffle par les barreaux, avec une brave odeur de choux, de
pauvreté et d'avarice. Leur extase pétrifiée longtemps vous
poursuit dans les corridors, sous les voûtes grises, et même
dehors sous le vent et la neige serrés qui frappent brusquement
les tempes, semblent déchirer les épaules, le dos, d'un vaste
courant froid, ininterrompu.

On porte sur sa poitrine, d'une main engourdie, le paquet frémissant de retailles d'hosties, tenant de l'autre main la main nue de Séraphine Lehout qui a perdu son gant de laine et pleure, les joues, le nez souillés de larmes qui tombent sur son manteau comme une rosée. Dans le brouillard des routes, les voitures s'égarent, jetant autour d'elles des regards éblouissants mais aveugles qui évoquent, on ne sait pourquoi, tout un troupeau de bêtes inconnues, tapies dans l'ombre et ouvrant sur la nuit de sinistres yeux brûlants. La neige tombe. Séraphine Lehout ne reconnaît plus sa rue ni sa maison. Elle sanglote plus fort lorsqu'elle sent tristement flotter derrière elle, arrachée par le vent, la longue queue de son manteau trop large, hérité d'une sœur aînée qui l'a déjà porté plusieurs hivers avant elle.

— Mangeons des hosties. Nous retrouverons notre chemin. C'est mère Sainte-Scholastique qui nous l'a dit...

Assises sur le trottoir, l'une contre l'autre, nous craignons de nous envoler dans le ciel, aspirées d'un seul coup par ces véhémentes neiges, ennemies de la fragilité humaine. «T'as cinq ans et moi cinq ans et demi, je sais lire, toi tu ne sais rien.» C'est d'un premier lien dont les circonstances et les promesses sont si humbles, que naissent parfois tous les autres. Le lendemain en classe, Séraphine Lehout, s'agenouillant pour balbutier la prière matinale avec les autres élèves, baissa, devant mes yeux ravis, une nuque, une tête martyre dévorées par les poux, dont les deux nattes minces, n'ayant pas été dénouées depuis deux mois, scrupuleusement retenues par deux bouts de ficelle, semblaient former autour de l'abandon du visage étroit, toute une brume de cheveux sales, mais beaux, d'où l'on voyait monter des regards bruns pleins de fièvre, bien que voilés encore par une brume plus ténue autour de ses épais sourcils.

11

— Pauline Archange, priez le Saint-Esprit, comme tout le monde. Ainsi parlait mère Sainte-Scholastique de son estrade, près de la fenêtre, à peine plus grande que nous, son fin visage prisonnier d'une corolle plissée qui correspondait bien à tout un paysage de fleurs en pots, contre le tableau noir. Ses joues étaient d'un rose qui inspirait l'obéissance, la bonté. On l'aimait. Mais d'un amour qui allait en décroissant avec la subtilité de ses punitions. À genoux dans le corridor ou à genoux dans un coin, avec cela une grande flexibilité à la baguette. Mère Sainte-Scholastique était jeune, envahie de tant d'élèves chaque jour que, pour se souvenir du nom de chacune, elle devait l'épingler au col de nos costumes.

— Qui est cette petite, au fond, avec des queues de rat? Dites-lui qu'elle éponge de son tablier le ruisseau sous sa chaise... Si vous voulez sortir, mesdemoiselles, c'est simple, demandez la permission, je vous l'accorderai...

Les mains se levaient aussitôt, suppliantes, dans l'air étouffant, et mère Sainte-Scholastique s'écriait, offensée:

— Vous n'êtes que des bébés, je le dirai à mère supérieure...

Séraphine Lehout, humiliée, la bouche tordue par une timidité au bord de la honte, plus victime que nos petites saintes sur les images, rattachant d'un doigt incertain le gros élastique de son bas qui pendait sur son genou, Séraphine Lehout dont la fierté saignait comme le bouquet de lis et la fraîche mais menteuse virginité des petites filles mutilées à un âge précoce par les fauves de Dieu dans des arènes imaginaires, «celles dont l'âme était si pure, disait mère Sainte-Scholastique, qu'avant même d'expirer, elles tombaient entre les bras des anges», Séraphine peut-être attendrait-elle de moi, à la fin du jour, dans la cour du couvent (où le soleil couchant dessine des choses étranges sur les murs polis par un doigt de gel) une consolation à la mesure de ses supplices? Enlacées contre le mur, nous regardions le silence s'étendre autour de nous: la patinoire avait une âme immense qui dormait sur le dos, les bras en croix. Un arbre, solitaire, ouvrait vers le ciel une bouche fantôme dont la plainte ne s'échappait pas. Si les branches s'agitaient trop, nous partions, sentant en nous un vif tremblement... Le cri des tramways traversant la ville nous apaisait, dispersant dans la rue une foule murmurante d'ouvriers, de femmes ou trop rondes ou trop frêles, glissant d'un talon pointu sur la pente des trottoirs miroitants de glace, provoquant dans leur soudaine chute un torrent de rires mal contenus qui jaillissaient des dents comme des cris de bonheur. On avait la certitude que la ville s'allumait ainsi pour protéger les hommes contre les voleurs, les assassins, afin de leur permettre de se promener calmement dans les rues, d'un pas léger, laissant les enfants seuls dans leur chambre avec leurs devoirs à terminer, leurs rêves à bourdonner gentiment autour de leurs oreilles. «N'offensez pas Jésus, disait mère Sainte-Scholastique, ni dans vos jeux ni dans vos pensées.» Mais Jésus lui-même, sensible comme il était, aurait aimé cette heure confiante de la journée où personne ne mourait de faim sur la terre, où, dans la cour des maisons pauvres, Séraphine Lehout et Pauline Archange élevaient des forteresses de neige en toute innocence, pour s'y cacher si la peste ou la guerre pénétraient la ville. Séraphine elle-même semblait avoir oublié les injustices subies quelques heures plus tôt. De son rempart de neige, si haut, si fort, d'où, disait-elle, mère Sainte-Scholastique lui paraissait «petite comme une allumette et laide comme une mouche», rien ne l'effrayait plus. Si le froid vous traversait les os comme un mauvais souvenir, soudain, on se blottissait dans les bras de l'Archange Pauline et toutes les deux roulaient enlacées dans une neige tiède et complice, laquelle, en plus d'envelopper leurs étreintes, répandait généreusement sur les souillures de la cour (un rat passait, rapide et inquiet dans sa faim) un règne de blancheur éphémère, une beauté saine qui enflammait, du rouge de la passion, des joues nées pâles comme des fruits verts.

Mais sous le coup de la lancinante sirène de six heures, les jeux s'achevaient soudain, les roues des tramways grinçaient sur les rails, une lune orange et froide montait dans le ciel, ouvrant, telle l'image agrandie du catéchisme sur le tableau de l'école, une dédaigneuse paupière sous laquelle se réfugiait avec autorité l'œil de Dieu brillant de malice et de dureté. «Ce regard partout vous regarde et vous guette», disait mère Sainte-Scholastique, accrochant d'un air satisfait son œuvre barbare au tableau, et cet œil, en effet, comme une horloge boudeuse, jamais ne nous laissa de repos, marquant chaque heure de notre éternité scolaire d'une placide contemplation de toutes les fautes commises, ou que nous avions l'intention de commettre dans les années à venir. À six heures, Séraphine Lehout s'enfuyait en courant, pleurant déjà sur la punition quotidienne qui l'attendait à la maison: une heure debout dans un coin de sa chambre, pour son retard à dîner. Mais, dans la ville, quelques passants erraient encore, des ivrognes au sourire absent tiraient de leur manteau déguenillé un flacon de rhum dont ils buvaient les âpres délices comme du courage à l'état de liqueur, miraculeusement versé dans leurs bouteilles, afin de leur permettre d'être battus par leur femme sans s'en rendre compte. L'un de ces fêtards que j'enviais des yeux, me voyant traîner derrière moi la courroie de mon sac rempli de livres, que ce soir encore je n'aurais pas le temps d'ouvrir, me demanda de l'accompagner sur le pont pour une brève promenade.

— Orpheline?

— Non.

— Si c'est pas un péché de voir des enfants tout seuls comme ça, le soir! Où c'que c'est qu't'habites?

— J'sais pas.

Nous allions bientôt rentrer dans la nuit et ne plus en sortir. Mon compagnon était vieux et doux, il posait beaucoup de questions dans son ivresse. Il y avait parfois, dans les frémissements de sa voix, un accent de colère que je n'aimais pas. Où allions-nous donc? Comment reconnaître votre rue dans la nuit, la maison où votre mère vous attendait avec une expression inquiète: «Mais où étais-tu donc, mauvaise?» On voyait déjà le bol de soupe chaude au bout de la table, la cuillère posée à plat sur la nappe comme une présence amie... «Tu veux donc tuer ta mère qui est déjà malade? Tu veux me tuer, hein, c'est ça?» Mais les paroles de ma mère se dépouillaient de leur menace auprès de l'étrangeté de cet homme qui vous emmenait en des lieux inconnus.

— Je veux m'en aller, comme je veux m'en aller.

Avec une résistance un peu lasse, l'homme vous laissait partir, riant longtemps dans l'obscurité comme ces créatures abstraites qui habitent les cauchemars, sans visage, sans bouche, on ne pourrait définir l'étonnement de ses traits disparus dans la nuit, et je me retrouvais bientôt sur le pont de fer que j'avais longé en riant l'après-midi, avec Séraphine qui s'arrêtait à chaque pas pour être embrassée, demandant qu'on l'aime toujours, plus que le ciel, plus que la terre, éternellement en ce monde et au paradis où nous serions côte à côte si nous avions la chance de mourir le même jour, en état de grâce, le jour de la première communion de préférence. D'un côté du pont on voyait l'hôpital, non sans quelque méfiance, et de l'autre l'église, étirant ses membres bonhommes, souriant de toutes les dents de ses fenêtres sous des arbres calmes, adorateurs comme des mages. Il eût été si bon de vivre toujours auprès de Séraphine, car à peine m'avait-elle quittée que je me tourmentais à son sujet: sans elle je n'aurais jamais d'appétit, jamais je ne mériterais l'étoile d'honneur dans mon cahier. Nous n'avions besoin de personne au monde, sinon de l'une et de l'autre. Toujours jouer dans la neige, ne jamais aller à l'école, ne jamais rentrer chez soi, n'avoir d'occupation que d'aimer Séraphine infiniment, puisque sans elle, le monde redevenait hostile, la nature perfide, l'absurdité de la vie ouvrant sous vos pieds des trous noirs et vides dans lesquels tournoyaient les grandes personnes, comme des insectes avides à la faible lumière de leur dégoût, buvant, mangeant, prononçant des paroles suspectes et se reproduisant sans fin pour leur propre malheur. Parfois, l'un de ces adultes au profil sournois sortait de son trou, comme une taupe hésitante, et appelait son enfant comme une chose lui appartenant, l'appelait comme s'il eût été question de sa baignoire, de son fauteuil: «Mon chéri, viens donc, c'est l'heure du dîner, tu as assez joué pour aujourd'hui...» et l'enfant, dédaigneux de ces éloges, allait vers sa mère écrasant en lui les premiers soupçons de haine. Mais Séraphine Lehout et moi n'avions que mépris pour les mots de tendresse, tartines poisseuses que certaines femmes infligeaient à l'appétit rêveur de leurs enfants, à la sortie de l'école, dans les parcs, où, comme des nourrices inquiètes, elles couvaient, en tricotant sur leur banc de bois vert le châle, le foulard qui allait bientôt étrangler pour l'hiver le cou de leur frêle proie, qui, docilement, jouait dans le sable, sous leurs yeux pleins de nerveuses mansuétudes. «Tu as froid, mon ange, tu as toussé mon amour? Tu as faim, mon trésor?» À ce blême langage, nous préférions encore la rigueur de mère Sainte-Scholastique ou le délire impatient de nos mères que nous n'avions pas choisies, mais qui étaient là sur notre route, aimables sans connaître notre amour, car dans une indépendance farouche nous écartions les liens du sang pour renaître à notre façon d'un rêve intime, naissance spiritualisée où les parents, cette fois, ne joueraient plus aucun rôle, laissant à nos nombreux désirs une existence à remplir, un paysage désert à habiter. Parfois, on regardait ses parents, de loin et avec un trouble respect, comme les soirs d'été on s'abandonnait à l'observation craintive des policiers marchant en rond sous les réverbères, le regard fasciné par un bâton blanc dont ils s'amusaient, une main dans le dos. Ces êtres étaient de mœurs étrangères, leurs habitudes étaient mystérieuses, incompréhensibles, il eût été vain de chercher à les comprendre. Même lorsque vous étiez tout petit, livré à ces inquisiteurs, lavé, soigné par eux, survivant aux maladies de l'enfance grâce à leurs soins vigilants, petite chose rebelle agitant ses pieds et ses mains dans son lit à barreaux, hurlant, gémissant sur son absence de liberté, même en ce temps-là, personne ne semblait remarquer votre peine ingrate, votre volonté de vivre seul, sans être touché par des mains incestueuses. Mais en grandissant on prenait conscience que ces étrangers étaient toujours là, que l'on avait le devoir de vivre dans leur maison, participer aux difficultés de leurs existences et rêver silencieusement de son évasion. Le jour viendrait où l'on échapperait à leur jalouse surveillance. Mais en attendant, ce tribunal fermé que représentait la famille, groupant autour d'elle les oncles, les cousins, tous ces personnages avares et cruels, débonnaires ou distraits, que les échanges familiaux ramènent souvent autour de la même table de calomnie, tous ces gens disaient de moi en chœur que je n'étais pas comme les autres, que décidément «la Pauline, eh ben, elle n'a pas de cœur...» et comme ils avaient raison, car pour eux, ce cœur tout en générosités et en dons pour Séraphine Lehout, pour eux ne s'ouvrait pas, porte d'acier contre laquelle je pleurais pendant qu'ils frappaient des coups maladroits au dehors.

À six heures, le soir, lorsque je quittais Séraphine Lehout, l'impuissance de ne savoir aimer personne d'autre qu'elle sur la terre me désespérait, puisque m'attendaient à la maison des êtres dont je ne me rappelais l'existence qu'à l'heure de rentrer et à qui je ferais encore de la peine sans le vouloir. Pour éloigner ce moment, afin d'éviter un autre repas immérité en compagnie de gens qui ne voulaient que mon bien et à qui je ne ferais que du mal, je me promenais longtemps dans les rues, me durcissant l'âme sous le froid et la faim. Je savais combien ma mère s'inquiétait de ces retards, qu'à peine la classe terminée, elle téléphonait à toutes les mères de mes amies, racontant mon absence d'une voix plaintive:
«Elle savait à peine marcher, la Pauline, qu'elle s'en allait partout, courant l'monde, ah! c'est ben décourageant, madame Poire!» Mais j'allais mon chemin, défiant une autorité que je jugeais monstrueuse, éprouvant comme une erreur, un malentendu du destin, le fardeau de souffrances que j'étais pour ceux qui m'aimaient «sans récompense» disait ma mère à Mme Poire: «On a fait tous les efforts pour c't'enfant-là, et elle nous récompense jamais...», ce à quoi la paisible Mme Poire répondait en mâchant des pralines: «Eh ben, c'est la vie, madame Archange, les filles ça ne pense qu'à partir et à se marier, mon Huguette ne vaut pas mieux, va, toujours à jouer dans l'ravin avec son Jacquou, mais y faut ben que jeunesse passe, moi j'n'aime pas voir des péchés partout...» Sans

doute, cette remarque, accompagnée d'un rire sensuel, était-elle accueillie par un froid silence de ma mère à l'appareil, car Mme Poire reprenait aussitôt sur un ton plus sobre: «N'empêche, madame Archange, que vot' petite avec ses yeux intelligents, elle ira plus loin que vous et moi dans la vie, ouais, j'vous la r'conduirai par l'oreille quand elle viendra pour sa visite, j'vous le promets, madame Archange...» Lorsque j'arrivais, au moment opportun où toute la famille Poire était réunie autour de la table, mangeant à grands coups de fourchette des crêpes maigres et jaunes comme leurs visages, trempées dans un épais sirop brun qui coulait de chaque côté de leur bouche, Mme Poire, encore en bigoudis et en peignoir, me rappelait doucement que ma mère avait déjà téléphoné quatre fois, «mais comme j'disais à ta mère, Huguette vaut pas mieux, vous êtes deux malines, va, puisque t'es là, debout comme un piquet, enlève ton chapeau et viens donc manger une crêpe avec nous»! C'est ainsi qu'il était à chaque fois impossible de refuser d'aussi amicales invitations et que je ne rentrais chez moi «que pour dormir, disait ma mère, comme un ivrogne». Il était connu, dans notre ruelle appelée «ruelle de la Belle-Vue», passage squelettique habité par les poubelles et les rats, que mon amie Huguette Poire fréquentait tous les mauvais garçons du quartier, et que selon l'indulgence de sa mère «mentir était plus grave que d'aimer les garçons». À l'heure tardive de mes visites Huguette était déjà prête à se coucher; comme sa mère qui portait le costume de ses songes du matin au soir, ses cheveux étaient prisonniers de linges blancs, lesquels en les dénouant le lendemain («Mais pour être belle, y faut faire des sacrifices», disait Mme Poire lorsque son enfant sanglotait sous les coups de peigne), s'épanouiraient en une harmonie raide comme un accordéon, livrant à l'air et aux regards un extraordinaire bouclement de cheveux s'étirant dans toutes les directions «pour la provocation des yeux» disait mère Sainte-Scholastique. Assise près de moi, les joues trempées de sirop, elle me disait des choses à l'oreille puis sautillait de rire, la tête entre les épaules, jusqu'à ce que son père, dont l'humeur était particulièrement maussade les jours où il avait trop bu, d'un petit coup de fourchette sur le coude, ramène sa fille au silence.

— Ferme ta grande boîte de bouche, ordonnait-il, tu parles autant que ta mère.

Et c'était la fin de nos complicités. D'un air mélancolique, Huguette avalait sa crêpe. J'aimais Séraphine, Huguette aimait Jacquou. C'était un joli dépravé de nos rues, le premier homme que nous avions partagé. Il avait eu sept ans à l'automne, ce qui était une supériorité admirable sur nous. Mais depuis ma rencontre avec Séraphine, je ne pouvais qu'être infidèle à Jacquou, le souvenir de sa frêle poitrine nue brillait encore dans mon esprit, d'autres détails de son corps triomphaient généreusement aussi sur le caractère plus mystique de Séraphine dont je ne connaissais que l'âme, mais en vérité, je commençais à l'aimer moins, ce qui plaisait beaucoup à Huguette.

Il y avait eu, aussi, pour jeter une ombre sur le charme de Jacquou, ce sévère châtiment de mon père dont ma cuisse brûlait encore, et cette flamme de l'humiliation qu'il était si facile de réveiller partout dans mes veines battues. Au désespoir de Mme Poire qui passait le velours du pardon sur ce genre de fautes où les sens trouvaient quelque délectation («après tout, madame Archange, la vie est si courte, on ne peut pas s'priver des plaisirs»), ma mère m'avait traînée devant un prêtre pour dire toute la sombre vérité de cette histoire, mais comme je n'avais pas l'âge de la confession, on m'avait chassée en disant: «Rappelle-toi que cela fait pleurer le pauvre Jésus...» Ma pénitence s'achevait sur une «semaine de sept heures au lit», torture délicieuse de la conscience au repos, où, dans mon lit dès sept heures (ma mère venait me chercher elle-même à l'école afin de mieux faire pénitence avec moi), je retrouvais Jacquou, son apparition sauvage dans le framboisier lorsque, nu comme un astre, il s'écria: «Allez, les filles, vite déshabillez-vous, j'suis pressé», et que nous passions si aisément à l'exécution de ses désirs, étonnées par une magie de caresses toute simple à découvrir. Toujours fidèle à sa nature, d'une franchise hautaine dans ses exigences, Jacquou se lançait fièrement dans la vie qui lui était destinée depuis qu'il s'était jeté avidement sur le sein de sa mère, une vie de conquêtes et de fatigue commençait pour lui, et comment l'eût-il refusée quand les filles déjà se montraient si empressées, énergiques à la découverte, si curieuses que sa propre curiosité en était parfois éteinte. «Bah, les filles» semblait-il penser en haussant les épaules, et il crachait de côté pour exercer sa souplesse au mépris. On voyait en lui le garçon devenu grand, dirigeant un manège de maîtresses, promenant sur son royaume un regard assouvi, un peu triste, un peu ennuyé. En sa présence, pour la première fois, j'eus la fulgurante impression que tombaient, l'un après l'autre, dans une même lumière, tous ces paysages que l'on avait gardés secrets depuis ma naissance. Le plaisir existait. Pour Huguette Poire, Jacquou n'était pas seulement à ses yeux un prince d'initiation, mais aussi un voyou plein de saveur qui vous apprend le vice. «Si tu savais tout c'qu'on fait ensemble...» chuchotait-elle à mon oreille, autour de la table familiale, et une seconde fois, le père Poire hurlait:

— Mais la fermeras-tu ta porte de cave de bouche?

Les crêpes dévorées, Huguette faisait ses devoirs au coin de la table, à côté de son assiette vide mais dans laquelle s'agitaient encore tous les dessins des restes de nourriture, taches noires, chemins dans ces vallées souterraines qu'elle parcourait d'un œil pensif tout en traçant les premières lettres de l'alphabet dans son cahier. Pendant ce temps, sa sœur Julia enlevait, dans une lenteur presque maladive, le lait, le beurre, les assiettes, puis secouait violemment la nappe sur la tête du chien. «Y faut que tu te concentres sur ce que tu fais...» disait Julia à Huguette, et sur ces mots la radio grognait, le père s'abandonnait à tout un concert surpris qui montait de son estomac à sa gorge, tenant son ventre d'une main, comme une grande chose précieuse dont on ne connaît pas toutes les sonorités, les lamentations. L'appareil de radio avait un œil, une voix, il était là comme un pensionnaire disgracieux, de dimensions trop envahissantes, mais parlant beaucoup et avec mystère. Huguette se tournait vers lui comme pour lui demander conseil. À la fin, elle pleurait dans son cahier et on l'envoyait dormir avec Julia, trois autres de ses sœurs et un frère qui partageaient aussi la même chambre sans fenêtre.

«Ah! Mon Dieu, Pauline, j't'avais oubliée, disait Mme Poire, soudain, j't'inviterais ben à dormir avec Huguette, va, mais y a pas de place, pas même pour l'chien: attends, j'vais mettre mes bottes pis aller t'reconduire...»

Nous partions ensemble dans la ville blanche et déserte, son visage était d'une familiarité candide sous son armure de bigoudis. Elle mangeait encore des pralines. Jalouse de l'influence de Mme Poire, ma mère me recevait avec une gifle mineure sur l'oreille, m'épargnant ainsi de saigner du nez pour des fautes plus graves, me disant d'une voix étouffée: «Tu m'rends ben malheureuse, la Pauline, te v'là qui habites chez les voisins plus que chez nous. Ouvre ton sac, y faut que j't'aide avec tes devoirs.» Le front entre les mains, épuisée par les traitements qu'elle recevait chaque jour à l'hôpital pour une maladie dont j'ignorais la cause, ma mère guidait ma main sur mon cahier, mais elle avait tant de chagrin de me retrouver elle aussi, qu'elle semblait absente dans sa tâche et si mon regard croisait le sien, elle baissait les yeux en disant: «La Pauline, qu'est-ce que je vais donc faire avec toi?» J'éprouvais alors une pitié rebelle pour cette femme jeune, déjà atteinte dans sa santé, brisée par le travail, dispersant vite mes pensées toutefois dans une rêverie glacée où elle n'aurait aucune part, craignant de me laisser émouvoir par ce front pâle penché sur ma page éclaboussée d'encre, craignant, plus que tout, de rompre notre fragile lien de pudeur et de silence, par ce geste de consolation qu'elle attendait de moi, lui confirmant ainsi que nous n'appartenions pas à la même race meurtrie. Parfois, l'un de ses cheveux blonds tombant sur mon cahier, je le regardais longtemps sous la lampe, songeant vaguement qu'il y avait en ma mère une sœur incomprise de moi, peut-être, mais perdue si loin dans le brouillard austère de sa vie que désormais nous serions de plus en plus séparées.

— Pourquoi es-tu sur la terre?

— Pour aimer Dieu et le servir.

Elle semblait répéter la leçon avec moi dans une foi tourmentée qu'elle ne questionnait plus. Elle s'interrompait, levait vers elle mon menton livide, touchait une joue creuse:

— Tu vas mourir si tu continues à pas manger comme ça, c'est ça que tu veux, mourir? T'es verte comme un chou, mère Sainte-Scholastique dit que tu t'évanouis pendant la classe, qu'est-ce que t'as donc à ne pas vouloir manger quand sur la terre tant de petits enfants meurent de faim? T'as pas honte, Pauline?

Mais ce n'est pas vraiment à ma mort que ma mère

pensait, mais à la sienne dont l'extrême pauvreté de ses forces semblait refléter l'image dans les cernes de ses yeux, les dures attaques de vomissements qui la laissaient sans conscience sur son lit, elle se disait sans doute, dans son inquiétude, qu'elle ne pouvait pas continuer à dépérir ainsi, sans quelque grave raison, et qu'il y aurait un terme à ces suffocantes douleurs. Mais, courageusement, elle écartait cette pensée, et s'il faisait beau le dimanche, elle nous amenait jouer dans le parc, mon frère et moi, me laissant soudain dans les bras un grêle bébé écumant de rires et de salive sur mon visage, me disant d'être sage pendant qu'elle serait malade sous un arbre. Elle revenait, blanche comme neige, posant sur le banc une main transparente dans l'éclat du soleil, une main parcourue de veines bleues qui paraissaient frémir d'une vie singulière et inquiétante, pendant que la sueur coulait lentement sur son cou abandonné, à l'intérieur de son corsage dont un bouton manquait et qu'elle avait remplacé par une épingle sans élégance. Si nous étions assis tous les trois sur le même banc, partageant le pain beurré de confitures du déjeuner, en attente de la bouteille de lait public que les autorités du parc offraient gratuitement, chaque jour, à midi, il me semblait que d'autres familles s'arrêtaient pour nous regarder, nous qui avions l'air au bord du cercueil, disait Mme Poire, sans délicatesse, et que l'on nous jugeait sur notre pâleur émaciée, comme des agonisants qu'il eût été préférable d'ensevelir tout de suite, afin de ne pas contaminer les autres qui jouissaient encore de leur santé. C'est ainsi que ma mère, trop fière pour se résigner à cette image honteuse, me reprochait amèrement les signes de sa maladie qu'elle retrouvait en moi, me réveillant même la nuit pour me faire manger des céréales que je rejetais ensuite sur les draps. «T'es encore allée chez les tuberculeux, dis la vérité, hein, c'est ça?» Tous les habitants de notre ruelle souffraient de consomption, mais dans sa réserve, ma mère arrêtait son jugement sur la famille Carré, dont trois membres déjà étaient morts au sanatorium. «T'as encore joué avec la p'tite Lucienne Carré, hein, mais qu'est-ce que j't'ai dit, donc, tu veux qu'ils t'empoisonnent?» Chez les Poire, Julia seule allait être emportée par la maladie avant sa vingt-cinquième année, mais toute son adolescence, on la voyait frapper son grand corps osseux et lent contre la table et les murs de la cave qui servait de maison aux siens, si décharnée qu'on avait l'impression que ses poumons se promenaient dehors à découvert, comme une carte de géographie dont les nombreuses taches noires eussent représenté des pays, des villes, décimés par la famine; ni gaie, ni triste, attendant sa fin en jouant aux cartes avec son père qui lui survivrait trop bien, et fumant des cigarettes sur le perron en lisant des romans d'amour aussi légers et suaves que la fumée nauséabonde qui montait de ses lèvres. Les jours de forte chaleur, une cigarette brûlant seule au bout de ses doigts, sa tête brune penchée de côté, on surprenait une mince ligne de sang qui coulait de la bouche de Julia, somnolant sur son livre inachevé, morte déjà, semblait-il, mais le bruit d'un gamin grattant son soulier sur la pierre la réveillait soudain et elle reprenait sa lecture, essuyant rapidement sa bouche du revers de la main.

Quant aux autres Poire, ils se portaient plus ou moins bien, encerclés de leur maladie comme d'une condition de vivre née avec eux, pénétrés par la mort, toussant, crachant, mais par un miracle d'endurance, marchant au-dessus, ou au seuil, comme s'il eût été question d'un rhume ou d'une migraine, dont cela finissait par emprunter l'apparence à la fin.

Ma mère me poussait vers mon lit, oubliant mes livres encore ouverts sur la table, ajoutant que pour mon bien elle devait me punir pour mes nombreux retards, donc qu'on me priverait de la matinée du dimanche au cinéma. Dans l'ordre des chagrins, celui-ci paraissait le plus cruel, car ma mère, sans le savoir, me séparait de la seule douceur de la semaine: cette matinée de visions, bien que nourrie par une inspiration de basse qualité par les choix dévots de nos aumôniers, illuminait, pour une brève période de temps, une imagination constamment sous les chaînes. Il y avait aussi, liée à ce délice des yeux buvant l'écran, contemplant la médiocrité de chacune des images comme un vitrail aux extases célestes et puériles, la présence de Séraphine à mes côtés, bougeant sur sa chaise, suçant d'interminables caramels dont elle froissait longtemps le papier dans sa main, comme pour irriter davantage mon amour pour elle, mais présence que je chérissais malgré des gronderies impatientes: «Dis donc, Séraphine, t'as des vers? Tu regardes pas le film, non, tu m'regardes comme si j'étais à vendre dans une vitrine, on dirait que c'est la première fois de ta vie que tu me regardes, j't'amènerai plus...» Ce qui ne l'empêchait pas de se mettre à genoux sur sa chaise pour bavarder avec les enfants de la rangée en arrière, tout en glissant autour de ma nuque son petit bras froid sous la manche du chandail trop court... «Oui, j'te regarde, Pauline et pis c'est pas ton affaire si j'aime t'regarder...» Or, manquer l'un de ces rendez-vous avec Séraphine signifiait aimer Séraphine un jour de moins, souffrir de notre séparation avant l'heure, ce qui était inacceptable. Je me couchais en prenant la décision de désobéir à ma mère une fois de plus, voyant se profiler pour la première fois dans mon esprit l'idée enivrante du vol d'une pièce de dix sous, ma main descendait déjà en tremblant dans le bol de granit où brillait l'or fané des quelques économies de ma mère. Pour retrouver Séraphine, la tenir en mon faible pouvoir pendant quelques heures, ne devais-je pas risquer mon salut éternel, ma réputation déjà obscurcie aux yeux de mes tantes et de mes cousines? Et n'avait-on pas franchi, d'un seul bond audacieux, le feu de l'enfer, le jour où Jacquou avait fait sa rieuse apparition dans les framboisiers, agitant, comme un drapeau de victoire à la main, sa rouge culotte rapiécée, dans le vent?

— Tu vois comme je t'aime, Séraphine, murmurais-je à mon oreiller tout gonflé de plumes piquantes, lesquelles, en sortant de leur enveloppe usée, venaient parfois dormir dans ma bouche, oh! Séraphine, j'irai en enfer, à cause de toi!

À quelques pouces de mon lit, mon frère cadet entrecoupait mes pensées de son animal soupir de bébé, la bouche grande ouverte dans les lueurs de la lune qui tombaient des rideaux immobiles, ses rares cheveux humectés par une sueur de sommeil qu'il m'arrivait de toucher du doigt pour éprouver en moi quelque durable répugnance. Un crucifix veillait dans l'ombre, tranquille et désolé, las de participer à nos reniflements de la nuit, désolé aussi par la fade couleur des murs sur lesquels reposait son corps lacéré, en compagnie d'images plus profanes: un garçon allant à la pêche dans un paysage d'un vert printanier, un calendrier où riait de satisfaction un bébé chauve, sans dents, le nez écrasé comme un pruneau sec, une sorte d'être barbare comme mon frère Jeannot dont je fuyais la présence en me tournant sur le côté. Les jours de mélancolique faiblesse où je ne pouvais aller à l'école, sinon pour m'évanouir dès la prière du matin, ma mère me clouait près d'elle sur son lit de malade, et nous nous parlions sans nous voir, chacune de nous préservant son secret en tournant le dos à l'autre.

— Y faudrait une bonne, mais ça coûte trop cher... J'peux plus faire la lessive, préparer le dîner pour ton père, y faudrait quelqu'un... Y faudrait une gardienne pour toi quand j'vais à l'hôpital pour les traitements, tu ne peux pas m'suivre partout comme un p'tit singe, et pis c'est pas gai pour quelqu'un de ton âge... P'têt' que je devrais t'envoyer à la campagne chez ton oncle Jérôme... Qu'est-ce que t'en penses?

Mais ma mère avait à peine achevé ces mots que je la quittais sur la pointe des pieds, marchant d'un pas prudent vers la cuisine, puis ouvrant la porte sur la rue noircie de poussière et plus affligée que moi par l'air chaud. Je courais sans but sur les trottoirs muets, en ces longs après-midi de juin où les écoliers dormaient de découragement sur leurs examens, où les hommes, respirant à peine, semblaient avoir cessé de vivre...

Les dimanches où j'avais volé plus de deux pièces de dix sous, pour Séraphine et moi, se consumaient dans une liberté sacrilège qui n'en paraissait que plus belle pour cette raison, en promenades privilégiées à la sortie du cinéma où nous allions manger des glaces, lire à genoux sous les comptoirs des restaurants, dans la pénombre d'une bruyante jeunesse, laquelle, au lieu d'aller à l'église avec ses parents, se réunissait chez Laurel, Bonbons et Cigares pour fumer des cigarettes, bavarder d'un air de triomphe tout en jetant de fugitifs regards sur les revues illustrées que nous lisions: pages constellées de silhouettes nues, sirènes, femmes-serpents, histoires de viols graves et surhumains, puissance ailée d'un jeune homme masqué se promenant dans l'espace, à peine vêtu d'une cape bleue qui lui permettait d'atterrir calmement dans la cuisine de ses victimes consentantes et de les étreindre sans être remarqué, son manteau ridicule nous privant hélas d'une foule de détails captivants.

— Vous êtes trop p'tites, vous comprenez pas, et pis vous savez même pas lire...

Des rires grossiers éclataient au-dessus de nos têtes. Laurel, Bonbons et Cigares, contenu en une seule personne mais représentant par son nom les deux produits qu'il vendait le plus dans son restaurant, s'approchait de nous, un tablier blanc autour de son imposante taille, son noir genou de tweed planté à la hauteur de nos yeux:

— Hé, les petites vicieuses, vous êtes trop jeunes, rentrez chez vous...

Et nous partions, indignées, murmurant des insultes à voix basse...

Si j'apercevais ma mère debout sur le seuil de la cuisine à mon retour, je comprenais tout de suite qu'avec elle, tout un tribunal secret allait sortir de l'ombre pour juger mes vols du matin. Je portais ma faute farouchement, prête à la justifier, mais en vain, longtemps ma mère m'accueillit avec le même regard de lassitude perdue, prononçant les paroles de ma délivrance:

«J'me sens pas bien la Pauline, mais nous irons dîner chez ta grand-mère, p'têt' que ça te distraira un peu de la rue...»

D'un ton plus sec, il lui arrivait d'ajouter: «Va vite te débarbouiller, p'tite traîneuse, tu m'fais honte dans ta robe sale...» Par économie, nous allions souvent chez ma grand-mère à pied, ma mère couvrant l'horizon d'un regard figé et malheureux tout en poussant devant elle la voiture du bébé, ou, les soirs d'hiver, un traîneau dans lequel on me déposait moi aussi. Je rêvais en regardant tomber les flocons sur le nez rougi de Jeannot, oubliant combien ma mère peinait à traverser la ville avec nous. Grand-mère Josette venait à notre rencontre, tenant la rampe de l'escalier d'une main fébrile agitée de tremblements, chaussée d'une paire de pantoufles empruntées à son mari, ornées de petits trous comme des yeux; prenant Jeannot dans ses bras, elle s'informait aussitôt de l'absence de mon père: «Eh ma fille, où il est ce Jos? Je ne le vois jamais...»

— Oh! répondait ma mère tristement, y faut qu'y travaille jour et nuit, y travaille même le dimanche, c'est un bien mauvais temps pour élever des enfants, on ne peut pas joindre les deux bouts de not'ficelle...

— Ah! C'est pas drôle, disait ma grand-mère en haussant les épaules, on dirait que l'Bon Dieu veut punir les hommes...

— Voyons maman, voyons, y faut pas parler comme ça du Bon Dieu... pas devant les enfants...

Sur ce reproche discret de ma mère, je montais l'escalier en courant pour être la seule à voir mon grand-père en premier, mais celui-ci, indifférent ou complice, feignait de ne pas me voir et mangeait sa bouillie de carottes avec une moue de colère qui n'était pas sans m'effrayer un peu:

— T'es fâché, t'es encore fâché Onézimon?

Lui se taisait, courbait vers son assiette un grand nez couvert de poils gris et blonds:

— T'aimes pas qu'on te fasse manger d'la bouillie, hein? Moi non plus... Si je te dis que ton nez est comme un jardin pour les chenilles, est-ce que tu seras plus fâché encore?

Enfin, mon grand-père répondait «qu'il était noir de colère», qu'en effet, il détestait la bouillie, mais n'ayant plus une seule dent il était condamné à ne rien manger d'autre, et que les femmes de la maison, ma grand-mère et ses «damnées filles» le tourmentaient «comme une souris sous les pattes du chat».

— Onézimon, mange ta bouillie, disait grand-mère Josette en pointant un doigt vers son mari, n'le pousse pas à faire le malin, Pauline, y demande que ça, têtu comme il est...

— Viens donc, Pauline, on va laisser les femmes ensemble...

Mais avant de suivre mon grand-père dans son atelier, j'allais de ce côté de la maison qui m'était interdit, «le côté des fiancés et du pauvre oncle Sébastien, disait ma grand-mère, comme les malades, les fiancés doivent être seuls. Viens jouer avec tes blocs, Pauline, et cesse de regarder partout...» Frêles conseils que j'écoutais d'une oreille tout en glissant à genoux jusqu'à la porte vitrée du salon, où sous un bouquet de disgracieuses fleurs imprimées sur la surface du verre, comme ce halo de brume que surprend l'œil par le trou d'une serrure, s'embrassaient, dans une sournoise pudeur, la tante Alice et son terrestre fiancé Boniface. Celui-ci, lorsqu'il ne contemplait pas la rigide beauté d'Alice déjà assise sur son trône de domination d'où elle ne descendrait jamais, regardait mélancoliquement, couchés sur le tapis comme des chiens battus, ses larges pieds plats dépourvus d'imagination, mais selon lui, des pieds frêles, un peu bêtes et capables de porter son âme timide jusqu'au seuil du mariage... «Ah! Alice, soupirait-il, marions-nous vite...»

— Attendez, Boniface, mes sentiments envers vous sont ce qu'on peut appeler encore hésitants... L'amour viendra... L'amour vient toujours...

Cette femme avait toujours eu «un langage de reine», disait ma mère avec une pointe d'envieuse réprimande, «elle seule est allée à l'école jusqu'au bout pendant que les autres travaillaient à vendre des chapeaux...». Et s'il est vrai que ma tante exprimait quelque pâle éloquence verbale, c'était un peu dans l'espoir d'imiter son frère Sébastien dont elle admirait la fantaisie de caractère, et aussi parce qu'elle avait lu abondamment parmi «les mille et un guides du mariage», «le mariage, porte sacrée...», «la vertueuse explication de l'amour...»

savourant le vocabulaire voilé qui l'invitait à une vocation qu'elle croyait unique et élevée, digne de son idéal d'intégrité et de rêve... Hélas, à la première étreinte, à la caresse d'une main veloutée de noir sur son sein sec et dur, et surtout à l'apparition de ces pieds insensibles de Boniface errant dans la chambre, tout son rêve de passion s'évanouirait et, de froide amoureuse, elle deviendrait aigre et tyrannique.

— Hé, la finette, qu'est-ce que tu fais là? Tu louches du côté des fiancés? Viens donc me visiter, je m'ennuie comme un crapaud...

Si j'hésitais à venir chez l'oncle Sébastien, c'est que le destin de ce jeune homme que j'aimais me semblait menacé et lié de quelque façon à la tragédie qui pourrait me séparer de Séraphine un jour, vagues fragments d'une catastrophe unie à un être cher mais que je ne désirais pas identifier, croyant peut-être, dans la superstition du cauchemar, que l'oncle Sébastien, touché par un malheur personnel, inspirait sans le savoir, au malheur en général, de s'abattre sur Séraphine et moi.

— Pourquoi ne viens-tu pas? Je n'ai que toi au monde... la Pauline!

À la fin, ma pitié cédait devant Sébastien:

— Qu'est-ce que tu veux que je te raconte aujourd'hui? L'histoire du renard gris qui patinait dans l'église? L'histoire du chameau voleur de cierges? Regarde sous le lit, toutes mes histoires sont là, j'en écris trois par jour... Tu les liras quand tu seras grande... Tu verras toutes les choses que nous ferons ensemble... Un verre d'eau, Pauline, ne le dis à personne, donne-moi un verre d'eau... Ce n'est pas la faute des autres, ils m'ont oublié... J'ai soif...

Mais lorsque je voulais l'aider à boire, délicatement, il repoussait ma main:

— Je peux boire tout seul, finette, je me sens bien, tu sais, ne pourrais-tu pas ouvrir la fenêtre un peu? J'ai peur que tu étouffes ici... Et puis, il faut laisser sortir les monstres... Est-ce que tu les vois? Je n'ai pas peur d'eux, ce sont mes amis. Je leur parle et ils ne rugissent plus. Il faut jamais se mettre en colère, Pauline, les monstres ne l'aiment pas.

— Où sont-ils? demandais-je.

— Sur mon pupitre, dans mon encrier. Partout. Est-ce que tu vois la petite flamme qui sort de leur bouche? Tiens... Elle s'est éteinte... Peut-être que ma fièvre commence à baisser... Je me lèverai demain, c'est promis.

Une odeur de remèdes effleurait mes narines pendant que je me rapprochais de l'oncle Sébastien pour mieux voir son visage, sentir comme un sourire souffrant le délire courroucé de son regard, m'arrêtant là, comme devant un chemin inconnu au seuil d'une forêt.

— T'as donc peur de moi, Pauline?... demandait-il doucement, puis il fermait les yeux comme pour s'abandonner au sommeil.

C'est en glissant dans l'un de ces brusques sommeils, encore secoué de délire, que le pauvre Sébastien devait mourir simplement un matin de printemps, son douloureux visage marqué par une expression d'ironie, d'espérance aussi (n'avait-il pas dit à grand-mère Josette, le matin, au réveil, qu'il se sentait beaucoup mieux?, comme s'il eût succombé à la pneumonie par erreur, étreint par le brûlant vertige qui courait dans son cerveau... C'est alors, en regardant le drap blanc qui recouvrait l'absence de Sébastien, dans la chambre vide, que l'on avait le cœur serré par un atroce ennui. Était-ce donc ainsi que toute chose aimable était condamnée à périr? Autour de soi, on pouvait entendre le silence. Chacun était donc encerclé de cette petite agonie noire qui l'accompagnait partout? Dans un monde aussi cruel, dont toute l'immense cruauté semblait se lever soudain dans votre esprit, en une seule image de destruction meurtrière, il semblait absurde d'aimer Séraphine et surtout de la vouloir protéger, quand tant d'hommes mouraient à chaque instant sur la terre, comme non seulement nous l'apprenaient la radio, les journaux, mais aussi les visions sanglantes de tous nos rêves, ces rêves dans lesquels on baignait même à l'heure de sa naissance, le monde étant toujours à feu et à sang. Oui, dans ce monde qui semblait enfanter pour nous un avenir plus ennemi et plus sanguinaire encore, comment l'amour aurait-il le don de survivre?

— Hé, la Pauline, viens donc avec moi, j'ai des nouveaux jouets à t'montrer... *qui parle ?*

Un peu honteuse d'aimer encore trop la vie quand l'oncle Sébastien pourrissait seul sous la terre, je suivais mon frivole grand-père dans son atelier où nous contemplions tous les deux les jouets merveilleux qu'il sculptait «pour vendre à bas prix à ces parents d'enfants riches, avares comme des pauvres...» ajoutait-il d'un air méprisant. «Hé, la Pauline, qu'est-ce que tu penses de cette locomotive rouge et bleue? Tu t'imagines, s'en aller dans les montagnes au petit matin, dans un train pareil, sans femme, tranquille, en fumant ma pipe, hé, ça, c'est le bonheur d'un homme, et c'te poupée, qu'est-ce que t'en penses? Des cheveux rouges comme ta grand-mère Josette au temps où elle était pimpante et jeune! T'aurais dû la voir dans c'temps-là, elle était pas si souvent à l'église et...

Mais ce qui attirait surtout mes regards, c'était un traîneau blanc dont la grâce était si parfaite, la forme si charmante que l'on voyait déjà ce mariage délicat du propriétaire et de l'objet qu'il possède, ce propriétaire que j'imaginais exquis comme Jacquou, mais ne jouant jamais dans les ravins, et qui descendait, comme une flèche indifférente, couché à plat ventre sur son traîneau, la pente solitaire d'une colline n'appartenant qu'à lui pour ses jeux...

— Hé, la Pauline, à quoi qu'tu penses, comme ça, la bouche ouverte comme un âne?

Mais soudain on était triste à nouveau, éprouvant comme une insulte, non seulement la fin précoce de Sébastien, mais la fin de toute chose qui respirait autour de soi.... Cinq années, déjà, on avait vécu sur cette terre froide et contradictoire et la sixième année approchait dans l'ombre, comme un mendiant posant sur vous son humble regard, mais exigeant votre charité, votre confiance... «Hé, la Pauline, tu vieillis vite, hein, t'auras bientôt mon âge...» Mais toute réflexion touchant la mort, le passage incompréhensible du temps, semblait s'évanouir pendant des jours entiers, parfois, et c'est d'un pied léger que l'on gravissait l'échelle d'angoisse de ces heures, qui, hier, dans leur passive longueur, vous avaient paru éternelles: la sixième année venait simplement, comme les autres années qui l'avaient précédée, sans bouleverser davantage l'ordre dramatique des choses. Séraphine ne changeait pas pour cette raison, les jours s'accumulaient autour d'elle comme autour de moi, et si l'heure de notre séparation approchait, nous étions trop heureuses ensemble pour sentir en profondeur le moment où cela n'existerait plus.

Ma mère, souffrant trop pour me garder auprès d'elle après la classe, avait suivi le conseil de Mme Poire, qui, dès la sixième année de chacune de ses filles, les mettait sous la garde patriotique de la Compagnie des Mireillettes ou Petites Mireilles, enfin, à l'âge respectable de quatorze ans, on faisait la profession de foi du vrai scoutisme, initié, grandi, fortifié dans toutes ses racines. «Comprenez donc, madame Archange, disait Mme Poire à ma mère qui hésitait un peu à me confier à toute une armée de cheftaines, assistantes cravatées, de ma future compagnie appelée compagnie du Ruban bleu, comprenez donc que ces enfants-là ont besoin d'air, y peuvent pas toujours jouer dans la ruelle, et pis, les Mireilles, c'est distingué, y's ont des réunions, y's apprennent le sémaphore, c'est pas que c'est utile pour se marier, mais enfin, ce qui compte, c'est qu'y vont camper l'été... Dans la montagne, oui, madame Archange, et pis, les fins de semaine, y vont dans le bois, y's étudient la botanique, les oiseaux, les plantes, c'est pas que c'est utile pour se marier...»

C'est ainsi que j'avais entraîné Séraphine dans les Mireillettes et que l'espoir de camper un jour en montagne, sous un ciel nocturne et clément, avec un croissant de lune planté sur le sommet de notre tente, avait chassé quelques-unes de mes sombres prédictions. Dès la première réunion des Ruban bleu, dans une cave poussiéreuse que j'ornais de toutes les qualités du mystère, comme si dans cet endroit sans lumière, loué à la seule fin de nos frêles conférences, le sort du monde eût été discuté par ces petites filles qui, en rentrant chez elles, le soir, se perdaient souvent dans la neige, et se couchaient souvent après avoir été battues, dès ce premier jour, Séraphine et moi étions émues par une grande cheftaine au pas viril mais à la voix douce, et par son assistante qui lui ressemblait comme une sœur troublante, si bien que lorsque nous parlions de l'une, l'autre apparaissait aussi, souriante du sourire généreux de la première. Agnès et Bertha, à peine nous avaient-elles regardées que Séraphine baissait la tête et me serrait cruellement la main pour me communiquer sa vive passion, et moi la mienne, si bien que la cheftaine Agnès dut s'écrier de sa grosse voix:

— Gauche, droite, une Mireillette est une personne libre

et indépendante, il faudra vous séparer d'équipes, toutes les deux, gauche, droite, une Mireillette s'engage d'abord à servir son pays...

Mais dans la sévérité d'Agnès ou de Bertha, je ne reconnaissais pas ce ton de sécheresse qui me faisait frémir sur mon banc, à l'école, quand mère Sainte-Scholastique nous infligeait une leçon: au contraire, l'énergie consolatrice que déployaient ces femmes, rigoureusement masculines dans leurs souliers plats, l'étroit tailleur d'où la forme d'une hanche pointue exprimait, elle aussi, la volonté, l'audace, rigoureusement maternelles aussi, mais se protégeant de cette faiblesse sous une apparence militaire elle-même très fragile, au contraire, leur énergie, leur inquiète vigueur semblaient contenir pour nous cet élément de robuste tendresse dont on nous avait privées jusque-là. Tournant chaque jour ma contemplation vers de nouveaux visages, avide des pâles honneurs du scoutisme, j'oubliais Séraphine chaque jour davantage, chérissant plus encore, peut-être, l'ancienne habitude d'aimer Séraphine, plus que Séraphine elle-même. Si je perdais soudain la main de Séraphine pendant l'un de nos jeux en montagne, mon esprit ne s'affolait plus, je me rassurais trop vite en la fraternelle image de mes cheftaines et de leurs assistantes galopant comme des chèvres folles vers le sommet des collines neigeuses, criant de leur brusque voix: «La première équipe aura le drapeau d'honneur, au pas, Mireillettes, au pas...» écoutant tinter, comme un murmure de cloches, tous les niveaux de gamelles et de couteaux qui scintillaient à leur noire ceinture de cuir, me disant que je retrouverais Séraphine au coin du feu, le soir, dans le chalet illuminé, où s'achèverait la course des équipes épuisées.

Il est vrai que je retrouvais Séraphine parmi les autres, mais dans mon indifférence, son fin visage exprimant une dépendance blessée que je n'aimais pas reconnaître pour l'avoir cruellement inspirée, ce visage aux couleurs maladives, aux yeux brûlants, plutôt que d'attirer mes regards comme il l'avait fait tant de fois, les détournait vers d'autres visages, plus roses et plus gais, trahissant une expérience, une sollicitude de grandes personnes que Séraphine, devenue si petite à mes yeux, ne pouvait plus comprendre. Mon amitié ingrate laissait à l'habitude le soin de lui prouver que Séraphine était toujours là, partout où mes yeux aimaient la voir, dans les corridors de l'école, ou partageant mon pupitre pendant la classe, écrasant elle-même du pouce, parmi les taches d'encre de ses cahiers, les poux bruns qui tombaient dans son livre ouvert. Si je la grondais en allant au cinéma le dimanche, mes yeux n'osaient plus chercher les siens: je lui parlais maintenant sans la voir. Il était donc naturel, pensais-je, d'aimer quelqu'un d'autre, puisque Séraphine m'ennuyait. Cette Séraphine qui sanglotait sous mes reproches devenus de plus en plus fréquents et injustes, me disant d'une voix suppliante en essuyant son nez sur la manche de son manteau:

«Pourquoi que tu me chicanes toujours, Pauline? Pourquoi donc que t'es si méchante?» Cette première Séraphine, je ne pouvais que la torturer soudain dans la lassitude de mes sentiments envers elle.

Il me fallut entendre l'appel de Séraphine broyée sous les roues de l'un de ces autobus aveugles dont nous nous étions protégées si souvent ensemble, autrefois, aux soirs de brume et de tempêtes, il me fallut voir de près sa mort pour comprendre que je l'avais volontairement perdue, dans une suite de moments distraits qui m'apparaissaient dans une lumière implacable soudain. Cette faute d'oubli, plutôt que d'interrompre le fleuve de mes futures infidélités envers les autres et moi-même, comme la vie allait me le prouver de toutes les façons, n'était que le départ de mille autres reniements sournois: inexplicable fatigue de l'adoration, de l'amour qui piétine soudain l'être, la chose élue, pour un choix de passage, une nouvelle curiosité du cœur ou des sens à laquelle on ne peut résister. Dans un délire de promesses, Séraphine et moi avions fait le vœu de ne jamais nous séparer, d'éphémères serments couraient sur nos lèvres, à la sortie des classes, et la mort de tous ces heureux moments venue, je m'y résignais peu à peu sans éprouver assez fortement combien était scandaleuse la disparition de Séraphine dans un monde inconnu, à jamais impénétrable, tel ce cercueil minuscule qui avait emporté loin de moi, vers le cimetière brumeux sous les arbres, la silhouette tombée, assoupie, d'une enfant dont je n'avais pu reconnaître les traits.

— T'as donc pas de cœur, la Pauline? soupirait ma mère, observant avec mépris la dure expression de mon visage, moi qui pensais que t'aimais seulement Séraphine au monde, plus que ta propre mère, j'pensais, et v'là que t'as la figure jaune de méchanceté.

— C'est elle qui est méchante d'être partie comme ça...

J'avais abandonné Séraphine depuis quelques mois déjà, mais il me semblait qu'elle avait trouvé dans la mort une vengeance éternelle, une trop sévère punition de tous les instants qu'il me restait à vivre sans elle. «T'étais pas assez bonne pour Séraphine, répétait ma mère. Ah! t'as jamais été bonne...»

Écoutant en moi la voix d'un repentir sec et solitaire, je songeais à Séraphine, me reprochant de n'avoir pas su, pendant les dernières semaines de sa vie, éprouver, comme autrefois à l'école, les coups que lui faisait subir mère Sainte-Scholastique, souriant intérieurement peut-être sous la pluie de gifles qui empourpraient les oreilles de mon amie, aimant, à la façon de mère Sainte-Scholastique qui mesurait l'affection au degré de tortures que l'on pouvait supporter, aimant en Séraphine la sacrifiée dont mon égoïsme s'habillait comme d'une tragédie, puisque, si on souffre soi-même, il est rare que la souffrance d'autrui n'éveille pas quelque divertissement tourmenté. Autant j'avais connu une exigence de liberté loin de Séraphine, dans un avare paradis auquel elle n'aurait aucune participation, autant Séraphine avait désiré se rapprocher de moi, et rien, sans doute, ne pouvait être aussi cruel à son affection que le combat de nos deux solitudes qui ne se rencontraient plus.

Son fantôme allait désormais hanter mes jeux, parcourir la surface de mon oubli, de mes amusements auprès de Jacquou ou d'Huguette Poire, d'un courant glacé et sombre. L'audace de plaisirs partagés dans le ravin avait perdu sa fraîcheur. Chacun de nous était seul, capable à chaque instant d'un monstrueux oubli à l'égard de son frère, ivre de soi jusqu'au crime. Cette sensuelle ivresse vibrait dans toute la nature, et si on le voulait, la terre pouvait devenir le royaume de l'oubli, un accablant lieu de délices d'où la charité serait exclue. Certains jours d'été, si somptueux dans la couleur du ciel, la qualité de l'air, nous revêtaient, comme d'un manteau de chaleur, d'une nonchalance exquise, d'une blanche béatitude dans laquelle il semblait impossible, interdit même de penser à quelqu'un d'autre qu'à soi. Huguette Poire, posant ses lèvres sur le cou doré de Jacquou, dérobait vite les premières pensées lubriques, les caresses déjà habiles dont elle serait parfaitement maîtresse demain. Chacun avait soif et faim de biens qui ne lui appartenaient pas. Jacquou donnait et recevait, au rythme de son allègre fantaisie, oubliant que la femme avait déjà fait de lui son esclave, et la tranquille innocence dont chacun rêve, sa soif assouvie, passait parfois dans ses yeux, comme passe la lassitude.

L'avidité humaine pénétrait partout, et à son secours ne venait aucune compassion égale à ses besoins. Punie pour mes arrogances par mère Sainte-Scholastique, je nettoyais chaque soir les tableaux de la classe, surprenant, dans la classe voisine, par la porte entrouverte, la tremblante confession de cette avidité que faisait une religieuse à une fillette dont elle caressait les genoux. Avec quelle abondance de gestes révélés, d'actions fugitives et coupables, chacun devait-il vivre, ordonner dans leur fulgurant désordre, comprendre, selon l'humeur de nos pitiés vite taries!

Il était plus simple de pardonner la maladresse de mère Saint-Bernard de la Croix, choisissant pour complice une enfant stupide mais jolie, dont le morne regard promettait bien peu de choses, que d'effacer l'image de souveraineté brutale qu'exerçaient sur leurs élèves mère Sainte-Scholastique et son chœur de fauves amers.

Tout le long de notre route, jusqu'à la fin de ces ténèbres lucides qui achèvent l'enfance, deux forces allaient sévir, l'une, policière, destructrice, celle du fouet, et l'autre qui en résultait, dans une douceur noyée de remords, celle de la poursuite, de la séduction, force du viol des corps et des âmes, peut-être, contre laquelle le jugement ne peut rien, sinon avoir pitié. Les coups infligés, les blessures se refermant seules en silence, ou trop profondes pour être guéries, ou trop honteuses pour être avouées, toutes les lois de la terreur enveloppaient l'homme au point de le rendre invisible à son semblable. Vivant trop en compagnie de ces miroirs estompés qui vous reflètent avec mensonge, l'on devient étranger à sa propre image. Ma mère, malade, recevant chaque semaine la visite d'un jeune franciscain à qui elle se confessait scrupuleusement, fermait involontairement les yeux, vers ma douzième année, sur les faiblesses malheureuses auxquelles ce prêtre s'abandonnait avec moi, contre ma volonté que nul ne défendait. «Qu'est-ce que ce sang sur tes jambes? T'es donc encore allée t'égratigner dans les arbres, comme un garçon, quand donc que tu deviendras raisonnable comme tout l'monde?» disait ma mère, dans cette simplicité qui n'irait jamais jusqu'à formuler l'idée du mal, osant moins encore attaquer «la religion en personne» que représentait pour elle le mystique franciscain aux regards indiscrets dont elle ignorait complètement l'étrange conduite, dès qu'il avait quitté sa chambre. Si je pleurais ou gémissais dans une étreinte, ma mère souffrait trop pour m'entendre, elle qui vomissait de l'autre côté du mur. Le jeu des souffrances ne correspondait à aucune consolation, ma mère tentait d'effacer derrière elle toutes les traces de sa maladie, afin de ne pas accabler mon père, et de mon côté, j'ensevelissais mes vêtements ensanglantés dans la terre. Ce long silence deviendrait-il un jour la rédemption des hommes? Ainsi ma mère le croyait-elle lorsque ses yeux évitaient les miens, pendant la quotidienne leçon de catéchisme que je récitais à ses côtés:

— La pureté, l'espérance, la charité...

Ce mot «pureté» n'évoquait pour moi que corruption,

putréfaction en attente, tout mon être y résistait comme à un pouvoir malsain...

— Qu'est-ce que t'as donc dans la tête, la Pauline? Tu veux donc pas apprendre ton catéchisme? Tu n'aimes donc pas le Bon Dieu non plus? T'aimes donc rien sur la terre?

Non seulement la mort de Séraphine avait tué toute innocence autour de moi, mais cette innocence, tel un rêve diaphane qui se brisait enfin dans l'air, jamais n'avait existé, n'existerait jamais, et cette certitude embrasée était la seule foi, la seule espérance de nos jours sans lumière. L'homme n'étant pas bon, qu'aimerait-il accomplir d'autre que le mal qui le remplissait de joie et de fiel?

Avec l'approche de l'été, un cortège de maladies rôdaient à nouveau. De grosses mouches vertes s'abattaient partout, aux grillages des fenêtres, sur la nourriture figée et sans goût, contre le visage des bébés dont les tempes fines et mouillées semblaient particulièrement attirer les mouches. Des gamins pâles s'évanouissaient partout, dans les tramways, dans les jardins publics, ils glissaient lentement des bras de leurs mères, atteints sans doute par cette flèche de langueur empoisonnée qui traversait l'air souillé de la ville et dont on sentait l'aride pression, dans sa poitrine, jusqu'à l'arrivée de l'automne. Les familles pauvres cherchaient refuge dans les sanatoriums: l'un après l'autre, tous les enfants de la famille Carré, que je fréquentais beaucoup malgré la défense de ma mère, partaient vers de mystérieux endroits de guérison, dont ma mère me défendait de parler, ajoutant «qu'il suffisait de parler de sanatorium pour se mettre à cracher du sang...» À peine une fièvre se prolongeait-elle de quelques jours que ma mère touchait mon front en disant: «C'est elle, c'est la maladie, plus tu grandis, la Pauline, moins tu manges, y faut que je t'envoie à la campagne, au plus vite, demain matin, en te levant...»

C'est ainsi que mon oncle Victorin débarquait triomphalement un matin de sa petite voiture noire, dont la rondeur du toit se mariait parfaitement à la rondeur du chapeau qu'il portait au sommet d'une tête chauve et ronde, elle aussi, comme une pomme, annonçant à ma mère que je partais avec lui «vers l'air des montagnes, où tu mangeras comme un porc, ma fille, parce qu'à Saint-Onge-du-Délire, les gens qui mangent pas, on les bat...» J'avais, dans ce village perdu dans la campagne, «trente cousines grosses comme des tonneaux», qui m'attendaient, disait mon oncle, «six tantes larges comme la table et une grand-mère têtue comme un âne...»

— Tu seras pas seule au monde, ajoutait ma mère, avec ton père et moi, on dirait que t'es seule au monde.

— Hé, les enfants qui sourient pas, ma femme, elle, elle les bat... Souris donc un peu pour moué, vilaine.

De grands paysages défilaient mollement sous mes yeux. Tournant la tête dès que le pauvre oncle Victorin désirait me parler comme à une bête sauvage, «Hé, sors donc de tes buissons, méchant renard, tu vas voir comme ma femme va te savonner les fesses, ce soir!» je sentais monter en moi un mépris mêlé de condamnation pour ce gros homme étranger qui fumait des cigares à mes côtés, se glorifiant, avec une abondance de mots grossiers, d'être «le cuisinier du camp de bûcherons et de manger plein son ventre nuit et jour», n'imaginant pas que je trouverais un jour charmante la scène de cet énergique Victorin tout vêtu de blanc parmi ses bûcherons en sueur, faisant sauter ses crêpes sur le feu, dans une brume d'insectes venue de l'odorante forêt à l'heure du soleil couchant: non, cette pensée ne me touchait pas, je n'aimais personne, pensais-je, et jamais plus je ne serais capable d'aimer.

— Les enfants des villes, c'est pire que les enfants de l'enfer, c'est moué qui t'le dis! Vous mangez que du pain blanc, tandis que nous autres on mange le pain noir, les raisins noirs, c'est pour ça qu'on a de la religion pis du cœur...

On arrivait le soir, par une petite route où s'achevait le monde. On sentait que la ligne du ciel ne pouvait plus continuer au-delà des montagnes. D'éternelles routes de sable, si semblables les unes aux autres que longtemps, la nuit venue, on tournait en rond dans le paysage captif, se disant: «Saint-Onge-du-Délire est peut-être ici, ou peut-être là...» mais ne rencontrant toujours que la même clôture, au bord de la route, les mêmes moutons de l'autre côté, la même croix au bout du village, longtemps ces routes torturées, ces chemins de poussières tremblaient au bord du souvenir, comme quelque chose d'inachevé et de gênant, une tâche quelconque que l'on a abandonnée derrière soi.

— J'vois une petite tache de lumière, ça doit être là, y a une lampe à pétrole...

La maison de ma grand-mère et de mes oncles apparaissait donc, enfin, grâce à cette imperceptible lumière rouge au carreau de la porte, et projeté soudain dans de crasseuses limbes où vivaient tous ces gens de ma famille que Dieu avait créés à ma grande surprise, car jamais avant ce soir je n'avais soupçonné leur réelle existence, dans une condition de vie si différente de la mienne, je regardais tous ces visages qui avançaient vers moi, cherchant dans ces mâchoires vigoureuses, coupées au couteau d'après quelque ancestral modèle qui devait être bien redoutable, l'austère sentiment de bienvenue qui ne semblait pas du tout écrit sur ces âpres figures ni dans leurs yeux bleus et froids, heureusement adoucis par une épaisseur remarquable de sourcils et de cils.

— Vous arrivez à temps pour la soupe, dit une forte femme, la main sur la hanche. Si ce n'est pas péché ces p'tites de la ville qui sont pâles comme des cadavres...

— Pâles comme de la cire mais les péchés noirs comme l'charbon! dit un garçon infirme qui se mit aussitôt à rire comme un fou entre ses épaules squelettiques. C'est-y vrai que t'es ma cousine?

— Jacob, hurla une voix, puis un poing bondit sur la joue de l'enfant qui se mit à rire plus fort.

Jacob ne franchirait jamais le seuil de sa délivrance. Il faisait déjà partie, au cœur même de sa famille, de la caste avilie des «infirmes», tristement entouré d'un jeune frère épileptique, d'une sœur sourde et muette, d'une tante souffrant comme lui de la paralysie d'une main, d'une touchante torsion du dos qui les inclinait tous les deux vers la terre, tenant leur poitrine de cette main broyée par la nature, laquelle savait pourtant faire tant de choses, et enfin, cadeau pervers d'une Providence desséchée par les nombreux cadeaux qu'elle avait faits ailleurs, Jacob avait aussi parmi ses frères et sœurs accidentés de naissance «un petit frère bleu», comme on l'appelait, n'osant pas accorder un prénom gracieux à une larve qui n'était que laideur, chagrin, culpabilité du monde, peut-être. Ce bébé était le dernier-né, mais la mère de Jacob se consolait en portant, dans son ventre flasque sous la rude chemise de toile qu'elle revêtait en toute saison, le quatorzième embryon d'horreur qu'il eût été préférable de jeter aux ordures, dans la justice de la pitié, mais la pitié n'existant que dans les rêves de Jacob, un autre infirme viendrait au monde, continuant l'innocence du malheur. Une armée d'hommes, d'enfants sains, se levait aussi, dans cette maison, non seulement pour écraser les faibles, mais aussi pour cultiver la terre, nourrir hommes et bêtes. Quant à Jacob, travaillant tout le jour parmi les porcs, il paraissait partager sa nourriture avec eux. On respectait davantage l'infirmité de sa tante Attala, les défaillances de l'épileptique, mais ne s'étant jamais soumis à personne, errant parfois dans les bois des nuits entières, Jacob vivait si bas dans l'échelle familiale qu'il en était arrivé peu à peu à entendre siffler le fouet contre ses os «comme un petit bruit d'vent sec dans les arbres», disait-il.

Je partageais avec Jacob un matelas infesté de punaises; dans un coin de la chambre, veillaient toute la nuit, déployant dans l'ombre leur long cou de girafe, les jumelles Evelyne et Ruth, se grattant avec lenteur, échangeant des petits rires obscènes lorsque notre lamentable tante Attala utilisait, avec une ferveur de déluge, le pot de chambre qui dormait sous son lit. Jacob chantait doucement dans son sommeil, comme on pleure: je l'écoutais, dans une mélancolie sans espoir, comptant les heures avec effroi. Les délires intérieurs de Jacob me troublaient; il parlait souvent de combats cruels qui avaient lieu dans la montagne, entre les porcs en révolte et leurs maîtres, des hommes de la race de son père, «des géants avec des dents noires et des yeux bleus pleins de crachats, un jour les porcs les ont dévorés, mangés: le crâne, pis le cœur, laissé des morceaux de peau sanglante pour les aigles qui sont venus la nuit...» Il frémissait de plaisir en racontant ces festins, et ce

vaste tableau de violence semblait apaiser de lointaines humi-
liations. Mais on avait peur de ce garçon de dix ans, en apparence si doux, et qui confondait en son cœur vengeance
absolue et pitié. La nuit, de sa main tordue et froide, il touchait
mes cheveux...

— Si tu manges pas demain, mon père y va te battre
comme y me bat. Et ton sang va couler partout sous la table...
Bang... Bang... comme y va te battre, la cousine...

Le père de Jacob me faisait souvent manger de force,
pendant que sa femme et la tante Attala tenaient ma bouche
ouverte sous leurs doigts fébriles comme des pinces. On jetait
de tout dans ma bouche, comme dans un puits, boules de pain,
mélasse, des cuillerées de lait souillé par les mouches, et
devant un spectacle aussi rare pour Jacob que l'on privait
volontairement de nourriture, pour le punir de ses fréquentes
insultes au curé du village comme à tout ce qui représentait
pour lui une religion qu'il jugeait fade et monstrueuse, meurtrière des pauvres, «crachant dans le bol de soupe des infirmes», devant mon indifférence au pain des hommes, Jacob,
si prompt à me défendre en d'autres circonstances, plein de
sollicitude si j'avais froid la nuit à ses côtés, partageait en
silence la rageuse attitude de son père, lui ressemblait soudain
un moment pendant que brillait dans ses prunelles égarées
cette petite flamme fixe, cette lueur de cruauté et de sauvage
inquiétude qui me faisait parfois penser que les hommes de
cette maison étaient perdus, damnés.

Ces pénibles repas achevés, Jacob recouvrait son humeur
délicate et féroce, ses ruses tendres, et ce qu'il avait de plus
précieux dans cette vie de labeur où les hommes jamais ne
souriaient, un sens de l'absurde capable de transpercer les

apparences pour mieux juger autrui, mais cela, dans une mo-
querie franche et gaie, comme s'il eût compris que l'hypocrisie
humaine céderait devant le rire. «Blasphémateur, tu brûleras
au feu de l'enfer», lui répétait-on lorsqu'il imitait merveilleu-
sement la vanité du curé, debout sur la table, une main sur le
ventre, son corps frêle agité de gros rires, rires amers peut-être,
qu'il choisissait comme un instrument de vengeance, parmi la
moisson de toutes ces choses barbares qu'il avait vues et obser-
vées, ne gardant de l'enfance qu'une expression mélancolique
et rêveuse qui se perdait au coin de ses lèvres... «Il a des
cheveux fins comme des plumes d'oiseau et pas de cervelle
en dessous, c'est un fou, rien qu'un fou, un pécheur, et qui
blasphème avec ça, contre les prêtres et contre l'Bon Dieu!»

— L'Bon Dieu aussi est un fou et vous savez pas comme
y rit!

Jacob craignait l'asile plus que la mort: dans ces lieux
d'abandon au malheur, il se voyait déjà prisonnier «jusqu'à la
fin des temps et des démons», vivant pour toujours, par simple
malentendu, dans un gouffre sans fond ni lumière. Jacob avait
raison puisqu'il devait passer sa vie d'institution en institution,
d'abord rebelle et inventant de nouveaux blasphèmes puis se
résignant peu à peu à un mal dont il n'avait jamais souffert,
sinon dans la primitive imagination des siens, jusqu'à devenir
ce garçon inerte de chagrin, ne rêvant plus, ne pensant plus
qu'à l'immensité du vide qui l'entourait, errant sans but dans
l'âme fétide d'un hospice pour enfants. Mais en attendant, le
sang était la couleur quotidienne de sa vie, et les bois, son
évasion. Un dimanche où Jacob s'exerçait avec souplesse «à
cracher haut dans le bénitier pour empoisonner sainte Margue-
rite», son père le traîna par l'oreille jusqu'à la maison où on
le fouetta à coups de branches sèches et épineuses sous le
regard de sa mère et de sa tante.

— Hé, Jambe de bois, montre donc ta jambe de bois, l'père!

À l'heure des confidences nocturnes, Jacob m'avait raconté comment il avait vu son père, lui, «c'grand porc qui a pas de cœur, enlever sa jambe de bois pour s'coucher».

— Hé oui, la cousine, c'est vrai comme j'te parle, y a une jambe de bois, y a coupé sa vraie jambe dans la machine aux grains. Hé, tu parles, c'est drôle, v'là qu'y me bat parce que j'suis tordu comme une couleuvre, et lui y a si honte qu'y cache sa jambe de bois sous son damné matelas, la nuit!

— Si j'avais une jambe de bois, mon possédé, y a longtemps que j't'aurais écrasé avec, tu peux me croire.

— Écrase-moi donc avec que je crache dessus!

— Vipère!

— Cochon.

— T'as pas honte, Jacob? t'as pas honte, mon mari? disait enfin la mère, vous battre comme ça jusqu'au meurtre? Qu'est-ce qu'y dirait m'sieur le curé s'y vous voyait! T'as pas honte Jacob avec ta figure en sang, t'as pas honte mon mari d'le torturer comme un coq que t'étrangles? Jacob dis ta prière et va te coucher. Si ce n'est pas honteux, qu'est-ce qu'y dirait ce pauvre m'sieur le curé?

— Y dirait qu'on est une famille de porcs. Et pis y aurait ben raison parce que c'est ça qu'on est. Et pis l'curé aussi.

La mère lavait les blessures de Jacob, sous la pompe.

— Tu iras à l'asile, Jacob, si tu continues, mon vilain, t'as pas honte, t'as donc pas de cervelle, seulement des dents pour mordre?

«Les soirs de grands fouets» comme les appelait Jacob, le père fouettait tous les enfants qui se trouvaient dans la pièce, allait de l'un à l'autre dans une danse de stupeur pendant que les femmes criaient:

— Es-tu fou, mon mari? T'as crevé les yeux d'la cousine... On peut battre nos enfants, c'est à nous, l'Bon Dieu nous les a donnés, pas les enfants des autres, mon mari... Tu peux les frapper aux mollets, pas au visage... mon mari!

— C'est sur le visage que l'orgueil est écrit, répondait le père et il frappait plus fort.

Peu lui importait la fragilité de nos paupières, qui voit celui qu'il torture?

— T'entends, Jacob, j'vas faire tomber tes sales yeux de ta face comme sous l'bec d'un oiseau...

Mais j'avais reçu le coup, mes yeux saignaient. Je vis, penchés vers moi, Jacob et son père qui souriaient malicieusement. «Hé, la cousine, t'en as pris un coup cette fois, hé, debout, fais pas la malade...»

— Battue jusqu'au sang, comme moué, dit Jacob, avec cet air de satisfaction douloureuse qui lui était familier devant les malheurs d'autrui. Y m'a tordu la main comme du vieux linge, c'salaud-là, regarde, la cousine, comme j'crache dessus!

— Qu'est-ce qu'y dirait m'sieur le curé, s'y vous voyait? dit la mère de Jacob, toué mon mari, attelle l'cheval, y faut qu'on amène la cousine à l'hôpital, qu'est-ce qu'y dirait m'sieur le curé?

La nuit tombait sur les champs. Une brume hostile imprégnait ce paysage déjà laid et humilié. Les bras croisés contre la poitrine, Jacob blasphémait en crachant dans la poussière de la route.

— Hé, galope ma damnée, hurlait le père de Jacob, tenant les brides du cheval, car s'achevait ainsi ce que mon oncle Victorin avait poétiquement appelé «l'temps de la bonne soupe, l'beau temps des vacances...»

DEUXIÈME CHAPITRE

«T'es pas morte encore, la Pauline, t'es encore là à faire pleurer ta mère, tu changeras donc jamais, ah! si l'Bon Dieu t'avait assez punie pour que tu comprennes!»

Ma mère avait encore raison. Je traînais mon existence d'un bout à l'autre de la maison en sautant à la corde. Séraphine était morte depuis un an déjà. Jacob s'étiolait à l'hospice. Mes yeux eux-mêmes qui m'avaient donné tant de soucis, pendant deux mois à la clinique, maintenant presque guéris, s'ouvraient avec indifférence sur un monde légèrement taché de brouillard, dépourvu de ces charmes maladifs dont la convalescence longtemps est habitée. Je vivais encore en compagnie des silencieux malades que j'avais fréquentés; une chaise, une table, promenait encore l'enfant anémié aux tempes bleues que l'on transportait dans son lit blanc d'une chambre à l'autre; ma mère elle-même, coupant pour moi la viande rouge «l'foie d'veau précieux qui sauverait la vie de tous les p'tits affamés du monde...» qu'elle avait du mal à payer chaque samedi, me rappelait le médecin boucher à la blouse sanglante qui nous avait accueillis dans la nuit, à Saint-Onge-du-Délire, s'écriant dans son haleine d'ivrogne: «J've-nais juste de me coucher et d'éteindre la lampe et v'là que tu m'arrives avec des yeux crevés... Qu'elle s'étende par terre pour ne pas que ses yeux sortent par les narines, j'vas voir si mon char a du gaz, pis vous amener à l'hôpital où on vous recollera les yeux avec d'la moutarde, ouais...» Ma mère se mouvait sans moi dans cette sphère d'angoisse où tant de souvenirs s'agitaient en vain... «Va donc jouer au soleil, ça te fera du bien de respirer l'air pur... Tu passes tes jours et tes nuits à tourner autour de moi comme dans une cage...» N'ayant plus de raison de vivre et d'aimer, j'avais espéré devenir aveugle, suivre l'opaque trajet d'une vision tout intérieure, mais voilà que je recommençais à voir sans l'avoir mérité, possédant non seulement la vision, mais la persécution d'être vue, les regards de mes parents montaient leur garde à nouveau, il n'y avait plus de repos, ni en moi-même dont l'âme s'évaporait d'ennui, ni au dehors, car jamais les rayons du soleil ne m'avaient semblé aussi brutaux ni l'air aussi malsain.

— Y faudrait que tu travailles un peu, y faudrait que l'école recommence...

Quittant mère Sainte-Scholastique pour mère Saint-Théophile, bourreau plus discret, prompte à flairer partout l'odeur du péché, et ne pouvant vivre sans le génie ailé de mère directrice:

— Oui, mes enfants vous devez découvrir combien notre révérende mère a été sevrée par le Seigneur... Toutes les grâces lui sont accordées, toutes les vertus, ah! si vous saviez

combien je jouis d'avoir une sainte si près de nous, à la porte
même de notre classe...

Le goût, l'obsession du péché rêvée par mère Saint-
Théophile émanait d'elle à chaque phrase, innocente ou coupable, elle jouissait plus qu'il n'est permis, et malgré elle,
levait partout sur son passage ces fraîches pointes de luxure
que chacune de nous recevait avec intérêt ou malice: aussi
profitant du verbe de mère Saint-Théophile et de ses visites
chez la directrice, ou des invitations de la directrice chez nous,
je dormais sur mon pupitre «lasse comme mille hommes et
brisée comme une armée» disait ma mère, ne pouvant soutenir
du regard l'éclatante raie de lumière qui traversait la classe,
dormant partout de ce sommeil lourd et sans vertige.

— Pour votre malheur, ma bonne mère Saint-Théophile,
je remets entre vos mains ce mouton noir mal tondu, faites-en
ce que vous voudrez, on l'a déjà chassée de trois écoles, pour
sa conduite, mais nous avons la réputation d'être une congrégation charitable, donnons, ma bonne mère, une dernière
chance à cette pauvre enfant...

— Nous en jouirons beaucoup, ma révérende mère, répondit mère Saint-Théophile, en pinçant le bras de Louisette
Denis qui esquissa vite une grimace de serpent et vint s'asseoir
près de moi.

— Elles sont pires que deux pies, ces deux folles, dit
Louisette Denis à mon oreille, elles papotent toute la journée,
j'vas m'en aller d'ici...

Mais elle ne partit point et anima la classe d'un tel souffle
que désormais je ne songeai plus à dormir sur mon pupitre.
Mère Saint-Théophile ne pouvait que s'incliner, malgré tout,
devant les dons d'une première de classe. «Le Seigneur vous

a bien généreusement enrichie de sa divine intelligence et personne, mais il n'a pas séparé l'ivraie du mauvais grain... Mère directrice me dit que vous avez été si impolie dans le corridor ce matin qu'elle ne pouvait pas en croire ses saintes oreilles, vous ferez vos excuses, Louisette Denis, dès maintenant...»

Les journées de Louisette Denis passaient ainsi en promenades et en excuses qu'elle ne présentait jamais, et au pas de ses courses électriques dans le corridor, je sentais se réveiller en moi les démons endormis. J'avais aimé en Séraphine une enfant: j'aimais en Louisette une sœur plus vive que moi, et si je n'avais pu soustraire Séraphine aux injustices et à la cruauté, je pouvais déchirer maintenant avec Louisette qui était toute prête pour le combat, ce voile d'une autorité que je n'aimais pas. Ah! pensais-je, combien on se moquerait désormais de mère Saint-Théophile, de la directrice, de mère Sainte-Scholastique, et même de l'oncle Victorin et du père de Jacob. «Tous des méchants qu'on va brûler en enfer, disait Louisette, et nous, on les regardera brûler...»

Louisette Denis savait se défendre comme un tigre, «hurler comme un diable qu'on brûle par la queue si jamais mère Saint-Théophile veut me toucher avec sa baguette...», elle avait déjà cassé quelques assiettes sur la tête de sa mère adoptive à qui elle vouait des sentiments hostiles, elle pouvait tordre le cou de ses sœurs, disait-elle, enfin, elle ne craignait plus rien, ni Dieu ni les hommes.

— Supposons que t'es mon frère et que je suis ton frère aussi et qu'on fait un serment éternel, que je te pique jusqu'au sang avec mon couteau et que si tu brises le serment, je te tue...

Mais connaissant maintenant ma nature infidèle, je n'osais plus faire de telles promesses. «J'peux pas promettre parce que je suis trop menteuse...»

— Tu mens comme une trompette, disait ma mère, j'ai jamais vu ça quelqu'un qui ment comme ça, tu mens comme tu respires et j'vois ton nez qui bouge comme devant le bon Dieu... Y faut que tu dises tous ces mensonges-là au confessionnal, y faut que tu te confesses en profondeur, la Pauline...

Nous arrivions donc par centaines d'enfants désordonnés dans la pénombre de l'église, avides de répandre nos aveux dans la jarre sans fond du repentir que portaient entre leurs mains bénissantes nos pauvres confesseurs, en toute saison prisonniers de leurs devoirs, tendant vers nos secrets une longue oreille indiscrète parfois hérissée de poils, assis dans leur cachot, la tête contre la grille, répétant d'une voix de somnambule: «Et combien de fois, était-ce en acte ou en pensée? Vous avez consenti ou non? C'est ce qu'on appelle mon enfant "de mauvais touchers", étiez-vous seul ou avec d'autres? Ah! Quelle horreur, ne recommencez plus, vous iriez tout droit en enfer, vite votre acte de contrition...» L'esclavage du péché et sa confusion empourpraient nos joues, on courait vite à son banc pour se jeter aux pieds de Dieu et implorer sa clémence, tête entre les mains, on priait sous la protection aride des statues, épiant d'un œil sa voisine, invitant d'un début de sourire la rangée de garçons à partager leurs examens de conscience avec nous. Nous sortions du soubassement de l'église, comme nous étions venus, pépiant, toussant, dans un bruissement irrité de semelles et de voix. «Un peu d'ordre, disait mère Saint-Théophile, à la tête de son troupeau, mesdemoiselles, un peu d'ordre, songez que vous jouissez encore de la grâce...»

Mais le seuil de l'église franchi, une envolée de jambes noires allait dans toutes les directions, et sans le secours de mère directrice, mère Saint-Théophile ne pouvait nous garder dans les sillons de sa jupe. «Ah! que deviendrais-je sans mère directrice, malheureux enfants, vous désertez le sein de votre mère...» Louisette Denis me poussait du coude:

«Elles sont folles, ces deux pies-là, toujours à se donner des compliments, mère directrice par-là, mère Saint-Théophile par ici, p'têt' qu'elles dorment dans la même jaquette la nuit, dans la même paire de culottes, y faut dire que les religieuses vont jamais aux toilettes, j'ai essayé de voir si elles allaient, ben non, elles ont trop peur de faire de la peine au Bon Dieu...»

Longtemps après nos confessions, la saveur du repentir éteinte, les paroles du confesseur bourdonnaient encore à nos oreilles.

— Les mauvais touchers, qu'est-ce que c'est ça? demandait Louisette Denis, tu les connais, toi?

— Oui, c'est des choses qu'on fait dans le ravin avec Jacquou.

— Pas ces mauvais touchers là, je les connais, mon p'tit frère me les apprend la nuit, mais les autres, ceux qui sont de vrais gros péchés, a dit le père Carmen à confesse... p'têt' qu'on peut essayer pour voir...

— J'peux pas, non, ma conscience est pire qu'un chameau, y a tout un paquet de péchés sur son dos...

On faisait bondir sa conscience comme une balle partout dans la conversation. «T'as donc pas une graine de conscience» disait ma mère. «Ayez une conscience pure», «Soyez blanches comme des lis» disait mère directrice. «J'vais te nettoyer ta sale conscience» disait le père de Jacob à son fils. Et si quelqu'un était particulièrement beau c'est qu'il avait surtout «une belle conscience».

— Viens chez moi après l'école, j'vais fermer ma chambre à clef, pis on va voir ce qu'on va voir, si c'est si mauvais que ça, les mauvais touchers...

Se dépouillant de sa robe noire qu'elle jetait en boule dans un coin: «Vieille robe de sœur, comme j'te déteste; déshabille-toi donc Pauline Archange, on va ben voir ce qu'on va voir...» Louisette explorait maintenant de ses doigts agiles les diverses parties de son corps:

— Ça, c'est le lieu du péché, dit le père Carmen, y dit que si on touche on peut se brûler les doigts, regarde, plus je touche, moins ça brûle... Tu parles d'un menteur, tiens... ton nombril est plus petit que le mien, Pauline Archange, j'ai des genoux comme un garçon, j'veux pas être une fille, j'déteste les poupées, les bébés et tout ça, ça pleure, ça pue, tu parles, moi ce que je veux être c'est un homme qui marche sur la neige avec des raquettes, passe-moi donc l'pantalon de ski de mon petit frère qui est accroché là, ce que je veux c'est être un quêteux qui vend des guenilles dans la rue, ou ben un p'tit homme avec des lunettes qui répare les parapluies à cinq cents... Aide-moi donc à croiser mes bretelles, Pauline Archange, par-devant comme papa, ah! je déteste ma vieille robe de sœur et les sœurs avec, et les bas noirs et les souliers noirs, comme si ma vraie maman mourait chaque jour, comme si y avait tout un cercueil partout où est-ce qu'on marche, comme si papa que j'aimais comme c'est pas permis mariait c'te vieille guenille de Céleste qui veut que je l'appelle m'man... Les sœurs, c'est comme des araignées noires, avec des p'tites pattes jaunes, l'Bon Dieu si y était dans le ciel comme on dit, y aurait pas créé des animaux pareils, y a pas de conscience s'y les a créés... Montre-moi donc encore ton lieu du péché pour voir si c'est comme l'mien... J'déteste les filles, elles se ressemblent toutes avec leur lieu du péché, tandis que les garçons...

Mais bientôt Louisette Denis parlait simplement «du sexe des papillons, des fourmis et des crocodiles», attirant sur nous la surveillance hantée de mère Saint-Théophile et de mère directrice, sa jumelle dans l'obsession, en demandant en classe: «De quel sexe est-il donc le Saint-Esprit?» avec cet air délicieux qui la rendait si mobile dans l'amitié, fuyante et légère comme ces années qui tombaient de nos vies.

Séraphine me précédait déjà sur la route du temps, et dans quelques années, peut-être, je me pencherais vers ces jours effacés que je me hâtais de vivre maintenant auprès de Louisette Denis. Je retrouvais parfois Séraphine, en souvenir, la rumeur montait, allègre et folle dans notre tente. «Une Mireillette est toujours prête!» criaient nos cheftaines, pieds nus dans la rosée du matin, et debout devant les tentes on faisait ses exercices en frissonnant...

«Comment, vous bâillez, mesdemoiselles, mais ce n'est pas permis, 1... 2... 3... 4... 1 sur les pieds, sur les mains, plus vite, à gauche, à droite, la cloche sonne dans la tente de M. l'aumônier, vite la messe, habillez-vous...»

Nous arrivions chez l'aumônier, haletantes, un soulier à la main, la cravate de côté, «Vite, votre béret, on ne peut pas communier sans chapeau... Il faut garder sa dignité...» croyant en la grâce plus que jamais parmi l'arôme des fleurs et l'encens mélancolique que nous lançait au visage l'enfant de chœur Huguette Poire, faisant tinter, d'une pression autoritaire du doigt, les gamelles dorées qui luisaient à nos ceintures mal bouclées...

«Un peu de silence!» commandait l'aumônier d'un geste ennuyé, car lui seul attendait avec impatience la fin de ces deux semaines «parmi trop de femmes...»

— J'aurai fait mon devoir mais c'est pas drôle toutes ces p'tites chipies...

— Plus que votre devoir, monsieur l'abbé, reprenait notre cheftaine, vous aurez accompli votre mission. Pour nous le devoir n'existe pas, le scoutisme n'a que des missions.

Il sert Dieu et la patrie.

C'est dans l'exaltation de ces petits devoirs que j'avais négligé Séraphine.

— Vous qui grimpez si haut dans les arbres, Pauline Archange, et qui remportez toujours le fanion d'honneur pour votre équipe pendant les courses, je vous nomme «championne des malades», c'est vous qui aiderez les évanouies qui nous tombent sur les bras avant la communion...

D'un pas énergique, l'assistante Bertha et moi amenions les malades à leurs tentes puis nous leur versions une carafe d'eau sur la tête: «Qu'est-ce que vous voulez, c'est la seule chose qui réveille, et une Mireillette n'a pas peur de souffrir...» L'adieu au camp s'achevait dans les larmes. Dans une ronde plaintive, sous les arbres, nous rythmions de nos mains unies aux ongles écorchés le long au revoir: «Au revoir mes sœurs, nous nous reverrons mes sœurs, en ce monde mes sœurs ou dans l'autre, nous nous reverrons mes sœurs, nous nous reverrons un jour...» pendant que l'aumônier souriait de toutes ses joues, songeant, comme il nous l'avait dit plusieurs fois d'un ton morose, «à sa bonne vieille pipe, à son bon vieux curé qui l'attendait en ville, à ses dignes affaires d'homme» quittant jusqu'à l'été prochain «toutes ces femmes qui avaient tourné autour de lui comme des mouches».

La grande dame du scoutisme nous échoua un jour de sa rive étrangère, provoquant de nouvelles activités dans les compagnies nerveuses de la ville.

— Il faut dresser sur notre compagnie le drapeau de la fierté, mesdemoiselles, jamais un si grand honneur ne fut fait à d'humbles Mireillettes comme vous, de voir, en personne, en chair et en os, notre remarquable fondatrice Lady Baron Topwell, ah! mesdemoiselles, de votre vivant, jamais vous ne l'oublierez...

Dans toutes les paroisses, au sein des compagnies du Chevreuil ardent, du Lion d'Or, du Ruban du Lièvre, de l'Ours intrépide, du Cerf courageux, des centaines de petites filles tressaient des guirlandes de fleurs et de louanges, exerçaient leurs voix rauques à la vaste rumeur militaire qui accueillerait Lady Baron Topwell, au sommet de sa gloire, casquée, bottée, le sein haut sous son épaisse cravate de velours, l'épaule volontaire sous un amas de décorations qui flottaient autour d'elle comme de petites ailes irritées, franchement virile, les lèvres assombries d'une brève moustache, nous saluant de son estrade de splendeur, répandant aussitôt parmi nos rangs nombreux et serrés un «Toujours prête!» d'une décision suprême qui montait directement de nos essoufflements admiratifs, d'une vénération sans limites pour un personnage d'État tant attendu. Les roses, jetées en abondance, languissaient à ses gros pieds, étouffées sans doute par l'air empesté de la salle de réception, les Chevreuil ardent et les Lion d'Or déposaient, parmi d'autres présents honorifiques, des hommages de fidélité, poèmes écrits à l'encre rouge, symbolisant notre sang commun.

> *Le Chevreuil ardent vous servira jusqu'à la mort*
> *Il est votre guerrier votre foi*
> *Les Lion d'Or ont un cœur de bronze*
> *Leur courage est sans bornes...*

Ne parlant pas notre langue, Lady Baron ne pouvait que se pencher sentimentalement sur cette cour de petits animaux qui la servaient si bien et s'écrier de sa voix émue et grave:
— W...e...l...l... Goo...ood... Ah! W...e...ll... W...ell...

Le bras gauche levé pour le salut solennel, chantant l'hymne à la patrie, notre ivresse débordait de sa coupe. L'idée de la mort, du sacrifice de nos enfances par un beau soleil couchant, le corps traversé de flèches, la tête coupée sous la hache, si Lady Baron l'exigeait de nous un jour prochain, effleurait machinalement nos tempes en délire... Ah! Nous sommes à vous, faites de nous ce que vous voudrez, vous avez un si beau costume, de si jolies bottes de cuir, et votre nom ne se prononce pas tout à fait comme le nôtre, vous venez de si loin, nous voulons partir avec vous sur votre bateau, mère Saint-Théophile va encore nous battre... Ah!...

Mais Lady Baron repartait vers de nouveaux triomphes, versant une larme, se mouchant avec emphase dans son mouchoir à carreaux: «Fare...we...ll...Fare...we...ll». Ainsi s'achevait l'aventure: le grand capitaine partait sans nous.

Avec le mois de novembre, mère Saint-Théophile sortait du purgatoire tous les défunts; à chaque grain de neige qui tombait, nous devions reconnaître «une âme de plus entre les mains de Dieu...» Le sol abondait de ces âmes blanches qui nous mouillaient les pieds. Les lessives, pétrifiées sur leurs cordes de gel, berçaient dans le vent froid des âmes raides, encore vêtues de leur chemise de nuit, d'un pantalon troué dont les jambes s'agitaient avec colère... «C'est des mensonges, tout ça, disait Louisette Denis, y aurait trop de monde au purgatoire et en enfer, j'déteste donc ces vieilles folles de sœurs...»

— Notre retraite annuelle vous fera du bien, Louisette Denis, mère directrice et moi prions pour votre conversion: le mois des morts est aussi le mois du repentir, ne l'oubliez pas.

L'aumônier de notre retraite avait fait son apprentissage chez les prisonniers, il nous ouvrit la porte de son monastère «comme les grilles de sa plus belle prison».

— Venez mes enfants, c'est l'heure de votre procès, Dieu est là, comme un juge, sous mon toit...

Il nous fit reconduire à nos chambres en parlant «de nos cellules dorées par la lumière divine» puis nous laissa seules brusquement «au jugement de nos consciences». Effrayée par ces manies policières je passais mes nuits dans la chambre de Louisette, me cachant sous son lit si j'entendais les pas de mère Saint-Théophile dans le corridor.

— P'têt' bien qu'elle a laissé mère directrice à la maison, pour sa retraite, mais la v'là qui s'amourache du père Gustave comme de mère directrice, ce qu'elle aime, cette sœur-là, c'est les jupes, les robes, tout ce qui traîne par terre comme des serpents noirs... La v'là qui regarde le père Gustave la bouche ouverte pendant ses sermons, toute pleine d'amour, la folle, ce qu'elle aime, laisse-moi t'le dire, c'est les supérieurs, la supériorité, oui, c'est ça qu'elle aime, pour nous guetter, nous faire punir, j'te dis que c'est la première fois que je viens dans un monastère pis c'est la dernière, y m'auront pas deux fois pour leur retraite, y vont pas me convertir... Non, j'ai jamais vu ça une place aussi triste, et pis ça pue les sœurs ou j'sais pas quoi, on peut même pas jouer dehors, y faut seulement prier, une semaine de prières, tu t'rends compte? Non, y vont pas m'avoir deux fois... Sais-tu ce qu'y a fait l'père Gustave hier, j'lui ai dit que j'avais pas de péchés à confesser, y a dit qu'y me mettrait toute seule dans une petite «cellule noire pleine de rats» ça c'est un fou, rien qu'un fou, c'est moi qui te le dis, s'y me met dans une cellule, j'vais l'mordre jusqu'au sang...

— Mère directrice a dit que t'étais possédée du démon et qu'y faudrait nettoyer tes mauvais esprits avec de l'eau bénite, t'as pas de chance, Louisette Denis, pis moi non plus...

— J'vais lui nettoyer ses mauvais esprits à elle, tu parles, c'te vieille folle avec ses lèvres bleues, ses doigts de cire, j'vas lui savonner la face dans le plat à vaisselle...

Nous en étions encore à calomnier nos maîtres avec joie, les mains croisées sous la nuque, une jambe en l'air dans les rayons de la lune, quand mère Saint-Théophile ouvrit la porte, comme l'un de ces esprits de novembre que je craignais tant, foudroyante de laideur, les yeux écarquillés sous son blanc bonnet de coton, se frappant la poitrine en disant: «Ah! je le savais, je l'ai toujours su, mère directrice elle-même m'avait mise en garde contre ce péril...»

— Qu'est-ce qu'y a? dit Louisette Denis, êtes-vous jalouse ou quoi? Qu'est-ce que ça peut vous faire qu'on se raconte des histoires? On peut pas prier toute la nuit, on n'est pas encore des moines, hein, Pauline Archange? J'veux m'en aller chez nous avec Pauline Archange, j'en ai assez de la retraite, toi aussi Pauline Archange, viens-t'en donc avec moi...

Debout sur le lit, Louisette Denis s'arrachait les cheveux pendant que mère Sainte-Scholastique la regardait dans une stupeur sombre:

— C'est ben dommage que mes cheveux soient coupés en brosse, parce que s'y z'étaient longs, j'les arracherais à poignées tant j'suis fatiguée des sœurs et des pères et de tout ça... Viens donc, Pauline Archange, qu'est-ce qu'on fait donc ici, nous autres?

— Ce que vous faites, corrigea mère Saint-Théophile en retrouvant son souffle, vous osez me le demander? Vous avez cette audace? Ah! de l'aide, il faut que j'appelle le père Gustave, au secours!

— Tu parles d'une vieille folle, dit Louisette Denis, suivant d'un coin de l'œil le manège hystérique de mère Saint-Théophile courant dans le corridor, p'têt' qu'on devrait prendre notre manteau, not' valise, pis s'en aller avant que l'père Gustave nous attrape par la queue de not' jupon, dépêche-toi donc Pauline Archange, c'est question de vie ou de mort avec ces fous-là...

Nous allions filer vers la porte quand une main s'abattit sur nous. «Il faut traiter les délinquants par la force, disait le père Gustave qui marchait à nos côtés, mais souvenez-vous, ma bonne mère Saint-Théophile, que les possédés ne sont guéris que par la douceur.» À la chapelle, Louisette Denis refusa de s'agenouiller. «Non et non, j'en ai assez, j'veux m'en aller chez nous, j'vais le dire à mon père, si mon père était là ça n'arriverait pas...»

— Nous attendons votre complète confession. Le tribunal sera plein de pardon si vous avouez tout.

— Qu'est-ce que vous pouvez bien vouloir dire, j'comprends pas un mot à votre jargon...

— Avouez, mon enfant, avouez ou je vous mettrai dans la cellule des prisonniers, la cellule pleine de rats...

Les juges décidèrent enfin de mon innocence. «La pauvre petite a été ensorcelée, oui c'est un cas de possession, comme cela arrive parfois encore de nos jours, Louisette Denis, le démon est en vous, sous sa forme la plus pernicieuse, il faut le chasser, j'en ferai mon affaire, mon enfant, ne craignez rien...»

— C'est vrai, je suis pleine de démons, y s'appellent Barabout, Contigu, Baragouain, et tous ces paquets de démons vous détestent comme l'feu de l'enfer, vous avez pas peur? Vous avez pas honte?

— Vous avez raison, mon cher père Gustave, dit mère Saint-Théophile d'une voix désolée.

Et le lendemain, on enfermait Louisette Denis dans une petite chambre noire qui contenait un prie-Dieu, un crucifix, mais aucune trace de rats. Lorsque le père Gustave vint la chercher, un jour plus tard, elle lui mordit la main si fort qu'il en gémit. «C'est pas moi, c'est les rats...» Ce fut la fin de notre retraite pour cette année-là.

Lorsque ma mère me voyait rentrer du monastère, trois jours avant les autres, lui présenter d'un air sournois le billet de mère Sainte-Scholastique qui parlait de mes mauvaises fréquentations, elle évitait mon regard, tout absorbée par l'accomplissement de devoirs qu'elle n'aimait pas.

— Souvenez-vous, parents, éducateurs, disait M. le curé

dans ses sermons, l'enfant qui est puni ne souffre pas, nous seuls devons punir pour le bien des âmes, nous seuls connaissons des douleurs dignes d'Abraham sacrifiant son fils...

— Ah! T'es ben méchante, la Pauline, de faire ça à ta mère... J'ai trop mal au cœur aujourd'hui pour prendre la peine de te battre, mais attends que ton père arrive, il va te déculotter et ta cuisse maigre va s'en souvenir longtemps...

Mon père lui-même, las et affamé après ses journées à l'usine, appuyant ses doigts glacés contre le bol de soupe fumant, feignait longtemps de ne pas comprendre les demandes de ma mère:

— Voyons, Jos, bois donc pas ta soupe comme ça, tu vas te brûler les entrailles, on peut pas laisser faire nos enfants à leur fantaisie, y faut qu'y z'apprennent ce que c'est le bien et le mal...

— J'crève de froid, disait mon père, y faut d'abord que je me réchauffe... L'patron a trois autos, quatre maisons, mais y a pas assez d'argent pour chauffer l'usine...

Mais le repas terminé, la table desservie, mon père hésitait encore:

— Sois donc pas si impatiente, ma femme, y faut d'abord que j'me roule une cigarette... Un homme a ben ses plaisirs... Où est donc c'te Pauline? disait-il enfin en se levant, les pouces rentrés dans les bretelles de son pantalon... Pauline Archange, où est-ce que tu te caches?

Il me frappait violemment pour en finir plus vite et si je me mettais à saigner du nez, il interrompait aussitôt son travail...

— Va te coucher, l'Bon Dieu te punira au jour du Jugement dernier...

Mais ce jugement était déjà parmi nous et nous n'étions pas libres.

— Y faut qu'on se fâche, disait Louisette Denis, y faut montrer qu'on est pas des moutons avec les sœurs, mais des écrevisses, y faut les mordre...

Je pensais soudain à Jacob dans son institution. Nous le visitions une fois l'an, ma mère et moi. Je revoyais ce captif à la nuque rasée qui venait vers nous dans un vêtement gris semblable à une poche qu'on aurait liée d'une corde autour de sa taille. Jacob n'avait plus de nom. Son numéro se perdait dans la foule. Les religieuses de l'Institut du Sauveur des Humbles embrassaient trop de détresses à la fois pour se pencher sur un malheur particulier: l'intelligence déçue de Jacob se promenait comme un fantôme parmi d'autres fantômes, plus fragiles encore. «C'est comme si on lui avait ramolli l'âme à ce p'tit gars qui était alerte comme un loup...» et il est vrai que dans ces limbes de mollesse et de lassitude, l'esprit de Jacob, même tenace, viendrait un jour à fondre dans toute cette cire humaine que sont les esprits nus, sans enveloppe protectrice contre le monde. Les religieuses travaillaient pourtant à soulever ces vies abstraites: chaque jour, chaque nuit, elles déployaient un héroïsme saint voilé de sécheresse contre une douleur massive, lointaine: mais en vain, car cette énergie semblait tomber dans le néant, offerte à Dieu parmi les prières de l'aube, les flagellations de la nuit, pendant que les malades pleuraient de froid et de faim. L'Institut du Sauveur se dressait dans un paysage splendide, au bord d'une rivière, entouré de collines, mais l'air pur qui courait au dehors jamais n'atteignit l'esclave que l'on occupait à sa tâche humiliante en dedans. Pendant nos visites, Jacob lavait encore le plancher de sa salle, à genoux. «Il passe son temps à laver le plancher, c'est une manie, nous le laissons faire, nous leur laissons tout faire, sauf le mal...»

— On ne peut pas laisser c't'enfant-là ici, dit ma mère, j'vais l'amener chez nous pis l'élever avec mes enfants, viens, Jacob, va t'habiller, pis viens avec nous en ville...

— Vous m'faites cracher, dit Jacob, mais d'une voix calme, comme on parle en rêve.

Jacob avait obtenu la permission de venir chez nous quelque temps, «l'temps de se remettre la tête à l'endroit», dit ma mère, mais dès son arrivée, sa conduite étrange nous surprenait encore... Habitué de vivre parmi les cris, Jacob criait lui aussi ou se taisait complètement pendant des heures, à genoux sur le carrelage de la cuisine qu'il voulait toujours nettoyer malgré les protestations de ma mère: «Voyons, Jacob, tu viens de le faire trois fois, tu trouves pas que c'est assez pour aujourd'hui?» C'est ainsi que Jacob avait attaqué ma mère avec un canif et que mon père avait parlé du départ de son neveu.

— Pour une fois, ma femme, t'as pas eu une bonne idée... Écris donc au père de Jacob qu'y vienne chercher son garçon et qu'il le ramène à la campagne... Tout ce que t'as réussi pour c'petit-là, c'est de le nourrir un peu et de lui donner une couchette, mais y mange si mal que c'est pas croyable, j'l'ai vu hier la bouche ouverte dans le quartier de beurre et l'autre jour y a pris tout le foie de veau de Pauline de son assiette et l'a mangé tout d'un coup comme un vrai animal féroce... On peut pas l'garder, c'est au-dessus de nos moyens!

Lorsque Jacob vit son père sur le seuil, il se mit à trembler et se cacha sous la table. «Y faut pas toucher ton garçon dans ma maison, dit mon père, y faut pas le battre sous mes yeux!» Mais de sa grosse main le père de Jacob empoigna son fils comme un serpent convulsif, puis le prenant brutalement dans ses bras avec l'intention sourde de torturer un bien qui était à lui dès qu'il nous quitterait, il ouvrit la porte en riant pendant que Jacob criait dans les larmes:

«J'm'en vais en enfer, la cousine, la Pauline tu m'aimes donc pas, tu m'as pas gardé, j'm'en vais...»

TROISIÈME CHAPITRE

Le mois des morts enfin traversé, les classes s'illuminaient pour les préparatifs de Noël. La coiffe blanche de mère Sainte-Alma survolait les tableaux alourdis de chiffres:

«Vite, réjouissons-nous, mes enfants, le Seigneur va naître, effacez toutes ces horreurs au tableau, avons-nous besoin de chiffres quand le Seigneur va naître? N'êtes-vous pas de mon avis, mère Saint-Théophile?»

— Non, répondait mère Saint-Théophile, «nous» n'approuvons pas, mère directrice et moi. Nous pensons que nos élèves doivent se préparer à la naissance de Jésus, non dans la joie mais dans la pénitence...

— Un mois de pénitence suffit, allons mes enfants, j'ai besoin de quelques voix d'anges pour ma chorale, Louisette Denis, Huguette Poire, Pauline Archange, Julie, Victoria Poulain, je compte sur vous pour jouer dans ma pièce: «Que la joie triomphe sur la terre plus qu'au ciel...» Soyez dans ma classe de solfège à trois heures...

73

— Les voilà, mes anges de Noël, disait mère Sainte-Alma lorsqu'elle nous voyait apparaître dans la salle de musique «Tut...tut... mesdemoiselles au piano, là-bas, cessez votre pratique pour aujourd'hui, c'est l'heure de la chorale...»

Mais mère Sainte-Alma parlait en vain, car chacune à son piano, trente élèves pratiquaient leurs gammes, plus sourdes que des pots à la vague grimaçante qui montait de leurs instruments brusqués, les unes laissant simplement glisser leurs doigts sur les notes d'ivoire dans une rêverie sonore un peu boudeuse, les autres faisant résonner leur piano comme un tambour sous leurs doigts frêles, toutes, certes fières d'elles-mêmes, les joues en feu, se tenant droites sur leurs bancs trop mobiles, prises dans leur dignité comme dans un corset de fer... «Je me demande bien ce qu'elles peuvent jouer là, disait mère Sainte-Alma, le ton ne me semble pas bon... Allez donc leur frapper sur l'épaule, Louisette Denis, et leur demander d'avoir la bonté de cesser de nous étourdir...»

— Les petites voix en avant...

Mère Sainte-Alma consultait son piano, écoutait frémir une note isolée, avec émotion:

— Do...Do... allons mesdemoiselles, commençons, c'est simple comme une respiration, chantez maintenant...

Le divin enfant nous est né
Vive le divin enfant...

Nous chantions, cent, deux cents élèves émerveillées par leur propre voix sous la baguette indulgente de mère Sainte-Alma qui avait bien perdu quelques notes mais ne les cherchait plus tant elle était confondue par les rumeurs grippées, les toux qui se mêlaient à notre chant sincère, ne pouvant que sourire, l'oreille brisée de douleur, toutefois, sourire de plus en plus pour mieux nous encourager, car ce qu'elle voulait pour sa chapelle, c'était avant tout des anges, la voix viendrait par la grâce du Seigneur qui pouvait tout accomplir en la nuit de Noël, mais la beauté éphémère des anges, elle-même pourrait la confectionner pour nous. «Des robes de papier dans du papier blanc crêpé, des ailes magnifiques en carton, ah! je vous vois déjà à rendre jaloux les vrais anges!» À bout de souffle, nous passions de la chorale à la pièce de mère Sainte-Alma. «Louisette Denis, vous serez saint Lacrimonius, vous, Pauline Archange, le gladiateur, le lion, vous changerez de rôle quatre fois, et vous Victoria Poulain, vous serez la montagne...» Louisette Denis, vêtue de sa frêle tunique de martyr, les genoux, les épaules nus, une branche de rameau à la main, sa tête de garçon couronnée de fleurs, se promenait orgueilleusement sur la scène, «avec indécence, disait mère Saint-Théophile, les genoux nus, si mère directrice vous voyait», visiblement ravie de survivre au feu comme au déluge, regardant ses bourreaux avec mépris en répétant sa leçon de courage:

«Je sur-vis-à-tout, Dieu est-ma-foi, mon ar-mure...»

— Ne soyez pas si indifférente, disait mère Sainte-Alma, apercevant avec effroi le profil sec de saint Lacrimonius dans les flammes, le feu doit bien vous brûler un peu tout de même...

— Plus ça brûle, plus ça me fait plaisir, j'suis pas saint Lacrimonius pour rien...

Assise dans le tourbillon d'or de ses rayons, Julie Poulain s'élançait trop tôt sur la montagne, sautant sur le dos de sa sœur Victoria qui la repoussait avec impatience: «Voyons, Julie, l'soleil se lève pas en pleine nuit...» «Chut, chut, disait mère Sainte-Alma, saint Lacrimonius est encore perdu dans ses prières nocturnes, vous pouvez vous asseoir, soleil!» Chacune de nos répétitions était «une occasion de plus de ne pas étudier, disait ma mère, et la bonne manière d'attraper le rhume...» car nous sortions de l'école excitées et heureuses, avalant le froid de décembre comme un breuvage amer, toussant, mais trop distraites pour sentir la fièvre qui nous consumait. À regret, je me laissais glisser entre les draps froids, menaçant ma mère d'être plus malade encore si elle ne me laissait pas sortir le lendemain.

— En attendant, j'vais faire une mouche de moutarde, Pauline Archange, mais j'me demande bien pourquoi j'te soigne, t'es un vrai monstre...

La serviette de moutarde forte appliquée sur une poitrine encore frissonnante de froid avait l'effet du martyre consommé que Louisette Denis avait accueilli comme un rêve, pendant notre pièce, rêve devenu concret et monotone, car c'était au moins la cinquième fois en une année que ma mère me plongeait dans ce buisson ardent.

La mélancolie de ma mère, son austérité sans paroles, me rappelaient soudain que l'hiver était la saison la plus dure, la plus longue. Perdue dans ses pensées, ma mère m'oubliait des jours entiers: je me lavais de moins en moins et surprenais avec tristesse mes doigts crasseux qui s'ouvraient sur la nappe blanche, ou parfois, une ligne grise à mon cou me faisait comprendre que le temps était venu d'être le seul maître de ce corps dont on avait revêtu mes os par un mystérieux incident, que chacun de nous, après tout, avait peut-être perdu sa mère au berceau, et que si je devais apprendre la propreté dans ma solitude, ce devoir n'était rien en comparaison de tous les autres qui m'attendaient. Tel ce devoir de gagner ma vie auquel je songeais déjà pour mieux m'y préparer d'avance, devoir qui me paraissait toujours fatal dans la nudité des hivers. J'aurais d'autres frères et sœurs, un jour, il me faudrait renoncer au luxe d'aller à l'école, à ma paresse, à mes amitiés qui en étaient le prolongement aux yeux de ma mère. Ne me disait-elle pas sans cesse: «Au lieu de t'amuser avec Louisette Denis, tu devrais bercer ton petit frère et laver la vaisselle...», ce qui réchauffait subitement les sentiments de Louisette envers moi, car elle avait pitié de ces responsabilités futures dont je lui parlais sans cesse.

— Papa dit qu'après la sixième année, une femme ça doit travailler comme ouvrière...

— Si tu quittes l'école, Pauline Archange, j'm'en irai aussi et on ira balayer les rues ensemble...

C'est encore en hiver que pendaient au-dessus de nos têtes, dans la maison, chez les Poire, les Carré, comme chez nous, des cordes de lessive pendante qui vous frappaient le nez de leurs gouttes ironiques pendant le repas... tac... tac... dans le bol de café, et le père Poire, se levant de table avec la majesté tyrannique des ivrognes, avait soudain la tête prisonnière dans ses jambes de pyjama, repoussant de ses grosses mains ce disgracieux personnage de laine qui avait langui toute la journée près du poêle sans braises et semblait encore tout écumant d'eau comme un noyé...

Les jours de lessive plongeaient ma mère dans une humilité insatisfaite qu'elle rehaussait d'espérances:

«Pourquoi pas déménager, Jos, c'est un quartier dur ici pour les enfants, pourquoi pas aller vivre à Saint-Thomas-des-

Rois? C'est une paroisse distinguée, il y a des arbres et on parle mieux qu'ici...»

— On est content, ici. On est plus que content.

D'un sourire désabusé dont mon père perçut rarement la finesse, ma mère reprochait à son mari cette simplicité dans l'attente du bonheur. Elle ne savait comment exprimer qu'elle désirait pour nous ce qu'elle avait jadis souhaité pour elle-même, une existence fière, et la pensée que j'abandonnerais l'école plus tard, comme elle l'avait fait elle-même avant sa quinzième année, élargissait davantage le gouffre de dignité entre elle et les autres.

— On n'a pas de misères, on n'est pas trop mal, tu te rappelles donc pas ce que c'était quand j'étais garçon? On était dix-sept, et tout le monde a appris à travailler. Mon père était pas un complaisant, mais un homme fort! J'te promets qu'on changera de paroisse un jour... tu l'auras ta maison!

Mon père travaillait tout le jour à l'usine, étudiait le soir, travaillait à réparer les routes, pendant la nuit, étonné pourtant «de se sentir comme un homme fini avant l'âge de quarante ans», il maigrissait, perdait ses cheveux, mais comparait sans cesse son confort présent à l'incertitude du passé dans les champs de son père... C'était un homme juste, si à Noël il n'avait que quatre oranges à donner à ses enfants, il les divisait en dix-sept et tout le monde le remerciait... Les seuls plaisirs qu'il s'accordait alors étaient des promenades à bicyclette qu'il faisait le dimanche, avec moi dans le panier, saluant fièrement ses voisins sous un ciel orageux pendant que je l'observais avec ingratitude entre mes poings repliés. Je ne pensais pas à mon père, dans ce panier, mais à Louisette Denis. Nous en étions, elle et moi, à cette période de l'amitié où nous attendions ensemble un événement heureux capable de nous transformer l'une pour l'autre. Trop sages à l'école depuis notre séjour au monastère, nous nous reconnaissions à peine et mère Saint-Théophile elle-même semblait souffrir d'une bonne conduite qui n'était qu'engourdissement, indifférence aux bonnes notes; ainsi dans sa nostalgie de ne plus pouvoir nous punir, elle disait à mère directrice:

— Je l'ai toujours pensé, ma chère mère, ces deux-là ont trop d'intelligence et pas assez de cœur.

Pendant la classe, nous nous regardions l'une et l'autre dans les yeux, en soupirant d'ennui: qu'allons-nous devenir? Telle était notre interrogation béate. Et nous nous regardions encore pendant des heures, comme l'eau regarde le ciel, sans émotion, de petits frissons d'inquiétude parcourant parfois cette eau peu profonde.

L'arrivée de Germaine Léonard allait transformer nos vies. Un médecin franchissait pour la première fois le seuil de nos écoles infestées de maladie, une voix ferme exigeait pour nous «des changements profonds, mère supérieure, des changements complets, autrement vous perdrez encore beaucoup d'élèves...»

— Puisque votre charité est inspirée par la foi, répondit mère supérieure, nous vous sommes reconnaissantes de votre service chez nous. Nous n'aurions pas de quoi vous payer, de toute façon, nous ne vivons que pour la gloire du Seigneur.

Germaine Léonard interrompit la supérieure en demandant qu'on ouvrît immédiatement une salle d'infirmerie, ajoutant d'un air dégoûté:

— Cette ancienne chapelle ferait mon affaire.

N'ayant jamais connu de guérison à nos maux, chacune de nous accourait à l'infirmerie présenter ses dents pourries, sa gorge souffrante, de fortes toux montaient de l'abîme comme des appels à la tendresse, et parmi cet abandon fiévreux de quarante élèves se bousculant, toussant, touchée par trop de mains, empoisonnée par trop d'haleines, Mlle Léonard semblait accablée par l'inspiration généreuse qu'elle avait eue en venant chez nous.

— Laissez-moi seule, ajouta-t-elle, ou plutôt, mettez-vous toutes en rangs, je ne peux pas vous examiner toutes en même temps.

La vague des élèves retournait peu à peu à son rivage quotidien. Chacune descendait vers les salles obscures des classes faiblement éclairées par les ampoules électriques: au dehors, la nuit tombait déjà, lente et neigeuse. Il n'était pourtant que trois heures de l'après-midi et Mlle Léonard travaillait encore à son bureau, mordant son crayon, tournant les pages de ses dossiers, pendant que, cachées dans un coin, nous la regardions avidement, Louisette Denis et moi. Pour nous, ce cerveau hautain vibrait comme mille abeilles, car en plus d'offrir ses services à l'école, Germaine Léonard travaillait à l'hôpital, préparait une thèse sur l'athéisme, laquelle lui mérita plus tard le renvoi de notre école. Une laide expression de colère frémissait parfois sur les lèvres de notre amie, sa bouche trahissait une sensualité un peu brutale, mais ses yeux, eux, gardaient toujours la même expression de pitié sensible et d'intelligence, car ce n'était que dans l'accord de cette pitié que les deux parties à jamais irréconciliables de son visage ne formaient qu'une seule personne. Nous ne l'aimions que pour nous-mêmes, espérant vivre longtemps dans le sillage de sa dignité, chacune de nous aspirait, avec elle, à des bonheurs affranchis qui ne nous étaient pas dus encore. Les joies de l'intelligence nous émouvaient, mais la pensée qu'existaient aussi des bonheurs moins chastes mais tout aussi beaux, et que Mlle Léonard connaissait les uns et les autres, elle qui, malgré la sèche discrétion dont elle entourait sa vie, n'avait pu voiler complètement sa passion pour un homme, cette pensée nous poussait plus encore à comprendre Mlle Léonard et la vie qu'elle représentait pour nous...

— Ah! Comme j'voudrais avoir trente ans moi aussi! Tu parles, Pauline, comme on serait libre, contente! Le jour on soignerait les malades, la nuit...

Mais Louisette Denis s'arrêtait là, comprenant certaines choses dans une clarté mêlée d'ombres, mais ne les absorbant pas toutes, car si Germaine Léonard résistait fièrement à un confrère médecin qui lui ouvrait les bras, le soir, à la sortie de l'hôpital, l'offrande de ses yeux, de ses lèvres, exprimait un désir contraire, Louisette Denis pouvait sentir, comme moi, que nous étions témoins d'un vertige au bord de l'abandon, et que cette femme qui ne se donnait qu'à nos souffrances, le jour, réservait pour la nuit un rayonnement passionné dans lequel elle nous oubliait complètement.

— Ce n'est pas discret, revenez ce soir... Pas maintenant... On pourrait nous voir...

Mais le jeune homme baisait soudain Mlle Léonard sur la nuque, là où nos regards s'étaient posés tout le jour dans une possessive innocence...

Combien de jours, d'heures, à attendre l'une près de l'autre les grandes réalisations de la vie! Nous nous quittions à peine, Louisette Denis et moi. Cette attente fébrile nous rendait inséparables, et de nous voir partout autour d'elle, main dans la main, «comme deux singes contents et affectueux», commençait à ennuyer Mlle Léonard. Elle me dit un jour, parmi quelques observations d'ordre médical («une gorge infectée depuis un an et vous n'en avez rien dit à votre mère, et ça refuse de manger comme tout le monde!»), qu'il y avait, à n'en pas douter, «un certain excès dans l'attachement de Louisette Denis et vous...»

— Une certaine exagération. Dieu merci, vous n'avez que huit ans et il est évident que vous n'avez pas encore rencontré de garçons...

Mais tombant dans le piège d'une heure de confidence, je racontai ma vie à Mlle Léonard: combien il était doux de déverser sur un être cher ce flot de murmures, quand, depuis le berceau, on nous avait initiées à l'aveu de nos secrets, aux scrupuleuses confessions aux pieds des prêtres, le plaisir d'une confession sans honte ni repentir était enfin si agréable que je ne savais plus où l'arrêter.

— Assez, dit Mlle Léonard, vous continuerez un autre jour!

— Séraphine est morte! Ah! ma petite Séraphine, je l'aimais tant. Elle ne reviendra plus jouer avec moi.

— Cet attachement était trop important pour vous, trancha Mlle Léonard en décidant que sa journée était finie et que je devais rentrer chez moi, méfiez-vous des excès de votre nature.

Elle donna un coup de peigne agressif à ses cheveux:

— Il est cinq heures, qu'attendez-vous pour partir?

— On peut s'en aller ensemble, mademoiselle Léonard, j'peux passer par l'hôpital pour aller jusqu'à ma rue.

— Je suis pressée. Bonsoir.

Nos entretiens s'achevaient souvent ainsi.

— C'est insupportable, ajoutait-elle d'un ton brutal, qu'est-ce que les gens vont penser si vous êtes toujours à mes côtés, vous et Louisette Denis?

Mlle Léonard trempait malgré elle dans le bain de feu des anciens préjugés qui avaient été les principes de vivre de ses parents mais qui ne servaient plus chez elle que de transparente carapace contre sa propre nature passionnée et généreuse. Elle se mettait ainsi du côté de ceux qui eussent pu la juger, s'appliquant à leur ressembler, dans leur aveuglement, leur dureté. J'aimais la simplicité de son cœur qu'elle avait exprimée quelques fois, devant nous, s'apitoyant sur le sort d'une écolière condamnée par la leucémie, honteuse de ses larmes mais ne pouvant les maîtriser, toujours aussi accablée à chaque fois par un renouveau de pitié et de révolte. Elle m'avait serrée dans ses bras le jour où elle m'avait crue mourante quand je n'étais que longuement évanouie, comme cela m'arrivait souvent, si bien que je n'y faisais même plus attention; si nous étions à la récréation, Louisette courait au lavabo et revenait vers moi humecter mes joues de son mouchoir sale, lequel ne sortait de sa poche gonflée d'écorces d'orange que pour la lessive du printemps, et je me levais tranquillement, le cœur tremblant encore d'une riche extase de couleurs et de faiblesse, pendant que Mlle Léonard s'écriait «Ah! mon Dieu», donnant à ce petit évanouissement une qualité humaine particulière... J'emportais avec moi, dans le lourd silence du sang, cette sonorité plaintive qui me disait pour la première fois que quelqu'un était là.

Malheureusement, Germaine Léonard en vint bientôt à m'accuser de faire exprès de m'évanouir afin d'être remarquée. Il lui arrivait de céder ainsi à la déraisonnable impulsion de méfiance qui composait la partie la moins sensible de son caractère, méfiance envers les gens qui s'affirmait toujours avec la même dureté. Mais pour comprendre comment Mlle Léonard avait acquis ces obsessions, il eût fallu sans doute connaître une ouverture dans son passé, ce qui serait désormais impossible, car, avant de nous rencontrer, combien de distances étrangères à ma vie n'avait-elle pas parcourues?

Je la retrouvais peut-être au moment où, blessée dans son orgueil par une ville qu'elle n'aimait pas, dont le dénuement matériel s'associait pour elle à la dureté des cœurs et des esprits, elle croyait que de ses devoirs professionnels dépendait notre salut. Peut-être craignait-elle plus que tout, dans une petite ville où la médisance peut tomber des lèvres dans une grêle féconde, que la découverte de ses liaisons puisse l'empêcher de nous aider. Nous avions déjà été témoins du renvoi de quelques institutrices, pour des raisons morales souvent indéfinies, dont la fuite soudaine de mère Saint-Bernard de la Croix, laissant derrière elle «le triste chou Solange», comme nous l'appelions dans une délectation méchante où le jugement social commençait à poindre. Germaine Léonard s'efforçait donc de vivre selon la rigoureuse image que nous lui avions imposée. «Une femme fort étrange, disait mère supérieure, mais non dépourvue de sainteté...» Car notre supérieure remerciait Dieu de lui avoir envoyé cette naïve messagère qui ne songeait qu'à diminuer le taux de mortalité dans son couvent. Germaine Léonard méprisait sans doute cette fausse image d'elle-même, mais ce manteau de vertu que l'on avait jeté sur sa vraie nature, pour ne pas la voir, lui servait encore de protection contre nous.

Le mois de mai nous enivrait. Nous quittions enfin l'aridité de l'hiver pour la chaleur parfumée du printemps, accourant vers la Vierge, toute blanche dans les ténèbres de la chapelle, avec des bouquets de fleurs que nous déposions à ses pieds dévoilés, pieds charmants qui semblaient nous inviter à aller courir dehors avec eux. On murmurait les *ave*, avec une intensité jamais atteinte, regardant la Vierge, non plus comme la royale Mère de nos malheurs sur cette terre, mais comme la divinité des joies et des plaisirs. Chacune sortait de l'école en courant, les cheveux au vent, écartant le jeune abbé sur son passage, quand, par une belle journée, il s'en allait donner l'extrême-onction à ses malades, les paupières closes sur le funèbre pardon qu'il tenait contre la poitrine, voyant déjà, au-delà de nos visages ensoleillés, les bras de la détresse qui se levaient d'un lit immaculé, l'ange de la mort qui promenait son flambeau invisible sur les joues d'un mourant. Mais nous, nous ne pensions qu'à bondir vers la rue chaude toute bourdonnante de nos propres cris. Les voyous hardis s'arrêtaient à peine de lancer leurs ballons, les filles, de danser à la corde, pour laisser passer les troupeaux de voitures.

— Essaie donc de me passer sur le dos, vieille ferraille!

Et la corne d'acier disparaissait enfin dans un nuage de fumée, brisant nos rangs et nos chaînes. «Vous pouvez pas jouer ailleurs pour l'amour du Christ?» hurlait une voix, et comme pour y répondre, ma mère sortait sur le perron, m'appelait en faisant des signes auxquels je feignais de ne rien comprendre («Cha-pe-let, Pauline Archange, cha-pe-let!» exprimait son visage contraint) et moi j'attendais l'heure du rosaire pour aller vite dérober à la cuisine un, deux, trois verres d'eau, brasier de fraîcheur dont je rêvais en sautant à la corde avec Huguette Poire et Victoria Poulain, qui, elles aussi, avaient le dos moite de sueur sous leur uniforme de couvent. À quelques pas des bruits de la rue, Julia Poire nous regardait jouer en souriant, sous les persiennes de sa chambre.

Elle semblait supporter moins le soleil depuis quelque temps. Elle fumait, lisait à l'ombre de nos jeux et je surprenais parfois son regard avide et triste qui se posait sur nous.

Le dimanche, après la messe, les cheveux tressés sous le grimaçant chapeau de feutre qui nous assistait du baptême à l'enterrement (c'est sous l'ombrelle endeuillée de ces chapeaux sans visages que le nouveau-né, de sa paupière féline à demi éveillée, reconnaissait l'oncle, le parrain, le père qui l'accueillaient en ce monde), nous allions prendre l'air sur les vertes collines du père Isaac, Louisette Denis et moi. L'autobus défaillait lourdement sous le poids de nombreuses familles ouvrières: on marchait les uns sur les pieds des autres, enfonçant un coude dans l'estomac frêle du voisin, et on se retrouvait bientôt sur le trottoir, tremblant et affaibli par le voyage, la tarte aux pommes du déjeuner tout écrasée au fond de sa poche. On franchissait avec bonheur la grille du parc, car il y avait là de vrais arbres, des fleurs qui poussaient librement partout, pour le plaisir des yeux, puisque nous n'avions pas le droit de les cueillir. L'herbe des collines où nous allions jouer était fine comme le sable des plages, et le ciel, tout en bonté, rendait soudain mon cœur moins dur, car je pensais soudain à ma mère avec une éphémère tendresse, me disant qu'une promenade dans ce parc lui eût fait du bien, tout en me promettant de lui mentir si elle me demandait la raison de mon absence au déjeuner. Encore victimes de notre curiosité, Louisette et moi, nous allions surprendre les amants dans les buissons, les reconnaissant à un bout de pied nu qui dépassait leur retraite sous les saules. Mais Mlle Léonard ne nous pardonna jamais cette indiscrétion du hasard qui nous avait mises sur sa route, une fois de plus. Nous n'avions dérobé, pourtant, que de modestes ombres de son secret, car elle était consciente, dans un jardin public comme dans la rue, de la dignité qu'elle se devait à elle-même comme aux autres, et assise toute droite sur son banc de bois jaune, aux côtés de son ami qui lui disait quelque chose à l'oreille, nous avions à peine eu le temps de lire sur son visage une joie qu'elle ne dissimulait plus, car elle avait senti notre présence autour soudain, regardant avec tristesse, un doigt sur la bouche, ces deux figures étrangères qui trouaient, comme en rêve, toute une tapisserie de buissons et de lilas. «Mon Dieu, nous ne sommes pas seuls!» s'était-elle écriée, mais déjà nous descendions vers la rivière. Oh! le mécontentement de ces jours où tout ce que l'on faisait n'était jamais beau ni bon, mais selon le jugement des grandes personnes, toujours insensé ou cruel... «Oui, très cruel», nous répétait Mlle Léonard pendant que nous l'écoutions humblement dans son bureau. «Vous vous conduisez parfois comme des monstres...» Mais nous n'avions pas vécu dans les mêmes conditions sociales, elle et nous. Elle n'avait pas commis ces fautes dont elle nous accusait, mais n'était-ce pas simplement parce qu'elle n'en avait jamais eu l'occasion? À quoi bon aimer un être aussi séparé de moi, pensais-je, il y avait déjà entre nous un malentendu de dignité, car si Mlle Léonard craignait de dévoiler ses secrets, c'est qu'elle jouissait d'une supériorité morale auprès de tous, ce qui ne ressemblait en rien à l'étrange fierté que j'éprouvais à désobéir ou mentir. Mlle Léonard me répétait ce que ma mère m'avait déjà dit, que je vivais «dans l'orgueil et la complaisance», et pour la complaisance il n'y avait pas de pardon.

Quand nous parlions avec orgueil «de ceux qui partaient pour le sanatorium et la mer», Mlle Léonard nous regardait durement, sans pitié pour cette ignorance que nous avions eu la naïveté d'exprimer, une fois de plus, ignorance qui était sa plus grande ennemie, disait-elle, oubliant que c'était surtout la nôtre.

Il me semblait parfois que je ne trouverais que la mort au bout de mes fatigues, comme Séraphine et tant d'autres. La directrice nous annonçait un jour à travers la fièvre des examens de juin, cachant sous le crucifix de sa robe brûlante une main toute petite semblable à la griffe des oiseaux de proie, «qu'une épidémie de paralysie infantile avait déjà commencé dans la ville, combien de vous reviendront en septembre, Dieu seul le sait?» et voilà que se dressait une fois de plus l'allée mortuaire de nos vacances! Puis sans hésiter, chacune de nous répondait aux questions: «Qu'est-ce que l'amour de Dieu?» «Qu'est-ce que l'espérance?»

— L'amour de Dieu est la bonté infinie, la miséricorde infinie et l'infini tout court.

Mais la directrice n'écoutait pas:

— On sait bien, plutôt que de prier pour votre âme cet été, vous préférez encore vivre dans le vice et l'oisiveté...

Mlle Léonard avait la même terreur «de tous ces vices éclos dans la pauvreté», elle ne les nommait pas toutefois, et baissait un regard pudique sur des actions qu'elle jugeait déjà sévèrement chez moi qui ne les avais pas encore accomplies. Mais comment survivre à ce long été pareil à tant d'autres? Les grands yeux suppliants de Jeannot me suivaient partout dans la rue. Ma mère me le confiait souvent, pendant les vacances, mais je l'oubliais des heures entières sur les marches de l'escalier où il rêvait amèrement en suçant son pouce. J'allais parfois voir les grands qui allumaient des brasiers dans la cavée d'en face. Ils torturaient de petits animaux au-dessus de la flamme ou se frappaient entre eux jusqu'au sang, abandonnés à eux-mêmes et à leur violence. L'été passait ainsi, très lentement, à manger de tous ces fruits pourris que l'oisiveté offrait à nos sens...

Au mois d'août, mon père décidait brusquement «qu'une fille de huit ans et demi» devait être utile à la société, et il me reconduisait à bicyclette chez l'oncle Roméo et ses quatre filles, où nous vendions, à vingt sous la journée, «des pommes de tire à cinq cents», «des frites croustillantes comme du velours» et «de la crème glacée molle comme du savon». Sous la protection rigide de l'oncle Roméo, nous heurtant sans cesse contre la paroi de son torse nu, mes cousines et moi regardions nos doigts esclaves qui baignaient des pommes vertes (lesquelles étaient remplies de vers blancs) dans un majestueux sirop rouge auquel il était défendu de goûter. «Pas permis de manger en travaillant», disait l'oncle, mais le travail terminé, vite il rangeait ses bâtons et ses pommes. On lui tournait le dos pour dévorer les frites, se rafraîchir de glace au chocolat, achevant la journée dans «un concours de balançoires» où l'on jouait «à qui irait le plus haut dans le ciel» pour redescendre bien bas et promptement aller vomir dans les cailloux toutes les richesses volées.

— Cela vous apprendra, petites damnées, à manger le bien d'un pauvre homme!

L'oncle Roméo s'enfermait dans la salle de bains pour ne plus en sortir. À notre grande impatience, il faisait ses comptes, coupait sa barbe en donnant des ordres pour le lendemain, «celles qui se lèvent pas à six heures auront dix sous de moins, tant pis pour les paresseuses!» et c'est en vain que nous l'appelions pour le chapelet. À la fin, tombant de sommeil au milieu de nos prières, ma tante nous disait d'aller dormir, ma cousine Cécile et moi. Mais longtemps je restais éveillée en pensant aux économies de ma cousine, enfouies dans un mouchoir à pois, sous l'oreiller. Combien je l'admirais «d'avoir plus de talent pour le magasin que pour l'école», comme disait mon père, j'enviais surtout ces trois dollars qu'elle dépliait et pliait tout le jour sous mes yeux, quand moi j'en étais encore à l'âge inférieur où l'on caresse le visage de ses poupées.

Mais, depuis la mort de Séraphine, je n'avais plus personne à rendre heureuse, sinon moi-même, et l'inquiète générosité que j'éprouvais à distribuer des éventails à trop de petites filles surprises de ma rue, cette générosité m'accablait de honte lorsque je voyais les larmes de ma cousine. Bientôt la famille entière m'inonda de larmes et de reproches et mon vol brûlait ma conscience comme le souvenir d'un crime. J'allais vers ma chambre avant le dessert quand les autres jouaient encore dans la cour, et on m'appelait en vain, car je n'osais plus m'approcher de la fenêtre pour voir mes amis. On m'enverrait au pensionnat en septembre. Dans cet asile noir où vivaient les voleuses comme moi, comment pourrais-je jamais revoir Germaine Léonard et Louisette Denis? Louisette Denis avait promis de ne jamais me quitter et de venir me rejoindre dans ma prison, mais j'avais été trop infidèle à Séraphine pour avoir confiance aux tendres paroles de Louisette. Et puis, je méritais la cruauté de mon père. Dans ma solitude, qui sait, je me convertirais peut-être? «Je suis très contente de votre conduite, disait Mlle Léonard, vous agissez enfin comme un être normal!» Ah! réaliser ce rêve de bonté, accomplir cette soudaine métamorphose de moi-même!

Et dans cette réclusion de chaque soir, je rassemblais peu à peu les fragments de ma vie, mon imagination écrivait de fougueux récits pendant que mon corps feignait de dormir. Je me souvenais de mes premières visions en ces jours de pénitence où ma mère me défendait d'aller rejoindre Jacquou dans le ravin. Des chevaux immenses ne parcouraient plus le ciel, mais d'autres objets, d'autres êtres semblaient naître de moi dans cette chambre. Jacob revivait, minuscule image d'une misère que je n'aimais pas revoir. Et ma mère qui avait toujours eu si peu d'existence pour elle-même, ne vivant toujours que pour les autres, sortait de l'ombre comme un portrait inachevé et l'absence de ses traits effrayés semblait me dire: «Achève cette brève image de moi.» Mais Jacob ni ma mère n'éveillaient mon amour de la création. J'avais lu trop peu de livres et personne ne songeait à en acheter pour moi. Je n'avais connu le don de la parole qu'auprès de Séraphine et, depuis sa mort, il me semblait que j'avais perdu tous les mots qui avaient vécu avec elle, pour moi. Et sans doute était-ce en rêve que j'écrivais déjà, car je ne voyais que des images sans connaître les mots?

Septembre approchait. Ma grosse valise reposait dans l'ombre, toute remplie de choses noires, comme mon passé.

QUATRIÈME CHAPITRE

C'est la nuit au bout de ce long tunnel que parcourt la mémoire, et mère Sainte-Gabrielle d'Égypte somnole debout au fond du dortoir, son visage dépouillé de toute vie, son maigre menton étranglé sous le ruban du bonnet de nuit, si calme, si dénuée de tout vêtement de haine, soudain, que nous pourrions croire que notre bourreau nous a quittées avec le jour. Mais un seul frémissement dans un lit suffirait à réveiller la fausse dormeuse. On a fermé toutes les fenêtres contre les tentations, mais montent encore de la rue ces verts blasphèmes que chantent les vagabonds chassés à coups de pied, sans doute, des tavernes d'ombre et de fumée. «Ah! les ciboires, y m'ont jeté dehors, ah! par la Sainte Vierge qu'est-ce que je vas devenir?» Peut-être ont-ils déjà perdu leur âme, dans le souffle du blasphème et de l'ivresse, mais rien ne semble plus terrible soudain que d'avoir une âme à sauver! Pourtant, en contemplant sans peur le visage de mère Sainte-Gabrielle d'Égypte, on cède un peu à la fondante pitié de la nuit, qui sait, cette femme sera peut-être bonne au réveil? Mais lorsque la cloche sonne, beaucoup trop tôt, à l'heure où je commence à avoir sommeil, Sainte-Gabrielle d'Égypte promène sa baguette entre les lits, nous prions, sans voix, sans courage, ah! mon Dieu, bénis cette journée, préserve-nous du mal, on se lave, s'habille sous les draps pour respecter la décence, pendant que rampe dans nos entrailles la faim, le vieil appétit de la veille qui n'a pas été rassasié.

— Le voile blanc, c'est le premier vendredi du mois!

Les parfums du petit déjeuner émanent du réfectoire, ce n'est pas pour nous encore, mais pour les novices qui ont prié toute la nuit. Les lèvres collées contre le voile blanc, on mange des petits bouts de dentelle en longeant les corridors, on rencontre, appuyés contre l'escalier, les mendiants de la rue à qui l'on donnera les restes du ragoût de la veille. Ils nous regardent humblement disparaître vers la chapelle. Au premier coup de claquoir, tous les genoux s'abattent sur les dalles froides, au deuxième, on se précipite vers son banc et on ouvre un missel débordant d'images funèbres ou saintes, petites photographies des morts souriant parmi les fleurs d'un printemps figé. Voici l'oncle Sébastien déguisé en beau jeune homme immortel, et plus près de moi, Séraphine dans sa robe de première communiante, le visage à demi caché par un bouquet de roses qu'elle tient à la main. J'envie Séraphine qui ne fera jamais de communions sacrilèges et qui est déjà au paradis. Quant à moi, ma faute est trop grave pour être avouée à un prêtre. J'irai en enfer avec mes semblables. Mais qu'est-ce que l'enfer? Est-ce ce bourdonnement fou de la peur à mon oreille quand je crois entendre gémir les damnés, dans le silence du dortoir, ou la crainte d'un châtiment plus obscur sur la terre? Qui sait, Dieu pourrait bien se venger en punissant quelqu'un d'autre que moi, Jeannot par exemple, qui possède encore l'innocence que j'ai perdue, ou ma mère qui est déjà trop malade pour me visiter? Mlle Léonard ne m'oublie pas toutefois: elle dépose chaque dimanche sur mes genoux, au parloir, une provision de biscuits secs et de capsules d'huile de foie de morue, elle me demande si je tousse et si je mange bien et je mens à toutes ces questions. Puis elle dit sèchement:

— Ce n'est pas pour vous que je viens, mais pour votre pauvre mère...

Parfois elle me donne un livre que je caresse longuement; bien que je n'aime pas trop le titre résigné (*Les Aventures d'une prisonnière ou Histoire d'un captif sous la terre...*) il me semble que mes doigts effleurent la liberté au bout de chaque ligne...

On sort de la chapelle, deux par deux, évitant de se toucher des coudes, car c'est péché. Mère Sainte-Gabrielle annonce «que nous devons faire le ménage des classes avant de se remplir l'estomac». Nous lavons les tableaux, grattons avec une lame les taches d'encre sur le plancher, et mère Sainte-Gabrielle est là qui nous regarde avec une expression ironique et fatiguée. Ah! quelle tâche morne que la tyrannie! Quel ennui de ne recevoir pour hommages que l'animale supplication de ces étroits visages, sans haine, sans amour! Et ces cheveux derrière lesquels tant d'hypocrisie se dérobe! Mais voici la deuxième cloche du petit déjeuner, enfin! On promène sous nos yeux le plat de gruau aux puanteurs apprivoisées, bénissez-nous ainsi que la nourriture que nous allons prendre, on ne sait si on frémit de dégoût ou de faim, mais il faut manger. La grande mère des repas, surveillante barbue, trempe parcimonieusement sa cuillère dans la sauce aux ordures: au bruit de sa langue sous sa lèvre noire... «Hum, le délicieux gruau...»

nous avalons le gruau avec un sentiment de délivrance, car un premier vide s'éloigne pour laisser place à un autre et cette absence bien digérée ressemble déjà moins à la faim de la veille. Nous avons mangé, prié, lavé la vaisselle des novices, ah! mère Sainte-Gabrielle, donnez-nous maintenant la permission de sortir...

— Vous irez à midi, après la classe.

— Tout de suite, mère.

— Non.

Tout le matin, mère Sainte-Gabrielle aura de tendres regards pour ses victimes. Elle feint d'oublier la torture de ces basses entrailles que Dieu a malheureusement créées, elle s'efforce même de les subir avec nous et de ne sortir qu'à midi. (C'est dans cette urgence presque ailée que nous la voyons disparaître vers le deuxième étage, le visage rouge, les lèvres pincées sur son mystère.) Elle nous rassure en disant «que le corps n'est rien, une simple apparence de vanité, c'est tout». Il serait bon de la croire, ah oui!

Mais on prend l'habitude de vivre auprès de son corps humilié, méconnu. Quand on traverse le dortoir des grandes, le matin, on est parfois témoin de choses étranges. «Marchez plus vite», dit mère Sainte-Gabrielle, mais l'œil de la mémoire s'ouvre avidement pour ravir à jamais l'image d'une jeune fille qui sanglote à genoux près de son lit taché de sang, la religieuse qui est debout près d'elle semble cacher dans ses yeux ronds et magnanimes l'assassin, l'incurable monstre dont on lit les pensées.

— Donnez-moi quelque chose, mère, ça coule partout sur mes jambes...

— C'est une punition de Dieu, organisez-vous avec du papier de toilette.

«Il faut aplatir la poitrine sous une bande élastique afin de ne pas tenter le diable.» «Il faut porter un corset et se rentrer le ventre dans les os.» Ainsi vivent les grandes et nous avons pitié de leurs corps asservis par le dur règlement. En attendant, mère Sainte-Gabrielle d'Égypte veille jalousement sur nous. Elle m'enlève, un à un, les livres que m'apporte Mlle Léonard.

— Ce n'est pas un livre pour vous, lisez plutôt l'*Imitation de Jésus-Christ.*

Plus tard, elle attendra la nuit pour s'emparer de nos journaux intimes, de nos cahiers de poèmes. Pourquoi aurions-nous le droit de rendre fertile notre paysage intérieur, le droit de penser et même de vivre, quand elle, depuis son entrée au couvent, a renoncé à toute espérance, à toute vanité? Il n'y a pas que la crainte de Dieu qui hante ce cerveau impétueux (dont les ondes ont cessé de courir pourtant, ne laissant qu'une tempête d'obsessions, un élan paralysé vers le rivage de la vie), il y a aussi la frayeur de l'homme. Elle dira en classe, en un souffle de dégoût, «que tous les hommes sont des porcs», puis étonnée de cet aveu, se taira soudain, une main sur la bouche. Les petites écoutent. Elles consentent peut-être au dégoût. Mais moi je fuis vers Jacquou et le ravin, vers l'éclatante lumière de ce jour-là dans les arbres. Jamais cet été ne reviendra, ni l'été, ni l'automne merveilleux où Séraphine jouait près de moi. Et maintenant je ne vois personne à aimer. Il arrive qu'une camarade me glisse un billet pendant la classe: «Pauline Archange, attends-moi dans la cour de récréation, on va danser à corde ensemble. *Signé*: Augustine Gendron qui t'aime», mais cruellement je m'éloigne d'Augustine et de son haleine de pauvreté. Pendant la récréation, je regarde le ciel par le trou de la cour. Je m'ennuie.

Un dimanche comme tant d'autres, Mlle Léonard m'apprit la naissance d'un petit frère. On l'avait baptisé. Il s'appelait Émile. J'écoutais distraitement Mlle Léonard en regardant tomber la pluie.

— Est-ce que vous comprenez ce que je veux dire? me dit-elle soudain. Il y a des êtres qui naissent parfois pour le malheur des autres.

Et comme cela lui arrivait parfois dans le choc d'une pitié intense, je vis qu'elle tremblait en marchant vers la porte. Mon existence me semblait plus triste encore quand je pensais à Émile. Je le comparais déjà à Jeannot, pleurant, souillant ses langes. Mais Émile ne pleurait pas, ce qui inquiétait ma mère. Jusqu'à l'âge de deux mois, on avait cru le voir croître normalement, mais soudain, l'enfant, que ma mère avait nourri, semblait trouver en lui-même sa nourriture ainsi qu'un développement qui nous était étranger. Rejetant nos apparences humaines, Émile, tout en nous montrant des traits fraternels et reconnaissables, le même sourire, les mêmes yeux, vivait à l'intérieur d'une enveloppe plus végétale et plus lente. Je jouais avec ses pieds, ses mains, et nul écho de chaleur ne répondait en lui. Il regardait le vide au loin.

— Qu'est-ce qu'il regarde comme ça?

Ma mère cachait sa tête dans ses mains. «Mon Dieu! Mon Dieu!» gémissait-elle tout bas. Mon père s'approchait d'elle pour la consoler, ce qui semblait la désespérer plus encore. Eux ne savaient pas l'irrésistible curiosité qui me liait à cet être si calme, tout en harmonie secrète, en douceur. Cela devait être bien étrange d'être enfermé dans ce petit corps et de voir toutes ces choses lointaines que mes yeux ne voyaient pas. On est si frêle et si mou, à la fois, que personne n'ose vous toucher. La vie n'est qu'un souffle qui peut vous quitter à tout instant, voilà pourquoi il faut vous soulever délicatement, dans la crainte de briser vos os. Mais on me défendait souvent d'approcher Émile, on fermait à clef la porte de sa chambre. Je pensais à lui comme à une plante mystérieuse dans la maison. Certains jours, on avait vu s'illuminer ses yeux d'une compassion stérile et impuissante, compassion de l'âme errante qu'il incarnait peut-être, et en me penchant vers son visage j'avais cherché l'âme de Séraphine sous ses paupières. À chacun de mes départs pour le pensionnat, je cultivais l'espérance de me voir grandir meilleure à travers Émile. Qui sait, si on savait l'apprivoiser, il quitterait peut-être un jour le sommeil des fleurs qui l'habitait? Mais nul d'entre nous ne paraissait trouver son vrai langage. Les mois passaient. Émile ne se taisait plus. Il pleurait toute la journée, m'écrivait ma mère. «Avant il dormait, maintenant il souffre», et c'est ainsi qu'elle n'avait jamais le courage d'achever sa lettre.

Mon père, lui, ne cessait de croire «aux miracles de la Providence». Il décidait un matin que nous devions partir vers un lieu de pèlerinage, et qu'en baignant Émile dans les eaux saintes de la chapelle Sainte-Justice, nos prières obtiendraient pour lui la guérison. Il parlait même de faire le voyage à pied, mais grand-mère Josette s'alarma «pour ses jambes couvertes d'ulcères» et mon père dut se résigner à prendre le train. Transplanté hors de son vase fragile, exilé entre nos bras qui ne pouvaient le prendre sans lui faire mal, car en lui commençaient à pousser les racines d'une douleur inconnue à tous nos soins, Émile pleurait, s'étouffait dans ses sanglots. «Oh! qu'est-ce que tu as donc?» disait ma mère en lui touchant le front, et ne pouvant plus supporter cette peine, lentement elle déposait Émile entre les bras de grand-mère Josette qui le berçait à son tour au rythme du train. «La seule consolation, ma fille, c'est que les larmes d'Émile lavent les péchés du monde», disait ma grand-mère, et à cet involontaire blasphème contre elle, ma mère ne pouvait que répondre d'une voix éteinte:

— Y vaudrait mieux qu'il meure!

Et pendant que mes grands-parents s'agenouillaient pour implorer la guérison d'Émile, ma mère, elle, se tenait droite dans la pénombre. Elle demandait la mort de son enfant, sans remarquer, au-dessus de sa tête, l'un des tableaux du Chemin de la Croix qui représentait, dans une pourpre violence sans beauté, le couronnement de Jésus parmi les hommes qu'il avait voulu sauver. Toute blême dans ses vêtements gris, elle semblait apporter au tableau la nuance de deuil qui lui manquait. Il y avait déjà, au dehors, sous une radieuse lumière d'automne, une foule de pèlerins poussant vers l'allée de la chapelle la chaise roulante ou le lit au sommet duquel apparaissait soudain un bras décharné, jaillissaient aussi, de la blanche corolle des draps, de singuliers visages dont on ne semblait reconnaître que les trous édentés des bouches sous l'écume. Des plaintes montaient de chacun de ces corps assis ou couchés, et debout près de leur malade, une mère sans larmes regardait devant elle sans rien voir. À l'intérieur de la chapelle et dans le jardin où coulait la source miraculeuse, on voyait partout les murs de béquilles que des infirmes avaient laissées derrière eux au moment de leur guérison. Je me demandais, en remplissant d'eau mes bouteilles, comment ces malades avaient surmonté le choc de leur guérison et s'ils se souvenaient du néant dans lequel ils avaient dormi, avec quelle fougue, par exemple, tous ces enfants mongoliens assis sur la pelouse, bavant, pleurant, éprouveraient sous leur crâne épais l'écoulement d'une intelligence brûlante comme le feu, la fraîcheur d'une imagination fortifiée par le long repos. Peut-être, simplement, se trouveraient-ils très malheureux de voir de quel vêtement pauvre on avait vêtu leur corps, plus malheureux encore de reconnaître dans l'eau de la source, le masque débile d'un visage dont ils ne pourraient plus se séparer. Mais j'insistais auprès de mon père pour baigner Émile dans la source, afin de toucher le miracle de plus près encore. Émile me résistait pitoyablement, ne pouvant remuer les bras et les mains, il pleurait plus fort. Insensibles de foi, nous le regardions qui cognait faiblement sa tête contre l'eau. Le seul, l'ironique miracle dont on était témoin, consistait en un subtil changement de couleur dans le teint délicat d'Émile. Quelques petites taches bleues, d'un bleu de ciel très doux, semblaient naître près de ses tempes, sur ses joues fines et blanches. Il étouffait.

— Il y a aussi la médecine qui pourrait faire des miracles, disait mon père.

Mais Mlle Léonard disait simplement qu'il n'y avait pas d'espoir et qu'il était temps pour ma mère de se séparer de son enfant. «Demain, il sera trop tard, vous n'aurez plus le courage de le quitter...» Ma mère écoutait ce conseil dans une profonde absence. L'expression de son visage, le fixe regard qu'elle posait devant elle, tout son être semblait renier l'enfant dont on lui parlait. Exaspéré, mon père cherchait «des annonces de guérisseuses» dans les journaux, en rentrant de son travail, le soir. Mme Flanche réchauffait «ses crèmes à guérir» parmi la cuisson «de galettes aux raisins et au miel», elle voyait chaque jour «des petits comme celui-là avec des jambes et des bras plus morts que le bois mort» aussi, sans respect pour la douleur de ma mère, elle lui arrachait Émile des bras et le couchait nu sur la table.

— Je vais le frotter avec mon meilleur onguent, disait-elle en retroussant ses manches, il faut lui frictionner l'épine dorsale...

Mme Flanche me regardait droit dans les yeux en disant «qu'elle pouvait lire tous les secrets au fond des regards...» Elle savait peut-être que j'étais la cause du malheur d'Émile, qu'il expiait pour moi ces crimes que je n'avouais à personne, mon abandon de Séraphine, mon oubli de Jacob, et récemment, le vol des économies de ma cousine. Dans ma honte, je fermais vite les yeux. Mais, en même temps, la fragilité d'Émile, son existence sans patrie, me faisait comprendre qu'il existait peut-être une mystérieuse race d'hommes, exilés de nos lois ordinaires, mais vivant selon leur cœur, des êtres marqués par le mystère en naissant, entourés d'une infinie solitude, et souvent aussi, d'une miséricorde infinie. Je pensais à Mlle Léonard qui se voulait si semblable à nous pour mieux voiler la différence qu'elle sentait en elle: malgré moi j'étais avide de rencontrer un être capable de suivre jusqu'au bout l'appel de ses désirs et de sa vérité. Mais les jours passaient et je récitais encore le chapelet avec les autres, dans le corridor, le soir, ne voyant à l'horizon que les visages boutonneux de mes compagnes et le drapeau de sécheresse que hissait chaque matin mère Sainte-Gabrielle, pendant ses leçons de catéchisme, parlant «de l'immonde impureté qui nous guettait partout dans le monde...»; cette sécheresse semblait triompher de notre amour de la vie, et le souffle de grâce qui m'avait touchée un instant à travers Émile s'évanouissait dès que j'entendais à nouveau la voix de mère Sainte-Gabrielle. Pourtant, la grille du couvent écartée pour faire notre promenade quotidienne, je découvrais que certaines d'entre nous semblaient moins chétives, moins ternes, dans la lumière du jour. Je n'avais jamais remarqué que nous avions parmi nous quelques bienveillantes religieuses tant m'accablait la cruauté de plusieurs autres. Notre surveillante des promenades tournait vers nous un beau visage désolé, elle levait les yeux vers le ciel avec résignation. «Mon Dieu,

semblait-elle dire, ma place n'était pas dans ce couvent, donnez-moi le courage de partir...» Et si une jeune fille du pensionnat des grandes brisait soudain les rangs et, feignant de
s'arrêter pour lacer son soulier, laissait passer les autres, s'enfuyait par la porte d'un magasin pour sortir seule de l'autre
côté et vagabonder une heure, avant la cloche de l'après-midi,
mère Sainte-Adèle fermait les yeux, elle laissait partir, avec
l'élève aimée, un peu de son âme prisonnière... Je rêvais de
me joindre à cette élève, mais je n'osais pas. Geneviève
Després m'apparaissait de loin, dans la lumière du soleil, je
ne voyais pas son visage mais j'apercevais son front grave et
nu et les deux tresses blondes qui couraient derrière elle, à
son dos.

À l'heure où j'étais encore en pénitence dans la salle
d'étude, copiant les pages de mon dictionnaire, ou allongeant
sur le papier le centième

Égypte
Égypte

de ma punition («Cinq cents fois vous écrirez: je serai respec-
tueuse envers mère Sainte-Gabrielle d'Égypte»), Geneviève
Després patinait avec les grandes de son groupe, dans la cour,
et la douceur de son rire me rendait plus cruelle encore ma
punition. D'autres soirs, je parlais avec Augustine Gendron
pendant l'étude et on me chassait dans le corridor pour une
heure. Je descendais vite à la cour, mais Geneviève ne patinait
déjà plus: elle était assise sous un arbre et mère Sainte-Adèle
lui parlait à voix basse. Geneviève se levait soudain, elle courait vers un groupe d'amies qui l'attendaient près de la grille.

Mère Sainte-Adèle lui souriait tristement, sa main semblait esquisser dans l'air un geste de protection, puis cette main retombait avec lassitude sur ses genoux. Elle quitterait le couvent dans quelques mois, elle en avait déjà fait la demande à la supérieure, elle aurait peut-être un mari, des enfants, un jour, mais jamais, pensait-elle, elle n'oublierait Geneviève et la ferveur de son amitié. Mais comment pouvait-elle savoir qu'elle deviendrait demain l'esclave de ce mari, de ces enfants et que dans la terne clarté de cette vie nouvelle, elle oublierait Geneviève, bien volontairement, et que si l'une de ses anciennes élèves eût cherché à éveiller ce souvenir, elle eût peut-être répondu avec amertume: «Geneviève Després, mais qui est-ce? Ah! oui, cette petite... Qu'est-elle devenue?» Depuis la mort de Séraphine, je ne pouvais approcher quelqu'un dans le présent, sans imaginer de quelque façon la métamorphose de son avenir. Qui sait, Geneviève me semblait très charmante aujourd'hui, simplement parce que ses défauts étaient encore invisibles pour moi, ou plutôt parce qu'elle n'avait pas eu le temps d'exprimer tout ce que son cœur contenait de beau et de hideux, car elle, comme moi, était sans doute coupable de crimes qu'elle ne connaissait pas, puisqu'elle était humaine. Chaque être que je rencontrais alors m'inspirait la même angoisse: Que cachait-il? Que deviendrait-il? Ma mère m'avait toujours semblé bonne, mais depuis la naissance d'Émile, de meurtrières pensées, qu'elle ne pouvait plus garder aussi secrètes, traversaient parfois son regard, émanaient de ses gestes. Comment faire mourir Émile sans le tuer? On pouvait peut-être l'oublier après le bain, le laisser seul sur une table ou sur une chaise? Mon père lui-même paraissait complice de ces crimes ardents de la pensée. Il sauvait toujours Émile de la négligence de ma mère, mais à mes yeux, le crime avait été déjà commis et l'existence d'Émile prolongeait en moi un

deuil profond que j'étais la seule à contempler. Ma mère mangeait à peine, refusant de nourrir ces pensées coupables, et
lorsqu'elle mangeait, elle éprouvait malgré elle cette nausée
du meurtre qu'elle n'avait pas accompli. Mon père rentrait tôt
du travail pour soigner en ma mère cette longue répulsion de
la vie: si je sortais du pensionnat pour quelques jours, je trouvais mon père qui tenait la tête de ma mère au-dessus d'une
cuvette, douloureux tableau que je fuyais en allant jouer dans
la rue. J'attendais Louisette Denis qui jamais ne venait me
rejoindre. Quand je frappais à la porte de ses parents, on me
disait «que Louisette était partie bien loin mais qu'elle reviendrait
quand elle serait guérie». Je pensais à Séraphine et Louisette
me semblait soudain très menacée, elle qui n'était plus saine
ni gaie, elle que je ne reverrais jamais plus peut-être, pensais-
je. Je lui écrivais des lettres dans ma solitude: «T'es comme
les autres, t'es comme Sébastien et Séraphine, tu veux t'en
aller toi aussi, mais je veux pas que tu partes, tu peux pas être
malade, t'es la plus forte de la classe, a dit Mlle Léonard, et
c'est toi qui comprends le plus vite, dit Mlle Léonard, tu cours
vite comme un cerf-volant, je t'aime, c'est pour ça que tu peux
pas être malade comme Julia Poire et t'en aller...»

J'imaginais le retour de Louisette Denis, mais c'était un
retour sans joie où chacune de nous regardait l'autre sans la
reconnaître. Elle aurait perdu la santé et moi l'espérance. Si
nous avions déjà tué Émile plusieurs fois, en pensée ou en
parole, combien d'autres crimes n'étions-nous pas capables de
commettre? Les yeux du corps devaient être bien aveugles
pour ne voir toujours que l'innocence des visages, pour être
aussitôt éblouis par un mirage de bonté... Le vrai regard venait
sans doute de plus loin et de plus haut, tel ce soleil froid qui

veillait si loin pour moi dans l'âme d'Émile. Lui, disait-on, ne voyait rien, et pourtant je sentais que si Émile avait un regard, c'était un regard sans pitié. C'est en vain que mon regard à moi avait cherché le repos dans l'innocence et la fraîcheur, il me semblait maintenant que l'innocence était la mort et que cette lueur cruelle dans les yeux de ma mère, c'était le mal, peut-être la destruction, mais c'était aussi la vie. Je ne pouvais plus retourner en arrière, vers l'oubli de cette révélation, la violence était là, partout, voilée par la chair ou dévoilée par elle. La frontière des apparences traversée, on était bien peu sûr de la dignité de ce corps depuis longtemps marié à la bête: allait-il tuer, violer, ou simplement aimer, jouir, protéger le semblable, l'étranger à lui mais qui le réconfortait si bien?

Il devait être bien terrible d'aimer puisque mes parents en avaient si honte! Mère Sainte-Gabrielle d'Égypte elle-même parlait en frémissant de dégoût «de ce fruit défendu qui laisse un goût de cendres...» puis elle se mordait les lèvres, consciente, un moment, de l'amas de cendres froides sur son cœur qui n'avait jamais aimé. Elle avait peut-être raison, pensais-je, pour l'oncle Marius. «Il tombait souvent dans l'abîme de la boisson», disait ma mère, «un vrai cochon, ton oncle, il faut bien le dire, il boit toute la journée...» Il avait vendu tous ses meubles pour mieux flotter dans un océan de bière d'où il chantait de mélancoliques mélodies:

Prends un verre de bière mon chat
Prends un verre de bière mon matou
Ah! Prendre un verre et vite dans le trou
Mon minou!

Il était même trop tard «pour l'arracher des bras de la luxure»! Il sortait parfois de son brouillard pour faire des petits signes obscènes, invitations qui le conduisaient en prison. Parfois, ma mère me demandait «de lui faire une commission, de lui acheter un morceau de pain pour pas qu'y crève, le déshonoré»! Et je tremblais de voir s'approcher de moi, sur le seuil, non seulement lui, l'oncle Marius, l'homme pitoyable qui avait trop bu, mais la bête qui sortait avant lui d'un aveugle buisson de volupté et dont je voyais déjà la grosse tête se diriger vers moi en soufflant. Une petite fille de neuf ans pouvait être pour lui un objet de désir, mais dans une telle solitude, abandonné de tous sinon de son vice, une lampe, une table, un objet quelconque vacillant dans la lumière de l'ivresse, aurait sans doute pu devenir aussi une cible de désir. Ma mère disait «que cet homme était un grand malade, un grand pécheur...» mais ma famille était trop fertile en malheurs, pensais-je, et si un jour je devais y survivre, ce serait peut-être simplement pour descendre dans cette cave de boue et de feuilles séchées, pour regarder une dernière fois ces vivants et ces morts dégénérés d'où il fallait tirer, plus que la naissance, plus que la vie, ma résurrection.

Les adultes préservaient de nous un mystère charnel qu'ils jugeaient sans beauté, mais pour nous il n'y avait vraiment de mystère que dans la violence de leurs paroles et de leurs suggestions, et on pensait avec tristesse à cette ombre de péché sur des actes aussi simples et nus. Combien on aspirait à vivre librement, dans l'harmonie d'un corps et d'un esprit heureux! Pendant les vêpres du dimanche, les grandes montaient au grenier où elles dansaient, déguisées sous un nuage de plumes qu'elles collaient partout autour de leurs visages, à leur cou, exprimant ainsi, loin de notre vie prisonnière, qu'elles possédaient déjà ces hommes imaginaires pour qui elles dansaient, bien qu'elles n'aient pas eu encore ni le temps ni la liberté de les conquérir.

Elles aussi semblaient savoir que l'amour est sans mystère. Mais, dès la fin des vêpres, elles l'oublieraient peut-être aussitôt, et combien de fourbes scrupules s'éveilleraient encore dans leur âme? Quand toutes ces jeunes filles épiaient les garçons de la rue, se poussant du coude, près de la fenêtre, Geneviève Després se tenait à l'écart, la tête entre les mains. Je n'entendais plus l'éclat de son rire, depuis quelques jours. Le départ de mère Sainte-Adèle approchait.

Le silence de Geneviève me rappelait soudain combien j'étais malheureuse moi-même... Un enfant de la douleur semblait naître à chaque instant de mes pensées, Jacob, Séraphine ou Louisette, chacun serrait autour de ma taille un bras trop chaud, et je n'osais plus marcher seule dans la cour, dans la crainte de me briser soudain au contact de ma propre pitié. Je comparais parfois le corps d'Émile à un blanc calice où se tenaient enfermées toutes les douleurs: lui seul ne pouvait pas fondre ni se briser, dans le chagrin, parce qu'il était la souffrance même, mais moi qui ne pensais qu'à m'amuser, qui ne rachetais personne, je sentais que la douleur risquait toujours de s'écouler de toutes les fissures de mon corps, et que sous un ciel déjà chargé de pluies, j'allais pleurer sans fin, pleurer jusqu'à l'anéantissement de tout mon être. Mère Sainte-Gabrielle d'Égypte qui avait cessé de me gronder, parce que, disait-elle, «c'est inutile, vous n'avez pas une seule larme dans les entrailles, vous n'êtes pas comme les autres!», s'étonnait de ces larmes qui coulaient sans raison sur la dureté de ce visage qui jamais n'avait été ému pour elle. Ces larmes la scandalisaient plus encore quand elle me remettait mon bulletin à la fin du mois et que la vision de mes notes hautes et inutiles me remplissait de dégoût plus que de fierté. Si j'étais la première de ma classe ce jour-là, ce n'était pas à cause de mon intelligence qui errait bien bas, mais simplement parce que j'étais un peu moins médiocre que les autres, je ne pouvais pas espérer devenir un jour comme Mlle Léonard, «je n'étais pas née pour ça», disait mon père, et il avait sans doute raison.

Pendant que les autres voyaient leurs parents au parloir, je dansais d'un pied oisif sur l'ombre de Geneviève qui s'éloignait de moi à mesure vers une rivière d'ombre sous les arbres, au fond de la cour. J'étais seule et indigne d'être aimée dans ma robe en lambeaux. J'aurais pu la recoudre, il est vrai, mais toute transformation de moi-même me semblait futile.

Je me levais chaque matin pour vivre, mais bien souvent ce n'était que pour m'acheminer vers de violents cauchemars, dès mon réveil. On se levait et s'habillait, tout tremblant encore des craintes de la nuit, mais dans le jour qui commençait, d'autres mauvais rêves se mettaient à vivre avec nous, eux aussi. Lorsque mère Sainte-Gabrielle d'Égypte sonnait la cloche du matin, je retrouvais mon angoisse telle que je l'avais abandonnée la veille, sous l'ombre brune d'une forêt que je visitais si souvent en rêve. Les corridors du dortoir semblaient s'ouvrir, un à un, sur les vastes chambres de mes cauchemars où je rencontrais Jacob pleurant sous les coups de son père, Séraphine courant seule parmi les herbes d'un pré noir... Pourtant, il faisait jour, nous marchions vers la chapelle, le soleil se levait au fond de mon interminable forêt, bientôt j'aurais moins peur de mes souvenirs, chacun retrouverait sa place dans la fresque lointaine. Oh! toujours vivre en soi-même comme dans une prison! Mère Sainte-Gabrielle secouait à nos oreilles ses clefs démentes mais sans jamais trouver le secret de notre délivrance...

Je trouvais en moi-même l'empreinte de ces monstres que je jugeais si sévèrement chez les autres. Quand la main d'Augustine Gendron se confiait à la mienne, pendant la promenade de midi, je rêvais de broyer ces frêles doigts entre les miens comme pour étouffer mon désespoir de vivre. Je comprenais la décision du bourreau devant sa victime, on torturait les autres afin d'éviter les mêmes tortures pour soi. Mais il était bien stérile de faire souffrir Augustine Gendron, il me semblait subir à travers elle la violence que je lui imposais. Je n'avais pas même le courage d'aimer le mal que je faisais aux autres. Tant d'hommes déchiraient pourtant ce voile de la conscience et tuaient leurs frères. Je lisais le récit de ces meurtres à l'oncle Marius, le samedi, dans le *Bonne Nuit Police* et *L'Aube du crime*, journaux illustrés dont les détails me hantaient longtemps. «Par la Sainte Vierge, ça me donne des idées noires», grognait l'oncle Marius, lorsqu'il lisait, penché sur mon épaule, la confession d'un assassin de la veille!

«J'suis rien d'autre qu'un pauvre homme et je demande pardon au Bon Dieu si j'ai perdu patience, mais j'avais plus un sou dans mes poches et voilà qu'ils me regardaient tous les sept comme des oiseaux affamés avec la tête hors du nid ces enfants-là, y me regardaient la bouche ouverte, sales, crottés, et leur mère était à quatre pattes sous la table une bouteille de gin sous le nez; j'ai toujours eu un peu de patience mais là j'en avais plein mon casque puis il y avait ce maudit vent d'hiver qui rentrait par la porte, en fait en été on a moins le goût de tuer tout le monde; y faut dire le crime c'est une drôle d'habitude d'hiver, mais en hiver j'ai pas de patience j'suis quelqu'un de coléreux pas méchant j'ai dit coléreux. Un vendredi soit j'rentrais donc chez nous, m'sieur la police et ces enfants-là m'ont regardé comme j'peux pas vous dire, des yeux d'affamés j'aime pas ça; y z'étaient maigres on voyait les os à travers de leur peau grise, pas seulement ça mais tout est gris dans c'te maison-là, des murs de tôle, des rideaux de papier gris, par le Bon Dieu; j'ai pensé qu'y fallait avoir pitié pis envoyer toute la bande au paradis, j'ai pas de patience mais vous auriez fait la même chose m'sieur la police vous les auriez tués tous les sept, mais pour du sang c'était du sang, un vrai ruisseau...»

— Oui, ça me donne des idées bien sombres, poursuivait l'oncle Marius, en se mouchant, moi ça me fait pleurer plus que les sermons du curé, à la messe. Y a des jours où je voudrais noyer ta tante, mais j'ai trop peur, trop peur d'être pendu comme un poulet!

L'oncle Marius pleurait plus encore «sur les belles histoires chexuelles». Il avait de la sympathie pour «ce bon gars de Gaston Soreil, quarante-huit ans, de la paroisse Mont-Caprice, accusé d'avoir eu des rapports chexuels avec une sexagénaire «faible d'esprit» ou bien «Raymond Girard, soixante-cinq ans, accusé d'attentat à la pudeur sur la personne d'un garçonnet de neuf ans».

— Vois-tu, me disait-il, en chassant de la main un nuage de sauterelles qui montait de la rue, tout ça, c'est la bonne vie, j'vois pas pourquoi y faut mettre les gens en prison parce qu'ils font la bonne vie...

— C'est défendu, oncle Marius. Tu vas aller en enfer. Quand tu me regardes comme ça, avec des yeux vicieux, c'est sûr que tu fais des péchés. Le Bon Dieu ne l'aime pas.

Mais il était vain d'espérer la conversion de l'oncle Marius.

«Il faut faire chaque semaine votre B.A., disait notre chef-taine, une B.A. est une bonne action qui vous donne mal au cœur...», et c'est ainsi que je visitais l'oncle Marius et achetais pour lui des journaux obscènes. Je préférais pourtant les B.A. des vacances, quand nous allions, à l'aube, par groupes de Mireillettes distribuer des pots de confitures aux vieillards des hospices. Eux qui ne dormaient plus et respiraient à peine sem-blaient n'avoir conservé qu'une bouche avide entre leurs os blancs, une langue engourdie sortait paresseusement de son antre, léchait les gouttes de confiture sur la cuillère puis se cachait à nouveau. «Mange, grand-maman, mange», disait une religieuse, près de nous, et l'animal ridé de la mort, la mort elle-même émanait de tous les poils blancs de la vieille dame pour goûter à la confiture. La vieille dame retombait sur son lit, épuisée, la bouche ouverte.

— Grand-maman est bien vieille. Elle n'a plus très faim à son âge, disait la religieuse. Vous ne me croiriez pas, mais elle n'a que quatre-vingt-dix-huit ans?

Les longs doigts des moribonds nous effleuraient de ca-resses, au passage. «C'est ma p'tite Dorothée qui me revient... C'est ma p'tite que j'avais perdue...» Quelques-unes, roses et transparentes dans la lumière du matin, berçaient une poupée, comme un vieux rêve, d'autres se soulevaient un peu dans le lit, pour voir le jardin, sous la fenêtre, puis leur regard se figeait soudain dans une béatitude sans mémoire. Une infir-mière au sein robuste passait entre les lits avec des seaux puants dont elle semblait oublier le contenu, car pour elle, la durable puanteur de cette misère avait des arômes de bonté. «J'lui avais dit au grand-père Barreau, si tu manges de cette viande-là, tu vas être malade comme un chien, et qui va encore te nettoyer? Moi, toujours moi, on sait bien. Quatre fois en une nuit, j'me suis levée pour ce vieux-là, un vrai enfant sans reconnaissance, sans un mot de remerciement, il me fait courir à son service du matin à la nuit, et la nuit aussi. Mais quand il ne sera plus là, j'aurai une vraie boule dans l'estomac. C'est mon vieux préféré. Quand il ne sera plus là, y aura personne ici pour avoir tant besoin de moi.»

J'imaginais la longue nuit de l'hospice et l'infirmière se penchant sur chacun, parlant avec tous le langage de l'agonie et de la nécessité: «De l'eau, mon gros malin, encore de l'eau? Mais tu fais seulement boire, donc? Regarde-moi donc qui travaille jusqu'à l'heure des poules. Ne bouge pas de ton oreiller, je t'en apporte... Mais c'est la dernière fois.» Même avant la nuit, ceux qui allaient mourir avant l'aube commençaient à l'appeler.

— Qu'est-ce donc ma jolie, tu souffres, mais où donc? Y faut dormir, ne pleure pas comme ça, non, non, ne pleure pas, c'est trop fatigant. Et surtout, ça me fait mal aux oreilles de t'entendre!

— Garde, j'men vais, j'le sens, j'vais bientôt partir.

— Mais non, ma mignonne, attends, je vais te donner un peu d'air. Fais donc pas tant de bruit avec ta gorge, ça te fatigue pour rien.

Les douloureuses rumeurs de ces corps en décomposition augmentaient plus encore lorsqu'elles semblaient s'écouler du malade, par son nez et sa bouche, pour courir dans de minces fils de verre dont on avait emprisonné son visage.

— Qu'est-ce que tu dis donc, mon bonhomme, répète, j't'entends mal...

— R...R...rrr...rrr...

— Ah! oui, tu as bien raison, ils auraient dû venir te visiter, tes enfants.

— Ou... rou... moué... s... seul... rir... mou...

— Et moi alors? Est-ce que je suis un meuble? Une table de chevet? Vous êtes tous des ingrats, pas une seule parole de reconnaissance avant de partir!

Il était souvent trop tard, lorsque les enfants du mourant arrivaient.

— Vous voilà maintenant qu'il n'a pas besoin de vous et qu'il est au ciel, avec les anges! Vous voilà, les souliers cirés, le col raide comme des pompiers. Vous n'avez pas honte, oui vous n'avez pas honte d'arriver juste à temps pour l'enterrement?

Nous quittions l'hospice avec recueillement, imaginant, au bout de ce bras brun qui s'étirait maintenant dans la lumière de l'été, la main dénudée de la vieillesse, son tremblement. Mais si on apercevait soudain un filet de rivière qui coulait sous les arbres, on se dépouillait vite de son uniforme, et au premier coup de sifflet de notre cheftaine, une muraille de culottes de laine bleue s'effondrait dans l'eau. La cheftaine attendait la fin du bain, assise sur une pierre. Si Huguette Poire l'invitait à se joindre à nous, elle répondait sèchement «que la joie des enfants est souvent le malheur des adultes». Quelques minutes plus tard, elle enlevait prudemment sa cravate et son chapeau et exécutait de brefs mouvements de sémaphore, dans le vent. Le bêlement des chèvres se faisait entendre, plus loin. Oui, pensais-je, le jour de la B.A. est souvent un beau jour. Mais, après l'avoir oubliée pendant si longtemps, je pensais soudain à grand-mère Josette. «Son cœur bat de moins en moins fort, car elle s'en va de vieillesse...» disait ma mère. Mais elle n'avait que soixante-huit ans, pensais-je, «et elle s'en va au ralenti comme une machine usée».

— Mais c'est pas juste...

— Tout est juste, répondait ma mère. Il faut bien mourir comme tout le monde. C'est l'autre vie qui compte.

J'avais beaucoup négligé grand-mère Josette. On me disait de veiller sur elle pendant qu'elle se berçait dans la cour, mais souvent, je la laissais pour aller jouer chez les voisins. Elle s'arrêtait parfois, au milieu de son doux bercement, elle me regardait avec tendresse avant de tomber dans un curieux sommeil qui me faisait peur. «Grand-mère, tu dors en plein jour maintenant?» Elle ne répondait pas. Puis elle se réveillait en murmurant des excuses: «Ah! Pauline, c'est bien étrange ce qui arrive aux vieilles personnes, il ne faudrait jamais vieillir...» Une journée qui s'achevait, c'était une journée que la mort venait de prendre. Ma mère parlait autrefois «de monter dans la vie, de changer de quartier et de manières...» mais depuis la naissance d'Émile, elle semblait y avoir renoncé. «Y faut que cet enfant-là s'en aille, je ne suis plus capable de le voir, il doit partir...»

Et par les chaudes journées de juillet où Huguette Poire et Jacquou m'invitaient, à coup de fronde dans la fenêtre de ma chambre, «à venir faire un tour de barre de bicyclette au parc Isaac», je pensais à Émile comme à ma propre vie, ne pouvant me séparer de lui sans la crainte d'en mourir. Mais la directrice de la Maison des accueils comprenait l'étrange désir de mes parents. Elle avait un corps légèrement bossu, un regard humble et je sentis que tout son être recevait Émile «comme une vraie grâce». Il était doux de penser que la vie d'Émile, toute fondue dans l'âme de cette femme, trouverait son utilité, son bonheur.

— Si on les aime, ces petits-là, ils vivent pendant des années, c'est comme des agneaux que le Bon Dieu aurait oubliés sur la terre, on dirait, à le voir comme ça, qu'il refuse de bouger ses bras et ses jambes, que ses yeux sont aveugles, mais quand on les aime longtemps, ils apprennent des choses, plus tard il pourra s'asseoir, on va lui apprendre à remuer doucement dans l'eau de la piscine, puis, quand il sera plus grand, on mettra un appareil pour le faire marcher...

On entendait, tout près, dans le corridor, les pas d'un jeune garçon et le grincement d'un lourd appareil de fer qu'il poussait devant lui.

— André, viens voir, c'est Émile, un ami pour toi...

Le garçon souriait sans comprendre. La religieuse s'approcha de lui, prit sa main, ouvrit les doigts du garçon sur le front d'Émile. «Amour, dit-elle, en lui caressant la main, a-mour». Dans le silence du garçon malade, des mots sans forme semblaient jaillir, il y avait un langage et la religieuse le comprenait car elle dit, les yeux brillants:

— Il est heureux, lui aussi, vous voyez! Il s'agit seulement de les aimer!

J'avais perdu Émile, peut-être, mais lorsque je pensais à lui, j'imaginais, comme des branches nourricières autour d'un arbre mort, cette religieuse et tant d'autres de ses compagnes, empêcher, par leur travail commun, une seule vie de se dissoudre dans le néant. Sans doute étaient-elles trop dévouées à leurs malades pour contempler le malheur qu'elles soignaient. C'était un patient labeur de conserver chacun de ces souffles, de ne pas les laisser s'éteindre dans un moment d'oubli! Émile ne craignait plus l'eau. Un geste de la directrice sur sa tête, et il ne pleurait plus. Des êtres muets et doux flottaient avec lui sur les ondes vertes de la piscine. Plongée dans l'eau elle-même jusqu'à la ceinture, la directrice aidait un pied, une main à demi formés, à se mouvoir avec elle, reconnaissante à Dieu pour un mouvement, une ombre...

— C'est beau, ça, il y a des mois que j'essaie de bouger cette petite patte... Une fois encore... deux fois... bon, c'est comme ça... Ils comprennent tout, de vrais anges!

Je pensais avec joie que la directrice avait raison d'aimer Émile, lui au moins ne ferait jamais de mal à ceux qui l'aimaient simplement, quand moi qui aimais Séraphine, je lui avais fait tant de peine.

Dès sept heures, le soir, je me laissais envahir peu à peu par l'absence d'Émile, dans la maison vide. La clarté du ciel tombait de la fenêtre ouverte, je jouais avec les rayons de poussières comme avec mes pensées, et lorsque ma mère m'appelait, dehors, je ne répondais pas.

— Qu'est-ce que tu fais donc toute seule en haut quand tout le monde est sur le trottoir qui prend l'air frais?

Mais depuis trois semaines, je ne parlais plus à personne.

— On dirait un vrai monstre, madame Poire, cette enfant-là. Elle ne veut plus parler à sa propre mère.

— Bah! madame Archange, j'serais trop contente, moi, si mon Huguette se taisait pendant longtemps! Elle parle tout le temps comme une pie, elle jacasse encore quand son père la bat!

En me penchant à la fenêtre, je voyais toutes les têtes de commères qui se rapprochaient l'une de l'autre pour le chant du soir. «Ah! On n'aurait jamais cru, mais c'était pas un mariage chrétien, vous avez déjà vu ça, vous, un enfant qui naît un mois après le mariage de sa mère?» «Moi? Jamais!»

«Quel scandale! Mais, de nos jours, les jeunes n'ont plus de religion!» «Vous avez donc mille fois raison madame Chose!» Sur les trottoirs populeux, les hommes sortaient leur chaise, à mesure que l'heure avançait, les femmes lavaient leurs enfants, et dans la grasse chaleur du mois d'août, chacun suait, étouffait, mais ne cessait de calomnier son voisin avec passion.

— Y fallait que je vous le dise, madame Poire, j'aime pas trop voir votre Huguette avec ce Jacquou si vilain, il est toujours là qui lance des pierres avec son bon-brang, et Huguette le suit partout...

— C'est pas ma faute, j'suis pas pour la séparation des sexes, madame Archange, le beau temps finit trop vite, pensez donc à ma Julia qui a les poumons rongés... déjà...

Un soir, je vis Mlle Léonard qui passait devant notre porte. Ma mère s'approcha d'elle et lui dit quelques mots à l'oreille. Sans doute lui disait-elle que j'étais un monstre et que je refusais de me joindre aux autres, sur le trottoir. Mlle Léonard elle-même, en écoutant ma mère, avait un air complice que je n'aimais pas.

«Montez la voir, dit ma mère, elle vous parlera peut-être à vous.» Dès que j'entendis le pas de Mlle Léonard dans l'escalier, je sentis que je n'aurais pas le courage de lui parler. Cachée derrière le fauteuil, je la voyais qui marchait dans l'ombre en m'appelant: «Pauline, vous êtes là?» Mais je me taisais.

— Eh bien, cachez-vous, puisque vous ne voulez pas me voir, ce soir. Je voulais simplement vous dire...

Elle hésita, puis ajouta avec lassitude:

— J'ai eu des petites difficultés, comme tout le monde. Je ne pourrai plus offrir mes services dans les écoles publiques, en septembre. Je travaillerai encore à l'hôpital. Alors, bonsoir, je vous reverrai peut-être...

Je l'entendis qui descendait l'escalier. Tant de choses semblaient disparaître avec Émile. La maison était plus vide encore, le silence, plus effrayant.

— Une parade de pompiers! Une parade de pompiers, descends, Pauline Archange!

On voyait d'abord s'avancer, du fond de l'horizon assombri, cinq marionnettes rouges, levant devant elles une jambe et puis l'autre, au son d'une fanfare invisible. Le chef des pompiers, de qui l'on disait «qu'il avait lu trop de livres et qu'il avait les idées trop larges», battait le tambour d'un poing funèbre, car il avait perdu «sept hommes d'un seul coup, dans l'incendie de l'hôtel». «Mais c'était une bien belle funéraille, disait Huguette Poire, c'est donc dommage que Julia soit pas là!» Et bientôt, du coin de la rue, apparaissaient encore vingt, trente, quarante pompiers, ils défilaient par centaines devant le palais de justice, traînant derrière eux, comme dans un rêve, les tombes des sept héros tombés avec les flammes du toit. «Une vraie mort d'homme», disait mon père avec admiration, car à eux sept, les pompiers avaient eu le temps de sauver une femme «sauf qu'elle avait expiré de ses blessures quelques heures plus tard». Ils passaient sans fin devant nous, implacables et fiers, et leur gros œil bleu brillait sous leur casque, dans la chaleur. «Y faudrait un orage, on crève!» Une goutte de pluie vous touchait le front. C'était un espoir. Le chef des pompiers monta sur l'estrade et commença son discours:

«Nous sommes fiers, dans cette ville, d'avoir des pompiers qui sont des héros, des héros qui n'ont pas peur d'éteindre la flamme partout où elle brûle et consume, où elle ravage et tue, l'enfer est ici même, dans ce quartier où une seule allumette peut faire flamber les ruines qui sont nos demeures, les gens brûlent, les hôtels brûlent, mais le palais de justice, lui, ne brûle pas. Je profite de cette occasion où nous sommes tous ici ensemble présents, pour vous dire que l'Association des Pompiers est contre l'incendie, l'enfance malheureuse et la peine de mort. En ce jour de deuil, chantons ensemble l'hymne aux pompiers et soyons tous frères en l'humanité.»

— C'est donc dommage que Julia soit dans son lit, disait Huguette Poire à mon oreille, elle aime ça tellement les discours, puis les funérailles, les pompiers la font toujours pleurer... Viens, on va aller la chercher, Jacquou...

Allongée sur le sofa, dans la cuisine, Julia Poire détournait la tête, comme pour ne pas nous voir. Elle toussait sans bruit dans un mouchoir déjà rempli de sang.

— Pas aujourd'hui, ça va pas trop... ça va pas fort...

— Mais jamais tu pourras voir des pompiers beaux comme des rois, des voitures rouges, de la belle musique et des tombes dans la rue, partout, c'est tellement beau qu'on tremble... Viens, Julia, on va te prendre la main Pauline et moi et Jacquou va te pousser dans le dos...

— J'vais aller, les enfants, mais c'est bien pour vous faire plaisir parce que ça va pas fort...

Mais jamais Julia Poire n'avait vu «un si beau spectacle, excepté dans les romans d'amour». Elle s'accrochait d'une main moite à mon épaule, pour ne pas tomber. Son souffle touchait ma joue. «Feu traître, feu rebelle, nous te maîtriserons», chantait le chef des pompiers, et Julia Poire levait vers lui un regard fiévreux plein d'attente.

La pluie tombait lentement, et immobiles les uns près des autres, nous regardions s'éloigner les dernières ombres du défilé. Une délicieuse fraîcheur nous inondait soudain, et je pen-

sais que le temps était venu, pour moi, de n'être plus silencieuse avec ma mère. J'emporterais encore vers mon lit, le
soir, l'angoisse dont je me croyais délivrée maintenant. Peut-
être même cette angoisse allait-elle croître avec moi, comme
le souvenir de la violence dont j'avais été témoin envers ceux
que j'aimais. Si on m'avait fait naître dans une autre vie, peut-
être aurais-je pu éprouver un peu de pitié en me penchant vers
une personne comme moi, pour raconter son histoire, mais née
dans le récit même que je voulais écrire, j'aspirais seulement
à en sortir. Ce qui me désolait le plus, c'était de penser qu'il
était si long, si dur pour moi de vivre, et que dans un livre,
cela ne prendrait que quelques pages, et que sans ces quelques
pages, je risquais de n'avoir existé pour personne.

*l'amour est ce qui
donne le sens à la vie*

*l'écriture →
l'illumination dans le chaos*

VIVRE! VIVRE!

PREMIER CHAPITRE

Nos possessions sont là, debout ou couchées dans le désordre d'un camion ouvert qui nous emporte vers la paroisse voisine et, inclinant la tête entre le poêle et la planche à laver, ma mère ressemble elle aussi à l'un de ces objets lourds et usés parmi lesquels elle est assise, une main sur les genoux, livrant sans le savoir aux regards des voisins, le dénuement de son corps et de l'enfant qu'elle porte sous un ample vêtement qui l'habille deux fois de ses tiges prisonnières. L'air est pur, mais autour de nous flotte la présence d'une oppression cachée qui se déplace avec nous partout où nous allons, car si nous sortons, comme dans un rêve, d'un tunnel de maisons grises au fond duquel s'agitent les mains de mes amis et l'ombre des visages, la distance qui nous sépare de notre nouvelle paroisse est encore trop brève pour envelopper de brume mes souvenirs et mes erreurs, et il me semble qu'un paysage aussi familier se dresse pour nous un peu plus loin, transformant à peine une famille humaine privée pour moi de tout mystère... Pourtant, lorsque nous passons devant la maison des Poire, je feins de ne pas reconnaître Julia qui me sourit de son lit, ses maigres bras accrochés aux barreaux de la fenêtre. Si mon cœur se ferme soudain aux malheurs d'autrui, c'est bien en vain, car mon œil, lui, ne peut rien oublier. À mesure que nous avançons sous les arbres dépouillés de l'automne, je revois des personnages que je croyais avoir oubliés. Je ne les ai aperçus qu'une seule fois, appliquant leur visage, écrasant leur bouche contre le carré vaporeux d'une fenêtre, d'une porte, par les soirs d'hiver où la pauvreté elle-même se croit invisible, tapie contre ses murs sans chaleur, ouvrant soudain dans la nuit, à travers une vitre fleurie de neige, des yeux magnifiques qui brillent seuls au-dessus d'une ligne de blancheur, laissant dans l'ombre le dessin d'une joue émaciée, comme si, à ces entrées souterraines où mon regard descendait pour rencontrer une femme jetant le pain à ses enfants, sur le plancher de terre, il devait remonter aussitôt vers la consolation de ces beaux yeux suspendus à la fenêtre. Les yeux, les paupières, les mains de ces êtres que mon regard avait touchés tant de fois, fondant en eux pour saisir leurs pensées intimes, comment pouvais-je m'en séparer maintenant qu'ils devenaient pour moi, les yeux, les mains de créatures volées en secret pour mieux vivre d'elles?

Avec la même ardeur, j'écoutais les récits de mon père, croyant posséder un jour, à travers mon langage propre, cette immense tempête que soulevaient les paroles de mon père lorsqu'il me racontait pour la centième fois, avec les mêmes mots simples «la féroce tempête du jour de Noël au temps où t'étais encore dans le sein de ta mère», récit qui semblait refléter, dans un passé lointain, un peu de la fureur désolée que j'éprouvais dans le présent.

— C'était une belle nuit, toute tranquille, on revenait tous en carriole de chez ton grand-père, on avait eu une belle messe de minuit, c'était comme si rien bougeait sur la terre, pas un arbre, pas un morceau de neige, y faisait si froid et si tranquille qu'on retenait son souffle, même ton oncle Marius osait pas boire de boisson, y serrait sa bouteille entre ses genoux pour pas succomber, ta mère était calée dans sa couverture comme une momie, eh ben tu pourrais pas me croire, mais tout à coup, en pleine nuit étoilée, le vent s'est levé comme un seul homme tout bouillant d'énergie, on n'avait jamais vu un vent comme ça en trente ans, des arbres tordus, d'la neige partout qui crépitait, on avait la face toute mouillée, j'tenais les brides du cheval qui avait une peur bleue, la neige tombait par grosses nappes sur la route, pendant des heures, ça tombait de tout côté, une neige méchante pleine de vengeance, c'est p'têtre pourquoi t'es si méchante, la Pauline, c'est comme si la méchanceté était entrée dans l'sein de ta mère cette nuit-là, parce que ta mère gémissait, on allait d'un côté pis de l'autre de la route comme un bateau dans l'orage, et c'était question de vie ou de mort alors on disait nos prières c'est là que ton oncle Marius a succombé et que j'l'ai vu debout comme un démon dans son manteau de chat, qui buvait tout le feu de sa bouteille, on avait tous le cœur triste à fendre, mais lui, ton oncle Marius, l'v'là qui riait et chantait, gai comme un capitaine, au bout de quatre heures de litanie à la Sainte Vierge, la neige tombait toujours et on s'en allait de plus en plus profond, c'était plus une route, c'était un grand champ de perdition, malheur, y avait plus qu'à se laisser glisser, le cheval étouffait, nous autres aussi, pis la carriole s'est mise à tourner dans un bruit d'enfer et le cheval est parti au galop pis s'est arrêté net, les deux pattes cassées par la neige, on a roulé dans le fossé, toute la bande et l'ivrogne avec qui riait toujours, le damné, y a eu une minute de silence, on se pensait mort, mais non, y va pas naître normal c'te enfant-là, pleurait ta mère, elle avait donc raison, c'est à cause de la tempête que t'es si mauvaise, on est resté comme ça dans la neige, jusqu'au ventre, appelant au secours comme des malheureux, personne qui passait, personne, rien que la nuit noire autour, on pouvait pas bouger une jambe, ça commençait à geler dans les veines, comme si la mort venait, ton oncle Marius et ta mère ont pu en sortir, tout à coup, comme par un cadeau du ciel, y ont essayé de m'aider, mais je m'enfonçais à mesure c'était de la vraie colle, cette neige-là, et à mesure que je faisais des efforts pour bouger, mon cœur tirait y tirait comme un chariot, y craquait un peu, pis tout à coup, silence, c'était comme si j'étais mort au bout de ma corde, l'Bon Dieu a permis que l'maire du village passe tout à coup, gros et fort et fringant comme y était, à grands coups de pelle dans la neige y m'a aidé à sortir du trou, mais depuis ce jour-là, on dirait que mon cœur tire, c'est comme quand on a un cœur fini, comme un vieux cheval qu'on devrait abattre...

À la fin du récit, lorsque mon père se touchait la poitrine, j'éprouvais la même fébrilité douloureuse dans mon cœur. Mais ce qui me faisait mal, cette fois, c'était le goût du bonheur auquel je craignais de succomber. Je me faisais à moi-même le récit d'une tempête où je me séparais de mes parents sans tristesse: «Il y avait longtemps que j'étais plus dans le sein de ma mère, je m'en allais toute seule dans la nuit, il neigeait si fort qu'on aurait dit des soucoupes, personne ne tenait ma main, la neige était profonde mais je n'avais peur de rien, quand je passais devant la maison de mes amis, je voyais que tout le monde réveillonnait à la dinde et que les

arbres de Noël brillaient au fond des maisons, Julia Poire mangeait avec appétit, Séraphine était là aussi qui mangeait à côté
de son petit frère, et on entendait l'orgue de l'église et les
grelots des voitures sur la route, c'était comme si mon cœur
battait avec de la musique au bout de sa corde...» J'avais toutefois l'impression de trahir mon père en écrivant ce récit.
Lorsque mon père me regardait dans les yeux en disant «que
je menais une double vie», sans doute parlait-il de ces infinies
variations d'un monde secret auquel je ne pouvais accéder que
par la voie de la trahison? Chacun de mes gestes, entre mes
parents et moi, semblait créer un éloignement, une distance
cruelle dont je me sentais le maître. Si ma mère me parlait
plus doucement, pour toucher mon cœur, je répondais par un
haussement d'épaules, un mouvement sec de la tête qui était
déjà une absence. Ainsi dévorée par l'orgueil, je comprenais
pourtant tout le mal que je faisais aux autres, mais lorsqu'une
rupture est éclose, comment en contenir la douleur? J'avais
déjà connu la tendresse auprès de Séraphine, de Sébastien, de
Jacob, mais devant des obligations d'aimer que je n'avais pas
choisies, je me retirais aussitôt. Mon père ne sut jamais qu'une
caresse ne se demande pas, mais qu'on la reçoit ou ne la reçoit
pas, un jour, sans l'avoir attendue, d'une main discrète qui
vous effleure rapidement dans le don qu'elle fait du moment
inespéré de l'approche. Mon irritation croissait à mesure que
j'observais mon père, son attente toujours déçue, car à travers
son étreinte avide qui ne rencontrait souvent que des ombres
de nous (ma mère, comme moi, pouvait se pencher avec
sévérité sur une demande d'affection), je reconnaissais une
race suppliante d'êtres à son image qu'aucun amour ne désal-
tère, puisque leurs exigences se renouvèlent sans cesse, ne
vous laissant jamais le repos, le silence, dont on a aussi besoin
quand on aime. J'éprouvais aussi combien j'avais pitié de mon

père, et cette pitié un peu triste, capable d'amour, en secret, était peut-être un lien fidèle entre nous qui étions si séparés autrement.

— Perds pas de temps, rêvasse pas comme ça, Pauline Archange, fais tes devoirs, si tu penses que je vais t'envoyer à l'école toute ta vie, tu te trompes...

Mais la tête penchée sur mon cahier, je pensais encore à la tempête, aux soirs d'autrefois où il neigeait si fort sur Séraphine et moi que nous devions chercher refuge dans les salons mortuaires de la ville: «Au bout de la rue blanche, sous le gros filet de neige qui nous mouillait le nez, on voyait tout à coup, dans une lumière rouge, une couronne de fleurs sur une porte, on savait qu'un mort vivait là derrière la porte, avec ses parents autour de lui, et que ça sentait bon et qu'il faisait chaud.» Mais si une religieuse accompagnait toute la classe, si on nous mettait en rangs pour réciter le chapelet, le sortilège délicat qui nous avait sauvées de la tempête de neige pour nous inviter un instant au sommeil d'un mort, ce charme était brusquement interrompu par un coup de claquoir, tout près de notre oreille, par le bruit de nos genoux tombant sur le prie-Dieu, et le mort lui-même semblait s'enfoncer plus hostilement au fond de son oreiller de dentelles, rapprochant de plus en plus de nos yeux affolés par les lueurs des chandelles, un profil de cire qui ne lui appartenait plus déjà, une bouche amère dont le dessin de deux lèvres vertes semblait avoir été tracé au couteau, puisque l'on pouvait sentir, derrière ces lèvres transparentes et immobiles, un ancien sourire qui persistait encore. «Pour ça, il était bien embaumé», disait Séraphine, l'œil brillant. «T'as remarqué comme y serrait ses mains l'une contre l'autre en disant sa prière? On lui avait mis un bel habit, mais ça n'avait pas l'air de lui faire plaisir.»

— Tais-toi donc, Séraphine Lehout, t'es rien qu'une

bavardeuse. On parle pas quand on voit les morts. On regarde, mais on parle pas.

Des familles inconnues nous accueillaient avec bonté, un père, une fille, sortaient pieusement de l'ombre pour nous serrer la main. «Un de plus que le Bon Dieu a rappelé à Lui, ah! c'est ben triste...» disaient-ils tout bas, reniflant leurs larmes ou les laissant simplement couler sur leurs joues luisantes, sur le drap noir de leurs vêtements, pendant que montaient en nous la même contagion du chagrin et la jalousie de n'être pas celui que l'on regrettait avec un tel abandon! D'autres recevaient nos condoléances comme des félicitations, ils nous broyaient les doigts d'un air rêveur, songeant à leur délivrance prochaine, épiant le mort du coin de l'œil, car bien que la tyrannie fût vaincue, couchée dans un cercueil, celui ou celle qui les avait fait souffrir toute une vie, leur semblait encore redoutable à l'heure du repos éternel.

Nous allions ainsi, avec des parentés étrangères, de la messe au cimetière, assistant à une débâcle d'émotions, de secrets brusquement confiés parmi les sanglots au mort que l'on mettait en terre, surprenant la douleur de la séparation partout où elle passait, sur les visages nus, au creux des nuques lourdement inclinées, éprouvant soudain dans nos corps fragiles l'excitation d'une grande angoisse au bord du dégoût. «Il y avait un trou et un homme dedans, quand la terre commençait à pleuvoir dessus, c'était trop triste, Séraphine et moi on voulait toujours partir...»

Lorsque mon père devenait impatient de me voir écrire au bout de la table, il me reprochait «de remplir trop vite des cahiers qui coûtent dix cents chacun, comme si on avait seulement ça à faire dans la vie, payer ton encre et ton papier...» puis il me poussait vers ma chambre avec un balai «pour nettoyer ton étable».

— Et caresse pas le plancher, les yeux au ciel comme sainte Cécile sur son piano, moi à ton âge j'travaillais, j'récoltais les choux et les patates, pis mon père a dit: «Va-t'en travailler en ville, et j'l'ai fait, et nous autres, les habitants, quand on travaillait en ville, on était comme des poussières, les patrons nous marchaient sur le dos, ils disaient qu'on puait et qu'on avait des poux, l'honneur, la fierté d'un homme c'est quelque chose que personne comprenait dans c'temps-là, quand on rentrait à l'usine c'était comme descendre au fond des mines, on en sortait chaque soir affamé et grelottant, quatre piastres par semaine et dire qu'on était content, on était ti bêtes, on laissait tout le monde nous abuser...

«Non, pensais-je, en poussant de mon balai les couches dorées de la poussière dans les rayons du soleil, moi, on va pas me manger la laine sur le dos, personne ne va m'humilier comme ça...» Mais je travaillais à mon tour pendant les vacances et les jours de congé. À l'heure où «le marchand de glace pour les glacières» passait dans notre rue, mon père venait s'asseoir près de mon lit en attendant mon réveil, et voyant que je refusais d'ouvrir les yeux, il me jetait mes vêtements à la figure. Puis nous mangions en silence l'un près de l'autre (en compagnie de ma mère qui se levait parfois «juste pour démêler mes tresses de coton») nous descendions vers la rue, tout engourdis de sommeil, nous séparant bien souvent sans avoir prononcé une parole.

Je suivais, comme en rêve, la clochette suspendue à la voiture du laitier, l'épaisse silhouette d'un cheval gris taché de noir coupait soudain un mur de brume au bout de la ruelle, et je regardais le soleil se lever lentement derrière la noirceur des maisons. Mais ce n'est qu'au bruit du premier tramway glissant sur les rails que je me réveillais complètement. Les

vendeurs de journaux venaient vers moi en sifflotant des injures:

— Eh, t'es ben pâlotte la fille, aujourd'hui, tu vends des
journaux ou tu dors, décide-toué, baptême!

On ne voyait d'eux qu'un nez sale sous la casquette de
toile bleue.

— Vite, dépêche-toué à vendre ta douzaine su'le boule-
vard, après ça, y faut se garocher aux portes des maisons, mais
comme y fait pas chaud à matin, maudit Moïse!

Nous avions à peine le temps de nous voir, ils me quittaient aussitôt «pour aller faire de l'ascenseur dans les maga-
sins toute la journée», nous échangions parfois «des coups de
coude dans les côtes comme des gros gars», ce langage de
coups de poing, comme disait ma mère avec stupeur, ce langage devenait aussi le mien parmi les petits marchands de
journaux, et lorsque je rentrais le soir, je devais étouffer les
blasphèmes fleuris qui couraient à mes lèvres car je ne pouvais
regarder Jeannot s'accrocher à ma jupe sans penser: «Toué
va-t-en, mon p'tit baptême de frère.»

Nos voix rauques s'abattaient sur les passants dans le
silence du matin: «Lisez la *Lune*, cinq cents, la *Lune* m'sieur,
pas de livres icitte, dit le député, prenez la pioche, pis retournez à la terre, cinq personnes s'brûlent la cervelle en une nuit,
la Lune m'sieur cinq cents...» J'admirais les vendeurs de journaux qui couraient dès l'aube dans les gares où, une boîte de
cirage autour du cou, ils sautaient sur les pieds du premier
voyageur qui franchissait d'un air de triomphe l'arche de
fumée à la sortie des trains de nuit, vite ils ciraient ses bottes
et crachaient dessus, pendant que le voyageur, du haut de sa
corpulence, étirait les poils de son manteau de renard ou
regardait fixement devant lui la brume dense de son haleine
dans le matin froid.

— Tu parles d'un écœurant, y m'a même pas payé!

Mais la belle flamme de l'orgueil s'éteignait vite et le marchand de journaux se souvenait qu'il avait besoin de l'homme riche: le regard qu'il posait à la fin sur le dos du voyageur ressemblait à un sourire de consentement, lien de servitude dont il ne pouvait se défendre puisqu'elle lui était nécessaire pour vivre. Mendiant sans honte, il tendait partout sa main pâle, avançait sur les femmes le profil d'une mâchoire gracieuse mais brutale dont il avait étudié l'expression à la vitrine de la boucherie du coin.

Lorsque Mlle Léonard quittait l'hôpital, tard le soir, elle apercevait soudain à travers sa lassitude ces mendiants précoces dont elle ne pouvait supporter la vue: «Trois sous, m'dame, c'est pour ma mère qui est sourde et muette, sourde comme un pot, mamzelle!»

— Vous n'avez pas honte de mendier, s'écriait Mlle Léonard, puis elle ajoutait avec plus de douceur: «Vous avez l'air malade, mon ami, je suis médecin à l'hôpital d'en face, passez donc me voir à mon bureau demain matin, Germaine Léonard troisième étage...» Elle s'éloignait de son pas rapide, les épaules légèrement courbées, laissant derrière elle le marchand de journaux surpris et humilié: «Malade, moué, baptême, jamais, chu fort comme un lion, j'ai des muscles de fer, j'va être un boxeur, m'dire une chose pareille à moué tu parles d'une bonne femme, et dire qu'je soulève des poids de cent livres chaque matin dans la cave du magasin...» Puis, distrait par l'ombre d'un chat qui errait parmi les bancs de neige, le marchand de journaux courait derrière l'ombre pour l'attraper et bientôt disparaissait dans la nuit...

Promenant devant moi mon sac de journaux, le chapeau rabattu sur les yeux «pour mâcher de la gomme en paix» je crachais par terre, moi aussi, et si les yeux de Germaine

Léonard se posaient sur moi par hasard, je comprenais vite que pour elle «je faisais partie de la mauvaise bande» et qu'elle me condamnait:

— Voilà donc ce que vous êtes devenue, Pauline Archange?

— Ouais.

— Une petite fille mal élevée qui insulte les gens?

— Ouais, et pis j'mâche de la gomme, j'dis aussi des gros mots.

J'avais pourtant rêvé d'une autre rencontre avec Mlle Léonard. Dans l'ardeur que m'avait inspiré sa présence autrefois, à l'école, je lui confierais peut-être «mon désir d'aller à l'école longtemps, je veux écrire un jour le livre de Pauline Archange», mais ce rêve s'évanouissait maintenant car Mlle Léonard répondait à mon air effronté par une grimace de la lèvre inférieure dans laquelle semblait se fixer, comme aux premiers jours où je l'avais connue, cette bouderie cruelle qui me la rendait souvent étrangère. Lorsqu'elle vous jugeait indigne de son amitié, elle reprenait promptement tout ce qu'elle avait donné, se vengeant ainsi en paroles malheureuses dont elle n'avait conscience que quelques jours plus tard, au moment où l'on avait cessé d'en souffrir. Elle s'excusait alors avec maladresse, en m'invitant «à passer un instant dans son bureau» où je croyais pouvoir la voir seule, mais c'est à peine si elle me voyait parmi la foule de ses patients, distribuant des remèdes de tout côté, plongeant un thermomètre agressif sous notre langue, et comme je n'osais pas bouger, en rang avec les autres pour l'examen, mes yeux seuls erraient avec elle dans la salle blanche, cherchant à découvrir ce que nous cachait Mlle Léonard sous les apparences de la bonté. Mais à l'hôpital, Mlle Léonard montrait simplement ce qu'elle était en ce lieu, «un être éperdu de charité,» avait dit notre

135

supérieure, «mais cela ne suffit pas, les athées sont partout des occasions de scandale, il faut les chasser...» Et sans doute, était-ce pour affronter ce châtiment de l'ignorance que Mlle Léonard se lançait sur la voie d'une sainteté involontaire, se disant à elle-même chaque jour ce qu'elle avait dit à notre supérieure en la quittant: «Vous sauverez les âmes... et moi, les corps.» On ne la voyait plus s'abandonner au bras d'un homme, comme autrefois, à la fin du jour, quand Louisette Denis et moi l'attendions après la classe. Elle semblait éprouver trop de tristesse pour pouvoir aimer. Austère et froide, elle avait su acquérir l'autorité masculine dont elle avait besoin dans son travail, et les confrères qui l'avaient aimée autrefois, respectaient trop l'aspect viril de son intelligence pour penser à son corps. La tête penchée sur le côté, elle s'indignait, pendant les réunions médicales du samedi où il n'y avait que des hommes, «de la profonde injustice de notre système social qu'il faut changer», provoquant autour d'elle de vagues interrogations, des inquiétudes sans lendemain. En même temps, commençait autour de Mlle Léonard cette ère d'hostilité qui la ferait vieillir si vite. Dans une ville où l'on ne comprend pas un être qui possède des qualités morales différentes des nôtres, un esprit capable d'embrasser un horizon plus vaste, comment Mlle Léonard parviendrait-elle à franchir nos médiocres épaisseurs et le sommeil de nos préjugés? Elle n'était pas dépourvue elle-même de ces préjugés qu'elle combattait, mais lorsqu'une illumination rare touchait son cœur elle savait comprendre et aimer dans une profonde intelligence. J'étais trop jeune moi-même pour l'apprécier, et bien souvent, en changeant de trottoir pour éviter de lui dire bonjour, je sentais le mal que je me faisais à moi-même, plus encore qu'à elle qui n'avait pas besoin de moi. Mais depuis la mort de Séraphine, si je désirais encore aimer et être aimée, ce n'était jamais de la façon dont m'aimaient les autres, en se penchant sur mon humble destin, comme le faisait Mlle Léonard, non, je voulais surtout m'imposer aux autres par une dignité conquérante que je ne possédais pas, puisque ma mère me disait lorsqu'elle me voyait rentrer le soir: «T'es donc sale, Pauline Archange, t'as l'air aussi voyou que ton cousin Jacob.»

Je plongeais souvent dans les yeux de ma mère ces regards embrasés de violence qu'elle n'aimait pas, oubliant qu'elle aussi, autant que moi, avait besoin d'indulgence pour ses fatigues et sa nervosité, car depuis la naissance de ma sœur, notre nouveau logis semblait devenir trop étroit, et ma mère ne trouvait de consolation à ce déménagement inutile que dans la propreté des murs dont elle contemplait la blancheur le soir, tout en cousant, saccadant cette occupation de mélancoliques soupirs, pendant que Jeannot chuchotait dans son sommeil «qu'il avait peur de tomber», s'abstenant de le faire toutefois en accrochant son pied à ma cheville ou en empoignant soudain la queue de mon pyjama, enlacement glacé du sommeil en péril dont il fallait se séparer en glissant jusqu'à l'extrême bord du lit d'où je parcourais sans fin le rayon de lumière dans le corridor, la ligne d'ombre sur le parquet. Le visage de ma mère allait et venait vers moi, lui aussi, dans cet espace flou qui me rapprochait en même temps du tic-tac de la pendule, et déjà, pensais-je, de l'heure du réveil.

Ah! retrouver notre ancien quartier, Mme Poire, Huguette, Jacquou! Je craignais tant «Mme E.E. Boisvert, la folle d'à côté et ses pauvres filles! Une femme sadique, Pauline Archange, c'est moi qui te le dis...» disait ma mère perdant tout accent charitable lorsqu'elle rencontrait «la folie en personne, la folie qui dépasse les bornes...» en cette voisine, en apparence débonnaire comme l'ancienne religieuse qu'elle avait été, grasse et généreuse si l'on ne voyait que la carapace affaissée de son corps sur ses jambes (si avec le temps je pardonnai beaucoup de choses à cette femme, je lui reprocherai toujours, avec injustice peut-être, l'aspect monstrueux de son corps, je revis longtemps, en pensant à elle, ses jambes courtes et affolées, portant, tel un sac de viande vermoulue, ce ventre, cette poitrine vaste mais sans majesté, haletant de plaisir devant la douleur infligée à autrui, quand, le même corps, habitant l'âme moins insensible d'une autre personne, m'eût inspiré une grande pitié), dessous l'apparence, véritable bourreau déployant sur sa fille Clara («Clara qui était du deuxième lit», disait-elle, dont on ne vit jamais trace du père, seul gibier intelligent de cette famille qui avait su trouver ailleurs un abri) tous les dons d'une tranquille perfidie. Si on dansait à la corde, dans la rue, le soir, l'une de nous s'arrêtait soudain, regardait autour d'elle d'un air inquiet: «On dirait que quelqu'un me regarde», et on comprenait soudain, à la joue rougissante de Clara, à la façon dont elle secouait ses tresses sur ses épaules, que le hibou maternel la fixait de loin, sous le buisson élagué des persiennes, qu'elle se débattait en vain avant de sauter dans le cercle de la corde, car le regard acharné de sa mère allait la capturer à nouveau. Ce jeu de la cruauté souveraine sur un être faible semblait à ceux qui en étaient témoins un mystère dont il valait mieux ne pas découvrir les rites secrets. C'est ainsi, peut-être, que l'on manque de courage pour voir ce qui se passe de l'autre coté des prisons, des lieux de tortures parmi lesquels nous vivons. Découvrant un jour que Mme E.E. Boisvert avait laissé Clara seule à la maison pour une semaine «avec deux morceaux de pain et un morceau de fromage», ma mère l'avait invitée à se joindre à nous pour les repas du déjeuner. Les ongles noircis d'encre, Clara s'abattait voracement sur la nourriture qu'on lui donnait, si affamée qu'elle ne semblait pas entendre pleurer le bébé dans sa chaise. Elle trempait et retrempait son pain dans la sauce, nettoyait sans fin son assiette, puis posait sur nos assiettes encore pleines des yeux suppliants cernés d'ombres olivâtres:

— Tu promets de rien dire à ma mère, Pauline Archange, tu promets sur la tête de Jésus-Christ? C'est pas parce que je viens manger chez vous que je suis une quêteuse, c'est juste pour te faire plaisir, t'as compris?

Quelle tentation de rompre, d'une sèche parole de vérité, le mariage qui tient ensemble le bourreau et sa victime! Quelques jours plus tard, suivant le conseil de ma mère «scandalisée par ce cœur plu dur que le roc», je disais à Mme E.E. Boisvert, ce que nous pensions d'elle, «ma mère l'a dit, Clara, c'est comme l'histoire d'Aurore l'enfant martyre qui mangeait du savon, elle a tant faim qu'y faut qu'elle vienne manger chez nous...»

Mais le cheval prit le mors aux dents. Adossée contre le mur de la cuisine, je vis ce bras impérieux se lever pour frapper sa fille, saisir au vol l'enfant courbée de frayeur et la coucher sur la table.

— Tu t'en souviendras, cette fois, Clara Boisvert, tu t'en souviendras longtemps.

— Assez, assez, maman!

C'est en vain que je m'unissais aux cris de Clara et demandais avec elle la même clémence, le bras maudit frappait toujours perpétuant l'inhumanité de tous les actes que j'avais vus ou sentis, répétant sans scrupules les gestes du père de Jacob mutilant son fils, et pendant que je regardais mes poings raidis qui tremblaient d'impuissance et de rage, je me disais qu'il n'y aurait jamais de pardon pour de tels actes, jamais d'espoir sur la terre où chaque jour des milliers de gens blessés ou tués par leurs semblables s'écroulaient du poteau de torture comme Clara s'écroulait de la table, sous mes yeux, pour offrir à notre impuissance un dos tuméfié comme le dos de Clara dont mon regard ne pouvait plus se détacher, dans sa honte. Les mots que j'écrivais dans mon cahier, le soir, «Pauline Archange, on dirait que plus tu vieillis, plus tu vas en enfer, tu recommences toujours à faire souffrir Séraphine, on dirait que tu peux pas t'en empêcher...», ces mots ne me consolaient pas de la peine immense que j'éprouvais en pensant à Clara que j'avais trahie, croyant l'aider, la livrant moi-même aux mains redoutables de sa mère.

Je trouvais même assez juste d'être poursuivie par la mère de Clara, à mon tour, et je n'en disais rien à ma mère. Externe au couvent pour une année, je quittais l'étude avant la tombée de la nuit, mais bien souvent je ne pouvais éviter le profil de Mme E.E. grommelant seule sous une enseigne lumineuse («Priez, priez, récitez le rosaire, priez sans cesse, dit la Vierge») dans la cour du couvent, épiant les élèves en m'attendant. Je courais vers l'autobus, cherchant la protection auprès des ouvriers barbus, lesquels lisaient distraitement le journal, assis ou debout, et je me retournais soudain pour voir à mes côtés, me pinçant les côtes à travers mon manteau, la pauvre folle dont je n'avais aucune pitié, répétant à voix haute son monologue intérieur écumant de jalousie:

— Pauline Archange, on se pense intelligente parce qu'on est la première de la classe, hein, Pauline, la fange, petite ordure des rues!

Comme ces scènes se répétaient presque quotidiennement à l'église même ou dans la rue, ma mère me voyant rentrer un soir en pleurant, décrochait le téléphone d'un air offensé: «Madame Boisvert, assez, si vous laissez pas ces enfants-là tranquilles, j'vais mettre la police à vos trousses...» Ma mère

s'emportait ainsi à tous les cinq ans, et je pensais, en la regardant piétiner le dragon absent de Mme E.E., que si elle ne
cédait pas plus souvent aux élans de sa nature, ce n'était que
parce que sa santé fragile ne lui permettait pas. Cinq ans plus
tôt, n'avions-nous pas couru ensemble sur le plancher ciré de
la chambre, afin de défier l'ordre du propriétaire: «Pas d'enfants qui courent dans ma maison»?

— Ah! j'voudrais donc casser une chaise sur la tête de
cet homme-là, donne-moi vite une chaise, Pauline Archange,
pendant que ton père n'est pas là pour me voir dans mes états...

Auprès de sa famille, ma mère montrait plus souvent l'insoumission de son caractère. «C'est pas parce que ta tante dite
la Française vient nous voir une fois par année sur le bout des
doigts comme une reine qu'y faut se mettre à genoux devant
elle!» Tout en protestant, ma mère nettoyait vigoureusement
la maison, cachait dans l'armoire les vestiges du repassage ou
de la lessive, «Ta tante a le nez fin, va sous tous les coins du
lit avec le torchon», et quand la tante voyageuse arrivait, nous
étions peignés, lavés, assis les uns près des autres sur le canapé
mauve. Son front, large et nu sous une montagne de cheveux
en rouleaux, semblait déjà tourner vers l'horizon lointain une
pensée qui errait sans nous voir dans des pays inconnus. Son
nez, long et sévère, demeurait seul avec nous, nous observant
avec bonté.

— Ah! la France, soupirait-elle, la France!

Et l'oncle Gaspart approuvait d'un hochement de la tête,
n'ignorant pas, dans sa modestie, qu'il était l'auteur des
amours de sa femme «pour les pays de nos ancêtres», se cloî-
trant tard le soir dans son magasin de chaussures afin de pouvoir les lui offrir. «Y va crever d'amour pour sa femme, c'est

déshonorant», disait mon père. Mais malgré son air lugubre et sa moustache rabattue sur les lèvres, l'oncle Gaspart semblait plus libre et plus heureux de cette façon, et si on lui demandait pourquoi il n'accompagnait pas sa femme, il souriait mystérieusement, car il était le seul à savoir quelle ombre lourde il eût jetée sur les étreintes de sa femme avec la France, à bien y penser, c'eût été aussi fou que de suivre dans ses liaisons, une femme qui le trompait sous ses yeux, s'extasiant devant «chaque colline française, l'air de France qui est le plus pur, le ciel le plus bleu...»

— Vous avec bien raison, Catherine, répondait mon oncle, écoutant distraitement sa femme qui disait avec une touchante préciosité: «Dès que je fus hors du bateau, je poussai un cri, je m'agenouillai sur le sol français et je le baisai avec passion...» Gaspart, lui, ne pensait qu'à sa vente de janvier, «qui va encore me faire perdre de l'argent», voyant au plafond les chiffres douloureux que lui coûtait sa générosité. Si ma tante nous regardait à peine, c'est qu'elle n'aimait pas les enfants, «je n'aime que la France et les petits enfants français...» Elle sortait alors de son manchon la photographie «d'une chère petite fille de France et de sa mère», le visage de la mère reflétant sur la fille un mécontentement familier qui évoquait tout de suite une ressemblance entre ma mère et moi, mais émue par la distance qui me séparait de ces deux êtres tristes, debout dans un fond de cour gris, lequel ressemblait tant au nôtre derrière la maison, j'oubliais cette ressemblance pour me mettre à la recherche de deux êtres inaccessibles, vivant au loin, quand ces êtres avec qui je partageais de fortes similitudes morales vivaient tout près, dans l'intimité intérieure.

— Pauvres femmes, comme elles ont l'air malheureuses! Ah! nous avons de la chance d'être tellement heureux, nous autres, disait ma mère, en me regardant avec des yeux pleins de reproches, car elle savait bien que lorsque ma tante venait chez nous, j'avais «toujours la tête tournée par la France», et jalouse d'un amour, qui, en écartant nos frontières, semblait fortifier mon besoin d'écrire, ma mère disait avec mépris:

— La France, la poésie, ça te passera bien quand t'auras des enfants à ton tour!

Elle n'aimait pas non plus me voir découper les poèmes de Romaine Petit-Page, dans le journal du samedi, peut-être, tout simplement, parce que mon admiration pour ce poète lui semblait absurde:

Ô France, me voici devant toi
comme un pèlerin amer...

J'imaginais Romaine Petit-Page, comme quelqu'un de mon âge, petite fille au génie étincelant, s'épanouissant sous la dentelle et les frisures dorées dont elle habillait son œuvre («la fine dentelle de ton sourire», «la neige qui tombe en dentelle sur mon cœur,») peut-être, grandissait-elle, très lentement, en la suave compagnie des héros de ses trois romans (*Les Bras de mon enfance, Le Prince adolescent, Jeunesse fleurie*), héros d'une beauté blonde et gracile qui n'osaient jamais embrasser les jeunes filles, oh! non, mais qui, cachés derrière les rosiers, les regardaient jouer du piano, ardents, peut-être, mais chastes, si «transis d'amour» dans leur hagarde contemplation, «plus roses que les roses dans le coucher de soleil qui tombait sur leurs nuques pures», que dans une sublime distraction de tous leurs sens, «leurs doigts ensanglantés aux épines répandaient de lumineuses gouttes rouges,» ce qui semblait satisfaire le désir de l'auteur, mais éveiller en moi plus de trouble que si j'avais vu Jacquou franchir comme autrefois, de ses pirouettes charmantes, le jardin de cette ennuyeuse virginité dont on ne sortait jamais d'un livre à l'autre. Romaine Petit-Page ne répondait jamais à mes lettres, mais grâce à une envolée de trois pages sur les salons mortuaires que j'avais visités autrefois avec Séraphine, elle m'invitait à joindre son groupe:

Quel âge tendre est le vôtre,
petit oiseau perdu dans la brume,
vous avez l'âge des plus beaux rêves,
quelle fraîcheur, je vous accueille
avec bonheur dans mon royaume enchanté,
rencontrez-moi après la messe de cinq heures,
mercredi, à la Place des Jeunes,
mes amis seront là... venez...

Quelle joie d'attendre, mes journaux sous le bras, la tête errant dans le froid, l'apparition de Romaine le catholique et de ses acolytes, sortant de l'église dans l'émerveillement d'une mutuelle adoration, Narcisses pieux et rêveurs s'exclamant les uns après les autres sur «la belle neige qui neigeait», il neigeait déjà depuis trois jours et de chaque côté des trottoirs s'élevaient des montagnes d'une blancheur suspecte, mais eux ne paraissaient pas s'en apercevoir, happés par la neige profonde, ils tombaient et se relevaient, échangeant des rires fous, artificiels, égrenant sur l'épaule de la poétesse, qui, tout en me faisant de grands signes de la main, s'enfonçait d'une botte dans la neige, un chapelet de caresses, hommages de la camaraderie passionnée que l'écrivain accueillait avec une éclatante vitalité, nous montrant à tous ses dents blanches et régulières dans la lumière de la lune, posant ses lèvres volontaires sur les joues qui s'offraient à elle, touchant sans cesse le corps des garçons («sur la poitrine innocente et calme») dans le cou, sur le front («lequel exprimait de vagues nostalgies de pureté»), mais ne se donnant jamais à eux, réservant pour son fiancé Georges, un jeune homme délicat à qui il arrivait de s'évanouir pendant la messe, les trésors de l'attente. Georges cédait sa place à Pierre, et Pierre à Louis, et autour de ces fiançailles éternelles, chacun s'agglutinait, languissait, pendant que Romaine Petit-Page consommait dans le miel et l'affectation, celui des esprits. Au contact de ses nombreux dons, ils écrivaient soudain des poèmes, jouaient des pièces, et piqués par l'adoration que Romaine Petit-Page éprouvait pour eux, chacun se penchait sur son unicité adorable, sentait courir dans ses veines, la même virtuosité fade, désireux de savoir tout faire, jouer du piano, chanter, peindre, ils embrassaient tous ensemble la même maladresse, partageaient sans tristesse une harmonieuse absence de talent. Quant à moi, je semblais décevoir un peu le poète et sa bande, ne possédant aucune de leurs qualités, pas même l'âge du garçon le plus jeune parmi eux, Julien Laforêt, qui, à douze ans, tout en vous écrasant les doigts dans une poignée de main militaire, se vantait, le nez en l'air, «d'être un monstre de culture». Ma mère avait versé, la veille, une bouteille d'huile contre les poux sur ma tête, et cette puanteur me montait aux narines pendant que je regardais les beaux cheveux bouclés de Romaine Petit-Page, lesquels, en recouvrant ses joues poudrées de rose, abritaient un visage légèrement vieilli, des traits durs dont la franchise lui faisait honte, car elle avait su déguiser son corps et son esprit en ce qu'ils n'étaient plus: le visage de l'ancienne fillette qu'elle avait été, lequel avait peut-être attendri les grandes personnes quand elle lisait ses poèmes, à l'âge de neuf ans, et le corps de la danseuse qu'elle rêvait d'être, et s'agitant ainsi à prolonger une enfance idyllique, en elle et autour d'elle, elle qui aimait tant la beauté, commettait sans cesse des fautes de goût contre celle-ci. Romaine Petit-Page me jugeait sans doute trop jeune pour fréquenter son groupe, car pendant les trois années qui suivirent, elle ne m'invita que dans l'intimité familiale, parmi ses neveux et nièces, lesquels grimpaient à son épaule le dimanche après-midi, partageant l'allègre effusion qui emportait Romaine lorsqu'elle se penchait sur un piano, jouant avec elle, écrivant avec elle, tout en galopant dans la chambre, *La chanson du poulain sauvage parcourant la plaine*, mais jamais je n'avais éprouvé une telle tristesse en pensant à ma vie, et l'élan de bonté et d'affection que cette famille avait pour moi quand je la visitais, semblait rendre plus douloureux encore mon retour à la maison, auprès de mes parents qui eux ne lisaient jamais et ne connaissaient pas la musique. Cet écart social, si subtil et si cruel, ne l'avais-je pas senti s'insinuer entre Mlle Léonard et moi quand elle me confondait aux voyous dans la rue, ne pouvant séparer dans sa sévérité, l'être que j'étais vraiment de cette caricature de moi qu'elle voyait s'ébattre parmi les autres? Malheureusement, cet écart devenait plus profond encore quand Romaine Petit-Page cherchait en moi un reflet de ce qu'elle avait été, s'émerveillant devant une innocence, une fraîcheur que je n'avais plus, vestiges de ses rêves qu'elle désirait toujours partager avec ceux qu'elle aimait, et si plusieurs de ses amis cédaient peu à peu à ces créatures nées de l'illusion, ce n'était peut-être que pour sauver la pudeur de leur être véritable. Mais l'être sans manières, indompté, l'être qui avait toujours été moi semblait toujours prêt à bondir de son enveloppe nouvelle, il retenait farouchement ses blasphèmes, et de ce langage que je m'efforçais de rendre chaste, des frissons d'angoisse montaient soudain quand je m'entendais dire: «Ah! si je serais un écrivain moi aussi, j'en écriverais donc des livres! C'est facile, vous disez tout ce que vous sentez...» Romaine Petit-Page me pardonnait en fermant les yeux, mais longtemps, sur le chemin du retour, en descendant l'escalier qui me menait vers la partie souterraine de la ville, mon ignorance m'oppressait, je passais en courant devant les vendeurs de journaux, craignant de recommencer à parler comme eux, si je les saluais. Les livres «d'inspiration fort religieuse et littéraire» que Romaine me prêtait, répandaient en moi une ivresse des mots et des images dont je n'étais plus aussi satisfaite, car jalouse de ces livres, je m'attristais de ne pas en écrire moi-même. Il me semblait que la malédiction de l'ignorance, non seulement faisait partie de moi, pour m'empêcher d'écrire, mais qu'elle habitait tout un monde insulaire autour de moi, régnant aussi dans des régions plus hautes de la société, incompétence dictatrice dont la voix ronronnait partout, à la radio comme en chaire, empruntant de nous l'accent familier, le langage infirme pour toujours nous exhorter au même esclavage, «Citoyins, respectez vos chefs, Dieu et l'famille, r'tournez à la terre...» soufflant sur nos manuels scolaires ces refrains funèbres:

Conjuguer au passé composé:

Garnir ce cimetière de lilas,
Assister à la descente en terre...

Ceux qui nous dominaient semblaient tout-puissants du pouvoir que nous leur avions donné, et pour secouer le joug, il eût fallu moins l'aimer. Un quelconque despote qui se réjouissait en public «d'avoir jamais lu un livre de sa sainte vie», fortifiait l'ignorance commune et la rendait même tristement supportable. Quand tant de gens participaient au sommeil d'une passive solidarité, chacun refermant sur soi ses frontières, je me disais que d'autres conservaient pour plus tard leur véhémence, ils apaisaient en attendant leur inconciliable ardeur avec le présent, et se levaient peut-être le matin en songeant à l'avenir avec plus d'espérance.

Toutefois, les jours passaient, et maintenant c'est Jeannot que je voyais rentrer de l'école en sanglotant; en me penchant vers lui pour le consoler, je retrouvais soudain le visage de Séraphine et le souvenir de l'humiliation ancienne, ce visage tout craintif encore, s'abritant de ses bras pour éviter des coups imaginaires que nous n'avions pas l'intention de lui donner. «Oh! pourquoi les frères l'ont-ils encore puni? Pourquoi donc qu'il a tant de mal à apprendre cet enfant-là, est-ce qu'il est retardé comme Émile?» Parfois ma mère ne nommait pas Émile, elle disait «l'Autre», dans un soupir de résignation, toute troublée par une suggestion de Mlle Léonard «sur la maladie d'Émile qui risquait d'apparaître ailleurs». Ma mère avait trop de modestie pour corriger ces graves inexactitudes, devenues fréquentes dans la bouche de Germaine Léonard, il lui arrivait de penser que le mal dont souffrait Jeannot n'était que la paresse, mais dans sa conscience torturée, le fantôme d'Émile était toujours là, et si, de sa tribune médicale, une fausse prophétesse pouvait ériger de telles erreurs tout en les appelant «des vérités difficiles», ma mère, qui se punissait intérieurement d'un crime qu'elle n'avait pas commis, recevait ces erreurs comme des vérités. Jeannot devait grandir, s'appeler Jean, et ma mère dirait à mon père d'une voix plaintive, plus tard: «Ils ont trop de talent, ces enfants-là, y veulent tous continuer leurs études comme si on était des millionnaires!», mais Mlle Léonard, elle, garderait pour toujours l'image «de votre petit frère Jeannot qui avait tant de mal à apprendre avec les autres», comme si, de l'aveu de ce préjugé, dépendait tout son pouvoir sur les êtres ou sa protection intime contre nous. Pendant ses années de solitude, lesquelles étaient encore traversées de brèves liaisons (telles ces ententes sensuelles qu'elle découvrait lors de ses séjours d'études à l'étranger), Mlle Léonard mutilait ainsi son esprit rénovateur à prononcer des jugements qui n'avaient encore rien perdu de leur méfiance archaïque envers la classe à laquelle j'appartenais. Je ne pouvais lui parler de Jacquou jouant avec des petites filles dans le ravin, autrefois, sans lui inspirer un vif dégoût. «Quelle scandaleuse absence d'éducation!» semblait-elle me dire avec ce pli de la bouche, ce frémissement des narines, et l'irrévocable dédain passait une fois de plus sur son visage. Cette même femme était celle qui aimait trop les hommes pour être fidèle à un seul d'entre eux, et qui, trop noble et trop lucide pour permettre à l'intensité de l'amour d'envahir son travail, tentait encore de concilier les deux, ce qui semblait inviter la solitude plus que l'homme à se rapprocher d'elle, à mesure qu'elle vieillissait. Qu'ils étaient beaux ces matins où, dès son arrivée à l'hôpital ou à l'infirmerie de l'école, on la voyait rayonner de ce bonheur étrange, où son sourire de la veille, ce sourire tordu et boudeur, fondait sous une expression tendre et rêveuse, ses mouvements quittaient alors leur brusquerie coutumière et elle venait vers nous d'un pas adouci, longeant les murs ensoleillés, penchant sur le côté sa tête myope! Mais Mlle Léonard méprisait les cohabitations trop longues et en peu de temps elle reprenait sa liberté et ses habitudes de travail: dans cette vie où elle croyait donner si peu d'elle-même, il lui arrivait de se donner complètement, car c'est auprès d'un homme avec qui elle pensait rompre dès le lever du soleil, dans la confiance de son amitié très charnelle, qu'elle s'étonnait de révéler soudain des choses qu'elle n'avait dites à personne, se reprochant de trahir par des paroles venues de l'âme, une reconnaissance à un bonheur purement physique. À l'heure où elle était déjà prête à partir pour l'hôpital et à refermer derrière elle la porte de la chambre où dormait encore son compagnon, le ciel semblait si sombre, au dehors, le jour si glacé! Dans l'aigreur de ses jours de rupture, Mlle Léonard écrivait de virulents articles où elle ne craignait pas d'attaquer, dans *Le Journal des Ouvriers*, ce qu'elle représentait elle-même ni ses parents, comme si, grâce à la forme digne et belle que prenait son amour déçu, elle eût acquis plus que la pitié qu'elle avait déjà, mais aussi une humilité moins brutale que la sienne, une miraculeuse perception du malheur et de l'injustice qu'elle dénonçait dans un style rigoureusement inspiré, et sous cette plume irreligieuse couraient une force, un lyrisme dont la revendication désespérée dominait l'extase de la foi la plus sincère. Germaine Léonard traversait aussi des jours de brouillard où elle ne voyait rien, ne comprenait rien, l'âme envahie de mauvais songes, elle ne sortait de son indignation muette que pour affirmer sa supériorité d'un air sauvage, et on savait alors que, pour sauver les apparences, elle eût calomnié un ami, sacrifié ce qu'elle aimait le plus, car devant trop de persécutions, elle se maîtrisait mal, et pour être comprise de ceux qui condamnaient ses écrits elle empruntait d'eux les opinions réactionnaires ou s'égarait dans des dénonciations morales par aveuglement.

Il était vain de vouloir prouver à Mlle Léonard que je pouvais échapper aux conditions de mon existence, elle avait si peu de foi en ma famille, et le mystérieux affranchissement dont elle rêvait pour nous était peut-être avant tout, le sien. Lorsque je lui confiai que j'avais l'intention d'écrire mais que mon père s'opposait «à mes cahiers noircis de griffonnages et d'idées folles quand les cahiers coûtent cher», elle eut toutefois un mouvement de générosité, et pendant qu'elle cherchait des sous dans sa serviette de cuir «pour acheter des carnets propres et une bonne grammaire!» je me demandais si elle me souriait avec bonté ou ironie...

Je me réveille encore la nuit dans l'angoisse, un souffle irrégulier et lourd monte de ma poitrine, les chevaux foudroyés qui tournaient en rond, avec les nuages, courant sans fin dans le ciel d'été, toutes les créatures qui m'effrayaient jadis, par leur mouvement, leur beauté ou l'étrangeté que leur donne l'imagination délirante, elles se rapprochent de moi maintenant, piétinent le sommeil, ce n'est que la violence, et combien de fois cette violence des rêves ne s'est-elle pas incarnée dans la vie, loin de moi et autour de moi? Je la sens dans ma poitrine, tel le souvenir de la tempête qui fait battre fébrilement le cœur de mon père; les visions les plus atroces se sont réalisées, je revois Clara, les lignes sanglantes à son dos: «Pourquoi donc, Pauline, que t'as permis tout ça?», «Viens donc te réchauffer au salon mortuaire pendant qu'il neige» répond Séraphine, elle court près de moi, je vois ses joues rouges sous le chapeau de fourrure, elle me dit de l'attendre près d'un magasin, «qu'elle ira acheter toutes les lampes», mais le jour tombe, Séraphine ne revient pas. J'aimerais tant, aussi, retrouver Jacob «le vrai Jacob qui ne vit que dans mon cœur» mais je me réveille brusquement, debout près du lit, ma mère me regarde:

— Y a deux heures que tu tousses et que tu empêches le bébé de dormir, elle est là toute gigotante et réveillée comme en plein jour, fais donc attention pour pas respirer si fort, pense un peu aux autres, dit ma mère en refermant la porte de la chambre.

La nuit recommence. C'est le jour du déménagement. Nous traversons un tunnel noir, et puis un autre. Mais de l'autre côté, soudain, la lumière nous éblouit. Ma mère lève la tête et dit sans me regarder: «On dirait qu'on commence à respirer hein, Pauline?»

DEUXIÈME CHAPITRE

Le chuchotement de la supérieure dans le microphone, ses souhaits de bienvenue aux nouvelles élèves, provoquent autour d'elle, sur les estrades et dans la cour, un soucieux chatouillement de tous les nerfs: les religieuses et les pensionnaires se bousculent vers les corridors, les unes devancent les autres de leur coiffe rebelle et, sonnant déjà la cloche, annoncent l'ouverture des classes, un retour à des habitudes que mes compagnes ont oubliées mais dont elles se souviendront dès qu'un œil fureteur viendra les surprendre échangeant leurs bas noirs pour des bas transparents, sous la rampe de l'escalier... Mère Saint-Georges examine nos notes, méprise «les bulletins d'excellence», cherchant sur nos visages les traces de l'orgueil, et s'informant de la profession de notre père («Arrangeur de lavabos, Mère Saint-Georges, fleuriste pour les morts») elle toussote de confusion adorante lorsque Marthe Dubos, dont l'ambition est de devenir plus tard «lieutenant dans la marine ou ben pilote d'avion», dit en mâchant de la gomme que son père «est un gros avocat, sans cœur, qui pense seulement à manger l'argent de son prochain», mais seule une note hiérarchique a touché le cœur de mère Saint-Georges car elle dit en frémissant: «Nous sommes toujours heureuses d'avoir des avocats dans notre couvent», puis se tournant vers les Petites Moyennes elle nous ordonne sèchement «d'aller nous asseoir en arrière pour apprendre l'humilité». Séparée de moi par un rideau de fougères, Louisette Denis cache son front d'une main pâle qui tremble; si elle osait me regarder un instant, peut-être comprendrait-elle que j'ai honte de lui avoir si peu écrit pendant ses deux années au sanatorium, mais elle baisse les yeux humblement comme si elle désirait se faire pardonner cette longue absence et la maladie qui l'a transformée pour moi, elle semble éprouver, avec moi, que l'être que je retrouve aujourd'hui, dans cette classe, n'est plus l'amie enjouée et saine qui partageait autrefois mon élan intérieur vers la vie... «Séraphine, si tu revenais sur la terre, je serais donc gentille avec toi, je te ferais jamais pleurer et je te gronderais plus jamais,» ces mots que j'écrivais dans mon cahier hier, ne sont plus sincères ce matin où je refuse mon affection à Louisette que la mort a frôlée.

Une élève étirant paresseusement le bras dans un rayon de soleil, sur son pupitre, le bourdonnement des mouches au plafond (à l'intérieur des lampes où leurs ombres s'agitent en vain), et le vent d'automne qui entre par la fenêtre entrouverte, cette existence familière dans laquelle il semble que chacun éprouve une mélancolie de prisonnier, je me répète que c'est mon existence, «Oui, Pauline Archange, c'est pas ta faute si Louisette Denis a eu la fièvre si longtemps, toi t'es vivante, regarde ailleurs, c'est tout, regarde donc Marthe Dubos, ça c'est quelqu'un en santé au moins, elle est toute joufflue et bâtie comme une géante, tandis que Louisette Denis c'est un cure-dent, c'est juste si elle est pas dans la même tombe que Séraphine!» et pour défendre cette existence farouche, la protéger contre la pitié, on cède encore à la même pensée: «T'as qu'à faire comme si t'étais seule au monde!» Pendant l'été, quand «on était seule au monde», quand on oubliait volontairement les autres, qui donc pouvait le savoir? Cette volonté de vivre pour soi-même, d'arracher des moments de bonheur à un être incapable d'être heureux, c'était un crime, peut-être, mais un crime que l'on savourait dans la solitude et que nul n'avait le droit de vous faire expier... Ma mère se réjouissait de nous voir partir pour le parc Isaac, les chauds matins de juillet, ignorant que dès que nous avions franchi la grille, je lisais seule sous un arbre, reconnaissant à peine les silhouettes de Jeannot et de ma sœur agitant leur pelle rouge sur une frêle dune de sable, le tremblement de leur voix, lorsqu'ils avaient besoin de moi, ne semblait plus atteindre mon oreille, car à l'ivresse de lire en plein air, loin de tous, s'ajoutait soudain un inexplicable enivrement de soi, il fallait se toucher le front plusieurs fois pour sentir toute la chaleur de son existence qui se blottissait là, et dans ce moment d'une absolue reconnaissance envers la vie, si moi, j'existais davantage, mon frère et ma sœur, eux, n'existaient plus... Ils existaient moins encore, pensais-je, que la lumière du soleil qui tombait impitoyablement sur mes sandales défraîchies, et en fermant les yeux, je pouvais les oublier complètement. Comment pouvaient-ils éprouver la même ardeur de vivre? Si j'avais traîné dans les rues, le soir, Jean, lui, passait ses soirées en pyjama, aux côtés de ma mère qui berçait le bébé pour l'endormir, et à l'heure où je filais sur ma bicyclette, il tendait vers le ciel encore rose, entre les barreaux du balcon de fer, une main captive qui me saluait amicalement à chaque fois que je passais devant la maison, mais voyant dans ce geste une raison de plus d'être coupable de ma liberté, je ne répondais jamais au salut de Jean, comprenant trop tard que, par ces soirs où mon frère me tendait la main, c'était la même révolte, l'insoumission d'autrefois qu'il cherchait à exprimer lui aussi, mais comme il l'avait exprimée sans colère, je ne l'avais pas reconnue.

Ma mère voyait peu mon père qui étudiait tard dans la nuit (dans la chambre où elle-même dormait pendant que mon père travaillait), et la confiance d'un enfant assis sur ses genoux, ou jouant près d'elle, comblait l'absence d'Émile dont elle espérait guérir, elle luttait contre ses souvenirs en réunissant auprès d'elle ceux qui lui restaient encore, augmentant toujours sa famille, et quand je la voyais s'abandonner ainsi à ses pensées, laissant errer autour d'elle sa sévérité en repos, savait-elle qu'elle n'avait pas perdu un seul enfant, mais deux? L'enflammable rébellion dont elle était pourtant la mère, se répandrait aussi un jour dans le cœur de ces êtres qu'elle gardait auprès d'elle sur le balcon, le soir, pour se protéger, et eux lui échapperaient sans doute comme je l'avais fait moi-même. Elle avait porté des désirs violents, inassouvis, elle ne les réaliserait qu'à travers nous, car bien souvent c'est le rôle des enfants d'arracher à leurs parents leurs rêves secrets, de tuer ces rêves en eux afin de pouvoir les vivre à leur place. En attendant, ma mère aimait tenir dans sa main ouverte la tête de ma sœur, le crâne fragile dont l'enveloppe semblait presque transparente sous la soie des cheveux (si on caresse ce crâne, du bout des doigts, on sent qu'il n'est pas fermé et que par la sinuosité profonde, sous la peau tendue, la mort peut s'écouler par là aussi bien que la vie), il y avait beaucoup de douceur à sentir si près de soi cette créature que l'on avait faite, qui dormait, ouvrait les yeux un instant, un être dont on aimait encore l'obéissance extrême, la tendresse sans servilité...

Mais l'amour maternel qui avait été déçu, humilié, semblait me dire:

— Toi, Pauline Archange, t'as jamais rien donné de bon à tes parents, tu penses qu'à toi-même, c'est à peine si t'es assez gentille pour laver tes frères et sœurs, le matin, tu épluches mal les patates, va-t'en sur ta bicyclette, j'veux plus te voir, heureusement que j'ai d'autres enfants que toi parce que ce serait pas drôle... T'as le cœur plus dur qu'un caillou, et pis encore, y a des cailloux qui fendent, y paraît... J't'ai vue, après-midi, p'tite méchante, quand ta tante Judith nous faisait ses adieux pour l'Afrique dans la cour des Sœurs Immaculées, une tante missionnaire qui s'en va pour dix ans dans la brousse, juste pour sauver les âmes et soigner les lépreux, et t'étais même pas capable de verser une larme! J't'avais pas demandé de sangloter comme grand-mère Josette, mais juste une larme, pour que tes cousines voient que t'as du cœur, mais non, j't'ai vue avec ton vilain sourire sur la face, un vrai monstre, mais quoi donc que t'as dans la tête Pauline Archange? Et pis, quand tout le monde avait un chapeau noir sur la tête, toi t'avais ton damné chapeau rouge, y a des fois j'te comprends pas! Tu la reverras peut-être jamais ta tante Judith, on sait bien, toi ça te fait rien, ni chaud ni froid. Dix ans, c'est long, tout ce sacrifice-là pour l'amour du Bon Dieu! Tu penses que t'es seule au monde hein Pauline Archange qui écris des histoires et lis des livres comme c'est pas permis par les prêtres, mais ta tante Judith elle avait toujours le nez fourré dans les livres défendus, elle aussi, à ton âge, au scandale de monsieur le curé, elle patinait avec les garçons de la paroisse, c'était une mauvaise elle aussi, mais elle s'est convertie tout à coup, tandis que toi tu te convertiras jamais, tu iras jamais en Afrique comme ta tante, toi, j'me demande à quoi tu penses dans la vie!»

Il est vrai que je n'avais pas exprimé de tristesse quand mère Judith de la Bonté, posant son visage contre le mien, à travers l'étoffe neigeuse du voile, avait effleuré ma joue de son souffle brûlant, il me semblait soudain qu'en s'inclinant vers nous, dans leur voile, leurs pieds foulant les fleurs du jardin, chacune de ces religieuses que sa foi allait bientôt exiler de nous, nous confiait cet après-midi là ses dernières joies de vivre, toute la fine contemplation du monde dont elles étaient capables mais qu'elles n'avaient jusque-là exercée que dans la chapelle de leur cloître, et que malgré tout, en se penchant vers nous pour nous dire adieu, c'était l'été, la sensuelle exaltation de l'été qui entrait en nous, avec l'odeur des roses et des pivoines, et on pensait que si chacune d'elles pleurait en embrassant ses amis, ses parents, elle devait un peu sourire aussi, sous ses larmes, car demain, à l'aube, ma tante Judith qui rêvait de partir depuis si longtemps, partirait enfin, délaissant la contemplation pacifiée de son couvent pour «le vrai monde, ah! des vrais hommes, enfin!» et cette humanité, elle la retrouverait sur le bateau où son imagination aventurière la portait déjà pendant qu'elle échangeait avec moi ce sourire intérieur que ma mère allait me reprocher parce que j'avais eu l'audace de l'exprimer...

Quel amour du vagabondage poussait Judith et ses compagnes à fuir si loin! «Dieu, disait Judith, l'attirait là-bas», elle avait reconnu «le mendiant divin avide de pitié, tout couvert de plaies, le visage dévoré par la lèpre», mais on perdait la force de prier, pourtant, devant un front que le mal avait calciné et à qui elle n'offrait que le baptême «telle l'ironique caresse de l'eau sur un brasier, ah! ma chère sœur, si tu savais tout ce que l'on voit ici, c'est bien dur, parfois, mais je suis heureuse ici et je ne veux plus partir, je me remets lentement de la malaria, tu comprends, l'exil, la différence de climat...»

Ma mère s'attristait soudain de l'absence d'héroïsme dans sa propre vie et elle écrivait amèrement à Judith, son écriture irrégulière débordant de passion, de véhémence: «Toi, ma chère sœur, tu ne sais pas ce que c'est que d'être mère de famille et de laver les couches toute la journée, d'avoir une Pauline qui écoute rien, toi t'as toujours eu l'Afrique dans le sang, y paraît que le pauvre Sébastien est mort en dévorant des yeux tes couchers de soleil africains, tu te rappelles tes tableaux qui traînent encore partout chez grand-mère Josette, il est mort quand même, sans avoir quitté sa chambre, le garçon malheureux, la vocation d'une mère de famille, des fois je pense que c'est pas assez, c'est pas grand-chose, j'sais pas ce que je ferais si le bon franciscain venait pas me voir une fois par semaine quand j'suis malade, y a des jours, tu peux pas savoir, on est trop fatigué pour vivre...»

Ma mère n'osait pas pénétrer les apparences d'autrui, et pour elle, le père Benjamin Robert avait toutes les apparences de la sainteté, d'une aveugle vertu qui la réconfortait mais dont elle ne cherchait pas les fissures, dans la crainte de perdre ses illusions peut-être, mais aussi parce que la présence du prêtre, le beau front illuminé qu'il découvrait soudain dans ses moments d'indignation contre toute autorité qui le gênait, le flot de paroles ardentes, convaincues, qui le secouait sans cesse, lorsque, penchant sa longue tête au-dessus de vous, sa main fébrile battant l'air, il commençait partout, aux enfants de la rue comme à l'agonisant solitaire, des sermons naïfs mais profonds où les mots «vivre, aimer et encore vivre» excitaient les cœurs, fouettaient les sens, oui, ma mère sentait confusément, elle que nous aimions si mal, que cet homme était ivre d'amour et qu'auprès de lui, comme tant d'autres l'avaient fait avant elle, elle trouverait l'apaisement de ses inquiétudes morales. Lorsqu'elle disait à cet homme: «Je le confesse, mon père, j'ai déjà tué Émile plusieurs fois dans mon cœur...», il répondait en haussant son dos voûté: «Nous tuons sans cesse dans notre cœur, nous tuons toute la journée, n'y pensez pas trop ma fille...», peut-être, songeait-il alors à ses supérieurs, «à tous ceux qui condamnent la charité, la charité noble et maladive», lui qui avait expié plusieurs fois, dans «les prisons de mauvais prêtres», les dissipations de sa vie secrète, bien qu'il ait connu là-bas le bonheur de n'être plus seul «et le désespoir de la compassion humaine», chez ses frères destitués. Il ne voulait jamais blesser autrui, mais les lourdes fautes qu'il commettait contre sa dignité, sa mendicité têtue, souvent puérile, l'entraînaient malgré lui vers l'oubli des lois pures de son cœur... La pitié, la tendresse dont il avait une folle avidité pour tous les hommes, il les sollicitait aussi pour lui-même, et lorsqu'il posait sur vous son regard fixe et douloureux, inquisiteur sans jamais cesser d'être bon, tolérant et grave, quelqu'un, semblait-il, venait de s'asseoir près de vous, et ce grand corps désespéré qui paraissait si sage dans son fauteuil, ne vivant que par ses yeux, avait jeté à vos pieds son attente, ses désirs. On entendait la respiration de ma mère, dans sa chambre, une centaine de mouches noircissaient la transparence de leur piège, lequel était suspendu comme une tige au plafond, et partout ce regard me suivait, ne me quittait pas de sa pesanteur aiguë pendant que je lavais les assiettes devant la fenêtre aux rideaux cirés.

— Dommage, ma chère enfant, un homme est malheureux quand il a trop besoin des autres, j'ai tort de vous parler ainsi, je le sais bien, vous ne pouvez pas me comprendre, vous semblez même avoir peur de moi quand je vous regarde. Mais il m'arrive de penser que je pourrais éveiller votre cœur à la pitié, la pitié qui est une très belle chose, laquelle est souvent enveloppée de beaucoup d'impuretés, de délires, de faiblesses, mais une belle chose, tout de même! C'est la fascination des êtres pour les êtres, c'est tout. On ne peut pas résister à la bassesse des hommes, on les trouve dignes et bons malgré eux. Nous nous cherchons mutuellement comme des bêtes assoiffées dans la jungle, mais il y a plus encore que cet appel bestial, entre nous tous, il y a autre chose de si exaspérant, de si fraternel! Je vous plains d'éprouver encore la crainte de vivre que vous ont inspirée vos parents, vos éducateurs, on se sent si bien quand rien ne peut plus éteindre la flamme de l'amour, dans sa poitrine, ni l'injustice, ni le malheur, pas même la honte, car la honte, au fond, est-ce que ça vaut la peine? On vous dira peut-être des choses terribles de moi, un jour, vous les croirez peut-être, mais ne jugeons pas toujours les apparences d'un homme, ces apparences sont multiples, elles en cachent d'autres que personne ne pénètre, c'est la tendresse de quelqu'un qu'il faut juger, mais vous ne me comprenez peut-être pas, vous êtes si jeune. Peu importe, je vous ai déjà dit que je n'éprouvais plus aucune honte! Autrefois, quand je n'étais qu'un prêtre orgueilleux, avide de privilèges, mes supérieurs m'ont envoyé comme aumônier dans une prison. C'est là-bas que j'ai tout compris: je n'avais jamais pensé aux hommes avant ce jour-là. Auprès des criminels à qui je parlais de Dieu, je découvrais que mon innocence était fausse, que mon cœur mentait sans cesse. Le véritable meurtrier des autres, c'était moi, moi l'indifférent, le prêtre dévot, et cette illumination qui m'a touché soudain, il est vrai qu'elle m'a rendu presque fou, qu'elle a provoqué en moi de graves déséquilibres, mais ce vertige puissant qui me secoue encore, c'est la main de Dieu, vous comprenez, la volonté divine tente encore de remuer en moi tout ce qui est charnel et compatissant et il me semble maintenant que je suis né pour la sainte mission du scandale, le scandale de la charité déraisonnable, souvent punie...

Il parlait à voix basse, comme pour lui-même, se confiant à ceux qui ne le comprenaient pas ou qui ne désiraient pas même l'entendre, et les jours de pluie, où les gens, en sortant de l'usine, couraient vers leurs tramways, Benjamin Robert, lui, tête nue sous l'orage, dressait encore sauvagement la main en argumentant avec un ami, son manteau gris flottant autour de ses jambes, ses pieds confortablement écartés l'un de l'autre dans les flaques d'eau, et même lorsqu'il se taisait pour reprendre haleine, on sentait qu'il parlait encore sous ses lèvres entrouvertes, bien qu'il fût en même temps capable de vous écouter, d'incliner vers vous sa tête sobre, recueillie...

— Ne partez pas si vite... Trois minutes encore!

Il aimait aussi rencontrer ses adversaires: Mlle Léonard s'enfuyait lorsqu'elle voyait venir vers elle «cet énergumène, ce malheureux fanatique», mais lui la rattrapait joyeusement par le bras:

— J'avais justement besoin de vous, Mlle Léonard, j'ai un détenu pour vous à deux heures... Une infection à un genou, je compte sur vous pour soigner mon gaillard!

— Non, répondait Mlle Léonard, d'un air offensé, j'ai déjà bien assez de mes malades, je refuse de soigner tous les malfaiteurs de la ville... Au revoir...

— Vous l'avez déjà dit, docteur, votre métier c'est le salut des corps! Et parmi mes anciens détenus, combien de corps méprisés, fouettés, battus! Dans les maisons de réhabilitation pour les prêtres, on ne donne jamais le fouet mais dans les prisons ordinaires pour le condamné sans défense, sans pouvoir, le viol est puni de plusieurs coups de fouet, quelle injustice! Mais l'homme que je veux devenir doit tuer en moi un jour le prêtre, ne serait-ce que pour réparer ces effroyables injustices! («Pauvre fou, pensait Mlle Léonard, si seulement je pouvais m'en débarrasser!») Vous êtes impatiente, je m'en excuse, laissez-moi marcher avec vous jusqu'à l'hôpital, je vous quitterai ensuite. Il faut vous habituer à moi, même si vous ne m'aimez pas, ne travaillons-nous pas tous les deux pour la même cause? C'est encore la volonté divine! Ce détenu qui viendra chez vous à deux heures, je ne vous cache pas qu'aux yeux des hommes, il a un dossier criminel, mais ne parlons pas de ses crimes, voulez-vous, la noire et étroite justice le fera pour nous, j'ai parlé d'une infection au genou, mais il s'agit de quelque chose de plus grave, de très mystérieux que je ne comprends pas, on dirait que ce jeune homme a décidé soudain de défier ses juges et leurs châtiments et d'imposer lui-même à son corps tout le travail de rédemption que d'autres désiraient lui infliger. Vous me comprenez peut-être, par fierté il préfère se crucifier lui-même... («Je comprends, pensait Mlle Léonard avec une moue dégoûtée, il a eu des relations physiques avec ce prisonnier, ce qui explique tout...») Je vois que vous ne me comprenez pas, reprit Benjamin Robert, en baissant les yeux, on comprend peu les gens quand on les juge sans cesse comme vous le faites en ce moment, mais ce que vous jugez sévèrement et ce que j'ai trahi dans ce récit, c'est un secret qui ne vous appartient pas, peut-être. Il est parfois nécessaire de montrer à un assassin qu'il est aimé, lui aussi, de franchir d'un seul coup, pour le rejoindre, cette écorce durable de nos préjugés, car ce qui nous empêche de le comprendre, c'est notre distance, cette supériorité de notre orgueil sur son humiliation. Il faut s'unir à lui afin de ne plus le juger, lorsqu'il devient un fragment de votre âme, de votre corps, on éveille en lui l'amour et bien souvent la délicatesse...

— Quel mauvais temps, quel temps de chien, dit Mlle Léonard qui n'osait plus regarder le prêtre, je serai en retard à cause de vous...

— Quand il pleut comme aujourd'hui, je pense à ces instants interminables, à cette persécution du temps qui sévit dans chacune des cellules des prisons, la nuit je ne dors pas, car il suffit d'une distraction, de quelques heures de sommeil, pour perdre contact avec cette pensée... Et quand on veut changer les choses, cette pensée devient vite une hallucination, une vision de la mort sur la terre. J'ai déjà dit cela dans des conférences, mais on ne m'écoute pas, j'ai écrit des articles que personne ne lit, et lorsque je parle trop, on m'impose le silence, on me chasse dans un monastère pour apaiser ma révolte, mais c'est bien inutile, n'est-ce-pas? Un homme est toujours libre quand il le veut: la liberté des cœurs et des esprits, ce n'est pas comme la sagesse ou l'équilibre, vertus que nous ne pouvons pas toujours acquérir quand nous avons déjà perdu la raison. Auprès des gens simples, je retrouve parfois cet équilibre. Je découvre aussi, dans les familles que je visite chaque jour, le même silence que dans nos prisons. Il y a tant de violences qui dorment, de meurtres silencieux sous les habitudes! Il est vain de vouloir rapprocher les uns des autres des êtres qui se connaissent si peu! Mais savez-vous que ces êtres fatigués et sans paroles, ces mères souffrantes qui n'ont besoin du prêtre que comme un ami, un frère capable de comprendre leurs secrets étouffés, ces êtres ont aussi une voix quand on les écoute, je sens même parfois qu'ils partagent ma révolte contre cette vaste autorité visible et invisible qui toujours dans le monde a broyé les plus faibles... Vous devez bien comprendre cela, vous, docteur.

— Je ne sais pas de quoi vous parler, je travaille, moi, dit Mlle Léonard...

— Vous travaillez, mais jamais en vain. Il vous arrive de vaincre des maux physiques, de guérir les hommes. Mais pour nous, pour ceux que l'on consacre à Dieu, il semble interdit de faire notre œuvre dans la vie même. Aimer la vie, pour nous, c'est un blasphème. Nous travaillons dans le désert. Comment pouvons-nous prier quand autour de nous on prolonge le châtiment de l'innocence? Depuis le texte de la loi jusqu'à l'architecture des maisons de détention, tout notre système social s'érige en vérité de marbre au-dessus du condamné, et très souvent de celui qui a été injustement condamné. La façon immaculée dont les juges s'acquittent des fonctions les plus cruelles, le rite des «palais de justice», ces mots qui ont une ironie venimeuse, l'uniforme des policiers, le bruit des clés de fer, l'odeur des matelas, la camaraderie des geôliers, les séquestrations au cachot, tout invite la victime à différer sa révolte, à contempler ses anciens et vrais crimes, à s'associer au sort des coupables! Voilà un peu ce que m'écrivait ce jeune homme, Philippe, Philippe L'Heureux qui à dix-huit ans — il vous le dira peut-être lui-même avec orgueil —, aujourd'hui, a déjà connu sept prisons, et combien d'assassins, de suicidés! Ce prisonnier m'écrivait aussi il y a un an (il tirait de sa poche un volume de Baudelaire dans lequel il pliait quelques-unes de ses lettres, lettres qu'il relisait la nuit «comme une Bible du malheur» disait-il), et permettez-moi de vous lire un passage de cette lettre: La justice qu'un prisonnier s'impose à lui-même, m'écrivait-il, est implacable et morne. Elle est sœur du repentir. On commence soudain à penser au suicide comme à la dernière étape de sa révolte intérieure, il semble soudain plus digne de mourir que de vivre: moi, quand je m'évaderai, on ne me trouvera pas accroupi dans un bosquet, cerné de tous côtés par des brutes qui me crient de me rendre, non, si on me trouve dans ce trou, je serai mort, le revolver encore appuyé sur mon crâne ouvert...» Vous comprenez, nos juges satisfaits, les piliers de notre société, voilà ce qu'ils inspirent à nos enfants!

— Je dois vous quitter ici, dit Mlle Léonard qui traversait maintenant la rue, l'hôpital est tout près... Au revoir... Mon père... au revoir...

Elle s'éloignait déjà. Benjamin Robert sourit tristement, les bras croisés contre la poitrine. «Dommage!» murmura-t-il en regardant tomber la pluie.

Germaine Léonard retrouvait un peu de la bonté de la vie entre les bras d'un homme, et bien souvent, ceux qu'elle avait méprisés pendant le jour, semblaient se dissoudre avec elle dans la tendresse de ses nuits où son cœur brièvement comblé et vaincu ne jugeait personne, pardonnait à ceux qu'elle avait offensés, où, bercée par un rêve d'indulgence et de domination, elle pensait «je comprends ce misérable prêtre», mais si elle croyait le comprendre, ce n'était que parce qu'elle se sentait délivrée de lui, lorsqu'il n'était pas là. Elle éprouverait encore la même hostilité, la même frayeur «d'une vie trouble et étrangère» qui s'imposait à elle, à travers le prêtre, elle l'éprouverait dès son retour à l'hôpital, car c'était là, lui semblait-il, qu'elle risquait de céder «à l'avilissante pitié, cet homme est malade de pitié... Quel poison! Quel vice!» (N'avait-elle pas acquis la compassion dans la sécheresse, non, la rigueur, pensait-elle, de son tempérament naturel? et n'était-ce pas son devoir de se révolter contre l'attrait de toute souffrance?) Il lui arrivait maintenant de trembler en notant sur son carnet les réflexions médicales de la journée: «Lucie Beauchemin, 9 ans, chambre 220, leucémie, décès, 4 heures...» Autrefois, elle eût rapidement glissé le carnet dans sa poche, aujourd'hui, elle hésitait à laisser fuir ce visage dont elle dérobait quelques traits: «On lui avait rasé le crâne. Peu à peu, elle ne répondait plus que par de faibles sourires. Le vain effort de lui donner du sang nouveau. À la fin du jour, sa chambre était vide, pas même un drap sur le lit. Je...» Elle effaçait à mesure l'aveu sensible de cet être qui, en elle, s'insurgeait contre l'habitude pour parler de soi, de la vie, «service inutile et torturant auquel on ne peut échapper», «de ce profond dégoût de Dieu» qui la remplissait lorsqu'elle songeait à Lucie Beauchemin, «quel être sans pitié a pu consentir en secret aux douleurs de cette enfant?» mais elle s'arrêtait soudain, redoutant l'agitation de son esprit, car «il y avait un grand danger à parler de soi-même» et comme elle rayait les mots qu'elle venait d'écrire, les écrasant sous sa main ronde, un à un, elle éprouvait une étrange fierté à vaincre en elle le besoin d'écrire, elle tuait «l'exécrable pitié» que Benjamin Robert avait laissée derrière lui, et sans cette pitié, elle pouvait vivre à nouveau...

La confession apaisait ma mère. Lorsque le prêtre quittait la maison, je cherchais sur le front de ma mère les signes d'une paix nouvelle et il me semblait que la délivrance d'Émile approchait. «Je pense que j'vais me lever, Pauline, j'me sens mieux tout à coup, occupe-toi du bébé qui est encore dans son carrosse, dans la cour...»

— J'ai pas l'temps. J'écris.

— On sait bien, Pauline Archange, t'as jamais le temps quand c'est pour aider ta mère.

En écoutant Benjamin Robert, son amour de la vie m'avait emportée, saisie, je tremblais du bonheur de le dire dans mon cahier, mais je retrouvais encore la même maladresse, je répétais les mêmes choses démunies: «Tu te souviens quand tu avais très chaud dans le parc, l'autre jour, tu regardais tes vieilles sandales et quand tu mettais un doigt devant ton œil, tu ne voyais plus Jeannot ni ta sœur, le grand ciel bleu t'écrasait de chaleur, le soleil te brûlait, ce jour-là, tu étais en vie et c'est tout ce qui compte. Quand Benjamin Robert me regarde, mon cœur bat très fort, c'est comme dans le parc, avec la chaleur et le soleil, je suis en vie et c'est tout ce qui compte. Mais quand il s'en va, c'est triste et vide dans la cuisine, les mouches grouillent sur le papier collant et ça me donne mal au cœur, ma mère m'envoie voir si ma sœur dort encore dans la cour et des fois j'arrive juste à temps pour faire peur au gros rat qui se promène autour de la voiture du bébé, y a pas de danger parce que ma mère a mis un filet contre les mouches, mais je pense que les gars d'à côté qui sont pires que des animaux sauvages et qui aiment tant tuer les bêtes, devraient tuer notre gros rat avec des briques comme ils font quand ils tuent les chats et les oiseaux. Une fois j'en ai vu un qui avait pris un chat puis l'avait abattu contre le mur, toute la nuit on avait entendu ses gémissements sous l'escalier. Benjamin Robert pourrait pas dire que les chrétiens ont du cœur s'y voyait ça, y dirait qu'y a des gens qui sont nés comme des animaux sauvages et qu'y peuvent plus chan- ger, même des fois qu'ils sont si méchants qu'ils gardent les chats vivants pour les torturer longtemps et quand ils enlèvent des morceaux de la peau du chat qui hurle, y sentent pas le mal que ça fait sous les os de l'animal, ils rient autour de lui pauvre martyr, non si Benjamin Robert voyait ça, y dirait que nous autres les chrétiens on est pire que des lions féroces et il aurait de la peine, y dirait que la souffrance du chat c'est pire que la souffrance de Jésus sur sa croix...» Mais combien de fois Benjamin Robert n'avait-il pas perdu l'espoir de réha- biliter cette fureur dont la cause lui semblait toute humaine, pourtant?

— Il est vrai, mon enfant, que ceux qui pratiquent ouvertement la cruauté se vengent souvent des malheureuses conditions de leur existence, mais il y a des jeux de cruauté et de barbarie auxquels il faut refuser notre commisération. Un prêtre n'a pas le droit, peut-être, de parler ainsi, car notre rôle fut toujours celui de la complicité silencieuse, de la complaisance meurtrière, et l'enfer est rempli de ces mauvais anges de la résignation qui ont laissé à leurs esclaves la tâche de tuer à leur place... aussi, je le crains, quand Jésus fut crucifié, nous n'étions pas là... Si nous avions le courage de tremper nos mains dans le sang comme les grands criminels — je ne parle pas de cette forme de crime inconscient et aveugle que nous rencontrons partout ni du sadisme des foules — si nous avions la force de condamner la vie, de l'aimer d'un amour dévastateur et sans pitié, tel cet amour maudit qui consume l'âme du véritable meurtrier, amour dont il pourrait s'éprendre jusqu'à la sainteté, nous pourrions alors tout comprendre, nous aurions le secret d'une autre vie dont l'absolue sécheresse, l'absolue vérité nous éblouiraient. Mais la race des insoumis est avant tout une race orgueilleuse mais pauvre, car il est dur de subir le mépris des hommes! Longtemps, j'ai senti en moi-même cette faiblesse qui m'empêchait de me séparer d'eux, nous aimons le respect, la vénération et une belle image de nous-même caresse toujours notre vanité, même lorsque cette image est fausse. Ce n'est plus la discipline qui garde l'homme religieux dans son couvent, c'est cette vanité, peut-être, la peur de l'image dévoilée, la peur...! Un prêtre qui veut embrasser la vie et ses erreurs n'ignore pas qu'une armée de prêtres vertueux se dresse toujours pour le protéger, pour pardonner ses fautes, il sait que le châtiment social lui sera toujours épargné. On ne lit jamais dans les journaux, n'est-ce pas, qu'un prêtre a commis un viol, non, le prêtre aime trop le mensonge pour supporter de telles accusations, son privilège l'enivre, il a bien quelques regrets, bien sûr, il tombe aussi dans une excessive piété, mais il ne connaît jamais cette torture de la conscience, ce déchirement qui est la crise quotidienne du paria, non, au contraire, sa conscience est scellée pour l'éternité, endormie, quelle tragédie et il ne le sait pas! Voilà pourquoi j'ai eu cette idée démente, un jour, en lisant les lettres d'un ami, oui, j'ai pensé qu'il était temps pour le prêtre de risquer toute son âme, mais c'est une idée démente et je dois encore beaucoup réflé- chir. C'est la volonté de Dieu qui m'a réveillé, une nuit, quand je dormais dans la cellule confortable de l'aumônier — ah! la chambre du bon prêtre avec ses rideaux chastes, son crucifix inerte — c'est la volonté divine qui m'a arraché de mon lit pour me pousser contre le mur, et là, appuyé contre ce mur, j'ai entendu les lamentations d'un condamné à mort, un garçon si jeune que lorsque je l'ai vu le lendemain matin qui marchait en souriant vers le réfectoire, je me mis à trembler de frayeur pour lui. Mais avais-je rêvé? Dans mon insomnie, tout peut arriver... Était-ce ce garçon au sourire effronté qui avait pleuré toute la nuit? La nuit suivante, je fis un rêve: c'était l'aube et je me levais pour la messe quand j'observai soudain que mon lit était tout ensanglanté... «Tu n'as rien à craindre, me dit une voix invisible, tu n'es pas blessé, tu dors dans le lit d'un autre qui a versé tout son sang...» Je m'éloignai alors de mon lit pour courir dans le corridor quand on m'ouvrit la porte de la cellule de Philippe. «Venez... me dit-il...» Il était tout vêtu de blanc et si pâle qu'il semblait n'avoir plus que quelques in- stants à vivre, il m'ouvrit les bras et je m'approchai de lui et le baisai sur la joue. «C'est la première fois que...» mais il était visiblement trop affaibli pour achever sa phrase, il ferma les yeux. Il y avait sur son visage un sourire vague et cruel qui était pour moi le signe qu'il vivait encore...

La dédaigneuse expression de Mlle Léonard condamnant «les faiblesses de ce prêtre malade... oui, très malade...» (elle appuyait sur ce dernier mot avec une obstination méchante, Benjamin Robert échappait à des lois universellement reconnues, donc à ses propres lois morales), la façon dont elle l'avait regardé irritait le prêtre qui connaissait la nature de son amitié pour Philippe et méprisait «le jugement de nos apparences, lesquelles, même lorsqu'elles sont vraies, cachent encore des actions complexes, inconnues...», pour lui, la vie n'était qu'une illicite recherche de l'amour et de l'humilité, et «il se servait à cette fin de son corps comme d'un instrument de connaissance, fuyant toutes les pentes mystiques, les pièges d'illusion ou de sommeil qui ont souvent détourné le prêtre de sa vraie vocation sur la terre...» Il avouait franchement «oser vivre la vie de chacun, la vie de tous, vouloir assumer l'incohérence de l'amour», et c'est lucidement et sans trouble qu'il échangeait parfois sa soutane pour des vêtements d'ouvrier, déposant à la gare de la ville «la robe de l'hypocrisie et du mensonge» dans un casier qu'il avait loué, pour aller vers ce que Mlle Léonard appelait «des rendez-vous de fornication», en rougissant de honte pour le prêtre, mais lui eût clarifié ce langage en disant: «J'avais ce soir-là le désir d'étreindre un homme dans mes bras» (ajoutant dans son cœur, «un homme oublié de tous les autres...») mais cette tendresse de passage ne pouvait se comparer au sentiment douloureux et bon qui le liait à Philippe pour qui il éprouvait «une extrême compassion sans espoir...» Il avait choisi Philippe, comme il le disait lui-même dans ses lettres au prisonnier, «parce qu'il y a en vous, non seulement l'obscure matière dont le crime est fait, mais quelque chose de plus grave que nous chercherons ensemble, ne craignez rien, je ne parlerai pas de la grâce, je dirais plutôt qu'il y a en vous l'intelligence et la sensibilité au mal dont vous êtes l'auteur... Cette puissance de tuer, de tourmenter autrui semble vous déchirer avant d'atteindre votre victime.» Philippe protestait distraitement, parlant d'autre chose: «Votre générosité n'est-elle pas mauvaise pour moi puisque vous me croyez bon, or, je ne suis ni bon ni bas, je veux surtout sortir de ce monde, j'en ai assez!» Le ton variait brusquement comme l'humeur du jeune homme: «Je vous en prie, mon père, suspendez vos envois de livres, j'ai encore de quoi vivre un mois. Las de m'envoyer des livres, vous continuez peut-être à me combler, ce qui me rend malheureux car j'ai peur de la gratitude. Dans ma cage, je tourne les pages d'un livre comme on suit pas à pas la piste d'un animal errant. On m'a sauvé de la peine de mort, je dois donc me servir de ma vie maintenant et la disséquer sous mes yeux comme un cadavre!... Merci pour le Spinoza qui me fait comprendre plusieurs de mes intuitions paradoxales... Ne vous faites donc pas un devoir de m'écrire, mes vrais amis comprennent que je n'ai besoin d'aucun réconfort.»

Benjamin Robert exigeait de Philippe «la vérité, le retour à la violence inavouée de votre être, vous le savez bien, Philippe, même si vous avez obtenu sans le vouloir le pardon de vos juges — car pour eux telle est leur idée du pardon, même si on vous emprisonne à perpétuité — il est vain de vouloir fuir l'éternel procès intérieur puisque vous ne pourrez jamais échapper à la sévère analyse de ce juge qui vit en vous... On a parlé de votre «précocité tragique, du délire d'un cerveau en feu», mais c'est bien volontairement que vous avez tué votre père et sans délir, qui sait, peut-être même armé de cette froide insolence que vous reprochez à ceux qui sont là pour vous juger aujourd'hui. Si je vous parle ainsi, Philippe, c'est parce que vous avez eu le courage d'affronter mon hypocrisie, ce matin-là, au réfectoire de la prison, pour vous je n'étais «qu'un vil aumônier de prison, voilà, vous êtes ici pour nous bénir, dans cette ville noire et crasseuse, l'odeur du vice et de la misère n'atteint même pas vos narines! Ah! prophètes et grands-prêtres ridicules, j'ai honte pour vous tous comme j'avais honte pour mon père quand il vivait!», je croyais ne pas mériter ces paroles, il est vrai, mais maintenant je les comprends davantage. Plus doucement, vous avez parlé de vous, de votre père:

— J'ai décidé qu'il n'avait pas le droit de vivre.

— Mais est-ce une raison suffisante, Philippe?

— Toutes les raisons sont bonnes, dans les livres comme dans la vie... Regardez le monde, le sang y coule à flot, nous sommes tous bien cyniques, eh! oui! Les chefs que nous choisissons ne sont-ils pas voleurs et assassins? Nous avons tous trop faim de viandes humaines pour avoir le droit de vivre! Pensez à mon père, il aimait sincèrement la justice, disait-il, il avait dit et répété à ma mère qu'il ne prononcerait jamais une sentence finale, et il est vrai que grâce à lui, à son pouvoir surtout, certaines exécutions n'ont jamais eu lieu, mais dans ce métier impur il ne pouvait pas être pur, il a trahi tous ses principes... Une seule erreur, une seule faiblesse, le goût du sang, peut-être, la tentation de la mort... comment expliquer son attitude? Et qui condamne-t-il? Un homme de sa classe? Non, un pauvre homme qui en rentrant chez lui, un soir, découragé et ivre, brûle la maison où dorment ses neuf enfants et sa femme! Pensez à cela, la nuit, mon père, cet homme parfait, cet homme qui fut respecté par ses amis, sa famille, avait légalement tué quelqu'un... imaginez l'angoisse de l'incendiaire qu'on allait pendre... Et pourquoi? Pour un pauvre crime de fatigue, de lassitude... J'ai honte, si vous saviez, je me réveille le matin en suant de honte! Mais vous m'écoutez bien sagement comme un professeur, la tête inclinée, qu'attendez-vous de moi? Que je demande pardon à Dieu? Je n'ai aucun regret, je recommencerais encore, vous comprenez, c'est l'âme de ce pendu qui gémit à travers moi! C'est sa honte qui hurle et je ne peux plus la faire taire. Et même, savez-vous mon père, en vous regardant comme ça, vous et votre air d'innocence, vous qui aimez tant vous pencher vers notre détresse et nous pousser doucement vers le repentir, la nausée du repentir, plutôt, une pensée révolutionnaire me traverse l'esprit, oui, l'auriez-vous déjà devinée, j'aimerais vaincre en vous tout orgueil, effacer toute trace de Dieu en vous...

— Il faut avoir pitié, mon enfant, nous avons trompé les âmes, bien souvent, je l'avoue... mais si cela existe... la sincérité dans le mensonge, beaucoup de prêtres ont vécu ainsi et vous qui avez arraché à un autre le pouvoir, la honte de juger, n'abusez pas de ce pouvoir à votre tour...

— Ah! s'écria-t-il avec dégoût, vous défendez leur faiblesse!

— Peut-être. Je ne suis pas prêt encore pour la délivrance du mensonge. Ce sera une longue lutte, je le sens. J'ai été bouleversé par un rêve, une étrange vision cette nuit... Ce rêve semble confirmer ce que vous exigez maintenant de moi, une complète métamorphose de tout mon être, une identification au désespoir de la conscience, à votre malheur! Votre intention est perverse, peut-être, mais elle représente pour moi un admirable défi, une audace furieuse, si je n'avais pas fait ce rêve, je ne vous comprendrais pas. Mais dès cette nuit mon âme saignait pour vous. Vous exigez de moi une pitié inhumaine, vous me demandez de porter votre croix, de devenir un réprouvé comme vous, mais vous oubliez combien ma conscience est fragile et apeurée... Ne souriez pas, c'est la vérité. Mais qu'est-ce que la damnation d'un prêtre sur la terre... pour vous, comme pour moi, c'est peut-être le seul acte courageux de rédemption!

— Je n'avais pas pensé à cela, dit Philippe en souriant, quand je parlais de pervertir votre cœur, ce n'était que par soif de vengeance. Mais si vous êtes assez fou pour prendre au sérieux la provocation d'un gamin, j'avoue que cela me fait peur pour vous. L'air empoisonné de cette prison vous a tourné la tête, cette nuit! Tant de choses rôdent dans l'air... tant de vices, de pensées coupables et de regrets! Vous voilà malade d'un repentir qui ne vous appartient pas! Vous serez misérable! Vous serez avide de reconnaissance, comme tous les hommes, et je hais la reconnaissance et les bienfaiteurs! Je serai comme un pauvre qu'on rejette... Non, je vous assure, vous êtes fou, soyez raisonnable, retournez à votre chapelle, on aime bien vos sermons, vos messes et tout, personne ne vous comprendra si vous décidez de changer de peau soudain... Nos prisonniers seront pleins de mépris pour vous, car la société n'est pas meilleure ici, allez! Vous perdrez votre âme en vain, et pour moi ça ne vaut pas la peine... je ne crois plus à ma propre vie... Oui, ce serait une grave erreur... et ne craignez rien, je le ferai tout seul mon petit travail de rédemption, je n'ai pas besoin de vous, je me lasse très vite vous savez... je comprends toutes les formes de lassitude... Cela m'amusait de vous plonger dans la nuit, de vous enfermer dans mes ténèbres, mais maintenant le jeu m'ennuie! Vous êtes naïf, mon père, et vous l'avez dit vous-même, vous n'êtes pas prêt, le crime n'est pas beau, c'est le devoir de ceux qui l'ont commis de l'élever sans cesse, vous m'entendez dire: «Le crime est un cri, une révolution, la voie du crime est la plus difficile voie de la vie, un acte de révolte, une incandescente souffrance», mais ne m'écoutez pas, j'aime le son de ma propre voix, c'est tout. Dans la solitude, surtout, je me parle beaucoup à moi-même. Quand on fait de la mort toute son œuvre, il faut bien en parler avec triomphe! Qu'en pensez-vous, pauvre curé? Mais vous ne savez pas de quoi je parle, je sens cela dans votre regard inquiet, dans vos mains qui tremblent. J'ai eu tort de vous tenter, simplement pour recevoir votre compassion et la détruire sans gratitude. Non, ne me dites pas que je suis sauvé, ce n'est pas vrai. En tuant, je désirais peut-être le bien d'un autre, le bien, si vous voulez, à l'état pur, mais on abhorre un mal, alors cela ne signifie plus rien...» Dans un élan de pitié, Benjamin Robert sentit alors «qu'il voulait perdre sa vie, car l'enseignement du Christ nous pousse irrésistiblement vers la profanation des apparences, la franchise de Philippe, sa cruauté à vouloir détruire le faux prêtre en moi, semblaient réveiller un homme nouveau, un homme qui répudiait enfin le mensonge, mais cet homme fuyait encore la lumière, il se cachait en moi, avide de ma protection. Que craignait-il? Ce que je crains encore... le mépris des hommes!» Il me parlait souvent de ce mépris:

— C'est étrange, ma chère enfant, je pense parfois que ce clou que l'on enfonce dans la chair étonnée du criminel, cette haine qui le marque pour toujours, je pense parfois que le mépris des hommes est la plus grande épreuve du malheureux... Bien souvent il en fera un vêtement de fierté pour recouvrir sa faute, mais c'est un vêtement qui le souille plus que le souvenir de sa faute...

Les paroles de Benjamin Robert laissaient encore peu de traces en moi, car après avoir écrit quelques lignes où je ne parlais que de moi-même, je songeais déjà à rejoindre mes amis. Ma mère me touchait l'épaule en me regardant d'un air irrité:

— T'as pas le temps d'aider ta mère mais t'as le temps de sortir, coureuse. Où tu penses que tu vas comme ça?

— Pourquoi donc que vous voulez tout savoir?

— C'est écrit dans le quatrième commandement de ne pas répondre à sa mère. Honore ton père et ta mère. C'est écrit comme j'te parle.

— J'm'en vais au grand colisée voir la réunion des monseigneurs. Romaine Petit-Page joue dans *Les anges sur la colline.*

— C'est une pièce catholique, au moins?

— Les curés écrivent seulement des pièces catholiques, y paraît.

— T'as pas de respect pour la religion, Pauline Archange, t'as plus de respect pour rien, y manquait plus que ça... Va au moins te laver la figure avant de sortir...

Sur la scène du «grand colisée» (laquelle servait en hiver de patinoire pour les joueurs de hockey, leurs équipes bleues et rouges courant à genoux sur la glace fine, la tête enfoncée dans les épaules, poursuivant comme une méditation intérieure la rondelle noire, fugitive et brutale, car pendant que la foule hurlait, que sur les estrades tremblait un brouillard de visages et de mains, l'un deux tombait soudain, le front déchiré par un éclair de la balle intrépide), sur cette scène voltigeaient maintenant des anges sans grâce, dont le mièvre sourire semblait vouloir accueillir la rangée d'évêques debout au fond de la scène, lesquels attendaient dans une majestueuse impatience leur tour pour la cérémonie «du tricentenaire de Mgr Fontaine Mercier,» on les nommait un à un et le flot violet de leurs robes cheminait vers nous dans un déploiement de couleurs et de révérences «dignes des plus beaux oiseaux de ce monde!» soupirait Julien Laforêt, debout sur un banc à mes côtés, «quel spectacle, ma petite Pauline, cela me rappelle le XVIe siècle! Quelle dignité, quelle vanité superbe chez nos princes de l'Église! Cela m'émeut toujours, voilà ce que je deviendrai

177

plus tard! Nos évêques sont de grands comédiens, c'est admirable. Si seulement je pouvais avoir une soutane de ce rouge violent, en velours, je serais très heureux. Je vois Romaine qui nous fait un petit signe de la main... Ce faste l'impressionne, elle aussi. Elle vous aime beaucoup, vous savez. Elle dit que vous avez des dons. Vous regardez ma médaille? Ce n'est rien, j'ai toujours des médailles pour mes versions latines. Toute cette richesse historique sous nos yeux! Je ne l'oublierai jamais. Je reconnais Mgr Céleste, figure solitaire et pourpre dans le soleil de sa puissance. Comme il est beau! Si les autres étaient des princes, lui est un roi. Je ferais la même chose si j'étais à sa place. J'arriverais à la fin pour recevoir plus d'admiration encore. Je m'inclinerais ainsi devant la foule émue. Voilà les anges qui recommencent à valser sur les collines. Je préfère les évêques, ils ne sont pas purs, c'est vrai. «Être pur, c'est être sans mélange», comme dit Platon. Je ne suis pas ainsi. Eux non plus. À peu près tous les êtres humains sont en ce sens plus impurs les uns que les autres. À l'exception de notre amie Romaine Petit-Page. Elle, c'est différent. On dit que les enfants sont capables de pureté. C'est une illusion. Il est vrai que j'aurai bientôt treize ans, donc je ne suis plus un enfant. La vanité est un vice, mais est-ce un vice sacerdotal? Regardez les oiseaux, ils sont vaniteux. Toute la nature est vaniteuse. Tiens... Romaine sourit parmi les anges... je la préfère quand elle écrit ou joue du piano. Je me demande encore en lisant Platon s'il aime vraiment les poètes, c'est pour lui un être sacré, bien sûr, mais c'est peut-être aussi quelqu'un qui le fait sourire. Dans *La République*, il lui manifeste une vraie déférence, il le fait couronner de lauriers, verse de l'huile sur sa tête. Ah! mais attention, cela ne signifie rien. Dans *Le Phèdre*, dans sa hiérarchie des âmes, le poète n'est qu'au sixième rang, entre d'un côté le devin et de l'autre l'artisan, le paysan. Romaine n'aimerait pas m'entendre dire cela. Elle croit à l'aspect sacral du poète, vous comprenez? Dans tous ses poèmes, dit-elle, «elle donne de sa chair, de son sang...» moi je dis que c'est de la chair et du sang perdus. Elle dit que je suis «un intellectuel forcené, que mon imagination est utopique», c'est vrai, j'aime les contes de fée, comme les évêques dans toute leur splendeur, j'ai le goût de l'ordre, de l'unité comme un chef politique. Ah! l'unité dans l'œuvre de Platon, quelle vertu admirable! La pensée de Platon est éminemment exigeante mais surtout dans l'ordre de l'intelligence, elle est plus esthétique, peut-être ai-je tort... Si vous continuez à vendre des journaux et des calendriers, après l'école, vous ne pourrez jamais cultiver votre esprit, ma petite Pauline, et vous ferez longtemps des fautes en parlant. Je serai votre professeur comme avec mes sœurs. Six sœurs, c'est beaucoup. Elles ne lisent que des choses pieuses, ne veulent même pas entendre parler de Platon. C'est une joie pourtant quand on me parle de lui. Il reste que Platon trop facilement sacrifie le bien de l'individu au bien de l'ensemble, l'individu, après tout n'a pas cette valeur absolue qu'il a prise pour nous avec le christianisme. C'est fini, tout le monde s'éloigne... dommage! Je crois bien que je deviendrai cardinal, ou bien député. Romaine nous attend sur la scène. Venez, nous irons la rejoindre. Vous écrivez, Pauline? Eh bien continuez... vous ne pourrez jamais écrire aussi bien que Romaine, c'est impossible. Vous parlez trop des salons mortuaires dans vos poèmes, toujours des choses tristes. Romaine, elle, ne parle que des nuages qui filent sans bruit au-dessus de la mer, «du soleil qui tombe dans ses cheveux comme dans son âme», mais je dois dire que les nuages m'ennuient particulièrement. Tout le monde applaudit... c'est une vie dont je rêve, si je pouvais seulement avoir un grand manteau rouge et vivre pour toujours dans la piété et l'élégance d'un couvent entièrement drapé de velours...»

Mais Julien Laforêt semblait m'inspirer plus d'irritation que de respect lorsque je parlais de lui dans mon cahier: «Avec ses cheveux en brosse et son nez comme un bec d'aigle, il a l'air gentil comme ça et on voudrait le croquer comme un bonbon rose, mais si Romaine Petit-Page savait comme c'est un chat hypocrite, au fond, ce garçon-là! C'est un tigre qui se cache. Moi j'ai pas peur de lui, c'est seulement un péteur de broue. Tu parles d'un chanceux, Romaine Petit-Page l'appelle «mon ange blond, mon prince doré», c'est pas moi qu'on appellerait comme ça. C'est parce qu'il a une grosse tête et qu'il parle bien. Après la fête des monseigneurs, on est tous allés au restaurant de la Boule manger des gâteaux et de la crème glacée. Julien Laforêt parlait encore d'une voix fâchée, mais moi je dis jamais rien avec la bande de Romaine, j'ai trop peur de pas savoir comment parler...» Julien pouvait aussi exaspérer Romaine Petit-Page lorsqu'il exprimait, en martelant ses phrases de coups de tête obstinés, «une grande admiration pour nos politiciens»... Délaissant la main de son fiancé qu'elle caressait sur la table, telle une pomme dont elle eût mélancoliquement cajolé la forme, Romaine se dressait sur sa chaise avec indignation:

— Ah! taisez-vous, disait-elle, vous n'êtes qu'un enfant... Je dirais même... un nourrisson! Vous n'étiez pas au monde quand nous, malheureux poètes, n'avions pas même la liberté de lire Balzac. Vous aimez donc cette ignorance de nos politiciens? Non, ce n'est pas possible. Je vous connais. Vous êtes intelligent et pur, vous aussi. Ne changez pas. Ne quittez pas notre univers. (Elle touchait du bout des doigts la nuque de son fiancé souriant et impassible.) Ah! troublant parallèle des cœurs qui battent hors de l'heure, dans l'éternité du beau et de l'espoir...

— Quand un homme est là pour gouverner, dit Julien, sèchement (il avait baissé les yeux, toutefois, légèrement effrayé par son amie), c'est son devoir de dominer, d'écraser son peuple. C'est un être de vie, de mobilité, de souplesse comme l'océan, comme la mer! Il brise tout sur son passage. D'ailleurs, Platon qui est un philosophe de vie...

— Mangez votre gâteau, mon chéri...

— Le chef politique, après tout, n'est pas un pasteur chargé de la sauvegarde de son peuple — non, il est l'homme qui sait, l'homme qui peut, le maître d'une force suprême!

Romaine Petit-Page regardait Julien sans l'écouter, songeant avec nostalgie aux heures de passé où Julien, soumis et adorateur, avait joué dans son *Théâtre Ambulant pour la Jeunesse*, au temps où elle écrivait elle-même les pièces qu'elle jouait, réalisant dans les salles paroissiales des villages perdus, pour un public qui ne savait souvent pas lire ni écrire, ce rêve de la vertu et de l'innocence, dont Julien, parmi d'autres collégiens, incarnait pour elle la dérisoire passion de pureté, car devant un visage de chérubin, elle cédait malgré elle à la mythologie de son œuvre, et victime de son imagination, elle aimait en Julien ce qu'elle idolâtrait en elle-même, mais de tous les amours, l'amour de soi, toujours menacé par la vie, lui semblait encore le plus douloureux comme elle l'écrivait elle-même dans ses lettres à Julien: «Mon âme d'enfant, c'est vous qui la portez. N'en cassez jamais le fil vierge. Vous êtes pour moi la rose et l'épine nécessaires.» Elle voyageait auprès de son fiancé taciturne et gracieux et tous les deux écrivaient à l'étranger des romans dont ils ne cessaient de vivre le thème dans l'existence quotidienne, leurs regards et leurs mains se rencontrant toujours dans la même extase, un bonheur sans trouble dont ils connaissaient seuls l'exquise jouissance. Complice de cet amour exilé, Julien recevait encore les lettres de Romaine. «Ne m'oubliez pas, suppliait-elle, priez pour moi, mon petit Julien chéri que j'aime tant, que j'aimerai toujours, je revois votre visage baigné de larmes à l'heure de notre départ, cette absence sera dure pour vous, je le sais! Comment osez-vous m'écrire que l'amour de mon fiancé est contre vous? Mais vous êtes une partie de Louis et moi. N'avez-vous pas aimé Louis comme un frère idéal, un frère aîné supérieur à vous? Nous serons toujours là pour vous aimer, vous qui n'avez pas de parents. Je ne vous connais pas vraiment, écrivez-vous aussi. Mais ce n'est pas vrai. Je vous imagine, je rêve à votre image, n'est-ce pas déjà ce que vous êtes pour moi?

Imaginer un être fictif, c'est déjà frôler cet être, vivre de ses qualités magiques. Celui qui, sans le savoir peut-être, nous donne le goût de créer, d'inventer, n'est-il pas quelqu'un qui mérite d'être aimé? C'est ainsi que je vous aime. Mais dans cette région haute où règne mon affection pour vous, rien ne peut vous atteindre, nous sommes miraculeusement amis. Il faudra un jour, quand vous serez grand, faire un beau voyage tous les trois. Pourquoi se priver de cette joie toute pure, doux rêve de votre adolescence merveilleuse que je garde en moi, toujours intacte — car elle le sera toujours, n'est-ce pas, cette partie de moi qui est tendre et naïve, toujours émue par les pluies de printemps... Vous vous souvenez mon chéri de cet été féerique...»

Romaine aimait sincèrement ceux qu'elle invitait à partager son royaume artificiel, et Julien, qui l'avait d'abord admirée pour ses nombreux talents, mais dont l'admiration commençait à faiblir, eût bien voulu l'aimer avec la même dévotion, mais l'ornement de cette amitié, la coquetterie dont elle était parée, avaient perdu pour lui leur séduction. Ce voile éthéré d'un rêve de tendresse, «ce rêve ténu comme un secret qu'on chuchote à l'oreille», disait-elle, il l'éprouvait maintenant comme une étoffe poisseuse sur sa vie, une menace à la rigueur intellectuelle à laquelle il aspirait. Mais comment ne pas éprouver pour elle, en même temps, la pitié que vous inspirent les gens qui se sont humiliés devant vous, dont l'innocence n'est qu'un ridicule vêtement de noirceur jeté sur la vie réelle qu'ils ne pourront jamais comprendre ni accepter? «Ces heures d'autrefois ne reviendront plus», pensait Romaine Petit-Page en regardant Julien qui dévorait son deuxième gâteau — et cet appétit sensuel l'offensait comme une trahison — «Il m'aime moins, peut-être avec mes cheveux longs, pourtant je ne change pas et mon amour est immuable pour lui... Les gens qu'on aime ne changent pas...» Puis elle me regardait avec douceur, avide de cette image d'elle-même qu'elle cherchait au fond de mes yeux.

— Vous savez que j'ai pleuré des larmes abondantes, de vraies larmes de source en lisant votre poème sur la mort de Séraphine. Mon fiancé était près de moi et nous versions des larmes recueillies et vaines, je le sais bien... car il est trop tard, Séraphine a franchi le portique des colombes, elle a suivi la trace des anges... Mon Dieu, déjà six heures et je dois chanter pour les petits à la radio, à sept heures, il faut partir mes amis... N'oubliez pas vos calendriers, Pauline....

Mais je n'étais plus triste en me séparant de Romaine Petit-Page et de ses amis. Julien Laforêt me serrait violemment la main sans me regarder:

— Souvenez-vous toujours de nos princes de l'Église dans toute leur majesté, cet après-midi, n'oubliez jamais la dignité de ce spectacle!

Je courais vers la rue chaude, déserte...

Ce mur social qui semblait avoir toujours protégé les riches de notre regard, ne tombait-il pas parfois, quand l'une de nous, en vendant des calendriers, pénétrait le secret des familles, s'approchait furtivement du salon où jouaient des enfants bien vêtus — les restes d'un repas parfumé traînaient encore sur la table — et restait là, émue et tranquille, au seuil de la maison qui livrait ainsi ses habitudes, sa confortable agitation? La petite fille qui lisait, couchée près de son frère, celle qui ressemblait à une longue bête avec son cou agile et ses jambes trop fines, était-ce bien vers celle qui n'était que de passage, qu'elle levait ce regard confiant et moqueur?

— Tu vas voir. Ma mère va te raconter sa vie. Comment tu t'appelles?

— Pauline Archange.

— C'est pas un nom à coucher dehors comme le mien. Bellemort. Michelle Bellemort. On prononce *Bellemare* pour ne pas porter malheur, tu comprends. J'aime donc pas l'étude. J'ai été un an couchée sur une planche, à cause de mon dos. J'aime seulement regarder par la fenêtre.

La mère sortait de son corsage généreux un petit sac rempli de pièces de vingt-cinq sous:

— Le docteur et moi, nous aimons encourager les scouts. Ils tiennent toujours la bannière pour la fête du saint sacrement au mois de mai...

— Non, madame, c'est les croisés de Jésus qui tiennent les bannières. Nous autres, on meurt pour la patrie.

— Ah! bon! Mon mari et moi nous encourageons toutes les bonnes causes. Sans exception.

Elle se tournait alors vers sa fille:

— Amène-la dans ta chambre pour lui montrer tes livres, enfant gâtée. Nous avons eu bien peur de la perdre, vous savez, si elle n'est plus infirme aujourd'hui, c'est un miracle. C'est parce que son père et moi nous l'avons aimée à la folie. Et on dit que l'amour et les prières sont capables de guérir. Ce qui est vrai. Elle ne s'intéresse plus à rien. Elle fait pourtant ses études chez les Ursulines de la Divination, mais elle ne veut pas apprendre. Nous lui donnons tout ce qu'elle veut, le docteur et moi. Une bicyclette, imaginez-vous! Si j'avais eu un pareil cadeau à son âge... enfin, moi je n'étais pas aimée à la folie, mais aimée avec mesure, ce qui est toujours plus sage. Vous voyez comme elle a grandi, malgré tout, tout en étant couchée comme une pauvre morte pendant un an! Elle est toute en jambes, maintenant!

— Je l'avais dit, maman, que tu raconterais ta vie, hein?

— Et avec ça qu'elle a toujours raison! Tu n'as donc pas compris que le Bon Dieu, dans sa miséricorde, et ennuyé sans doute comme je le suis moi-même de te voir toujours immobile à la fenêtre de ta chambre, rêvant à je ne sais quoi, le Bon Dieu, n'en pouvant plus d'impatience et de bonté, t'envoie une amie.

— J'ai pas besoin d'une amie, maman. Je regarde par la fenêtre.

— Ah! Et que vois-tu de ta fenêtre? Le ciel... les nuages... rien de particulier... le fils du menuisier qui scie du bois toute la journée pour son père...

Michelle obtenait de ses parents tout ce qu'elle désirait, les armoires de sa chambre débordaient de robes et de souliers qu'elle ne portait pas, elle qui refusait de sortir, et cette chambre qui était pour moi le lieu du désir des choses, n'était pour elle «que la prison où elle avait vécu sur le dos comme une araignée qui bouge faiblement ses pattes au soleil», et, insensible aux présents qui l'avaient entourée, elle n'avait connu qu'une seule joie dans son immobilité: «Regarder par la fenêtre...»

— C'est sur le dos que je voudrais vivre. Tu vois ce

garçon de l'autre côté de la rue? C'est le mien, mais il ne le sait pas. Il ne me voyait pas quand je l'observais, la tête sous les rideaux. Maintenant, je suis guérie, et je perds mon temps à étudier le latin quand je serais si bien ici, à ne rien faire et à penser comme je veux! Quand il sciait du bois pour son père, je sciais du bois avec lui, comme ça, de loin, en pensant à lui. Mais mon corps, lui, ne bougeait pas, comme quelqu'un qui ne frémit pas dans son sommeil. C'est vrai que mon dos était lourd comme une pierre quand je respirais. Mais nuit et jour je pensais à lui et mon dos faisait moins mal. Quand il avait soif et courait boire un verre d'eau, comme j'avais soif avec lui, moi aussi! Les jours où je ne le voyais pas, je savais qu'il jouait à la balle dans le champ de trèfles à côté, et j'avais hâte de le revoir, tout essoufflé avec ses cheveux roux sur son visage! J'étais si bien avec lui quand je vivais sur le dos et personne ne le savait! Maintenant, regarde-moi, maman a raison, je suis grande comme une perche, et s'il me voyait, il ne m'aimerait pas. Mais il ne me verra peut-être jamais.

— Tu lis, des fois?

— Non. J'aime seulement la fin des romans d'amour. En tout cas, j'ai commencé mon trousseau, mais je sais bien qu'il ne voudra jamais me marier, je suis trop jeune pour lui. J'ai rempli mes tiroirs des vieux soutiens-gorge de maman, ce sera peut-être utile un jour. En attendant ça soutient moins que l'ombre de rien. Maman dit «qu'on plaît aux hommes avec une gorge naissante», mais quand il n'y a pas de naissance, on ne va pas bien loin, je t'assure! Je dois donc me préparer à être une vieille fille avec des moustaches et un dos crochu comme mes propres tantes. Quand j'étais couchée, j'aimais voir les enfants qui marchaient vers l'école; il me semblait que je pourrais les suivre jusqu'à leur banc, dans la classe, que mes yeux emporteraient mon corps comme des ailes et qu'avec mes yeux seulement, je pourrais tout voir et tout apprendre. Maintenant, je ne veux même plus ouvrir un livre. C'est comme ça quand on vit sur ses jambes, on ne sait plus ce qu'on veut.

Auprès de Michelle, qui restait encore de longues heures allongée près de la fenêtre pendant que je lisais ses livres, ne s'adressant à moi que pour me poser des questions frivoles: «Dis-moi vite si cela finit par un mariage? Est-ce qu'il l'aime un peu malgré tout? Je sais bien qu'elle n'est pas digne de lui, comme dans tous les romans, mais dis-moi quand même s'il a pitié de sa virginité perdue et s'il l'épouse enfin, il le faut absolument, je ne pourrai pas encore dormir cette nuit... Lis tout de suite la fin, comme ça, tu vas tout savoir...» je découvrais ce songe intérieur qui l'avait hantée si longtemps, à la fenêtre et je comprenais pourquoi elle n'avait jamais eu un regard attendri pour toutes les choses qu'elle possédait, elle ne désirait plus des jouets ou des livres, elle désirait les êtres, et la distance qui la séparait du garçon inconnu dont elle avait observé tous les gestes, cette distance devenait pour elle un tel lien de délicatesse et de pudeur qu'elle ne savait plus comment la briser pour le rejoindre... «C'est une histoire absurde, disait la mère, lorsque j'étais seule avec elle, et d'abord, mademoiselle, est-ce qu'on aime à votre âge, dites-moi? Non, ce n'est pas possible. Ou bien l'amour est une névrose. Michelle a toujours été précoce, sans être très intelligente, car elle n'a jamais bien réussi chez les ursulines. Elle a toujours pensé au mariage, ce qui n'est pas normal. Et son père et moi qui avions tant rêvé d'en faire une femme de carrière... Le mariage n'est pas une vocation, dans la vie. Mais dites-moi, Pauline, si elle l'aime, le fils du menuisier, elle n'a qu'à traverser la rue, elle le verrait de près ce qui lui ferait du bien, il a des taches de rousseur sur le nez, c'est un petit sans avenir, et dire que j'avais rêvé pour elle d'un professionnel! Enfin, comme vous le savez, je serais prête à lui donner la lune, et si elle soupire encore dans dix ans, elle l'aura, le fil du menuisier! Mais elle pourrait tout de même attendre, j'ai attendu jusqu'à la maturité de tout mon être, moi! La morale de tout cela, mademoiselle, c'est que le docteur et moi, nous avons trop adoré notre fille, et le Bon Dieu qui est très jaloux, nous le savons, nous punit du haut du ciel!»

Les heures que je passais à lire, dans la chambre de Michelle, étaient souvent interrompues par ma mère, qui, lasse de me téléphoner, décidait de venir me chercher elle-même, chez Mme Bellemort, mais c'était pourtant avec une timidité semblable à la mienne qu'elle franchissait ce seuil, cachant la tête de Jean dans sa jupe, elle demandait humblement:

— Pauline Archange est ici?

— Entrez donc, madame, je vais l'appeler. C'est une bonne petite... cette Pauline, je l'aime beaucoup!

— J'ai toujours pensé qu'elle avait le cœur dur comme un roc, répondait ma mère, puis elle se taisait avec méfiance.

Mme Bellemort se penchait vers Jean, elle lui touchait la joue maternellement:

— Comme il est pâle! Est-ce qu'il va bien?

— Il a une oreille qui coule, on sait pas pourquoi.

— Je vais appeler mon mari. Le brave homme n'a pas de patients et il s'ennuie. C'est un rêveur, comme sa fille. Savez-vous ce qu'il fait, madame, toute la journée? Il regarde ses crayons et ses dossiers et il pense. Ce n'est tout de même pas raisonnable. Quand il pourrait sauver l'humanité entière! Quelle famille! Heureusement, je suis la secrétaire et l'épouse du docteur et je ne le laisse pas rêver du matin au soir, je lui trouve des malades. Passez donc, là, dans le corridor et puis dans son bureau à droite: je vais le sortir de sa rêverie. Parfois, c'est long. Dans sa création si belle, si parfaite, avouez, madame, que le Bon Dieu a créé des animaux bizarres...

Sur le chemin du retour, ma mère nous grondait amèrement sous le regard des voisins, lesquels semblaient nous suivre avec le bercement de leur chaise, sur le balcon...

— Mais à quoi donc que tu penses être amie avec la fille du docteur de la paroisse? (puis elle secouait l'épaule de Jean qui pleurait doucement) toi, mon Jeannot, t'es la cause de mon humiliation devant ces gens-là! T'aurais pas pu me le dire, non, que tu mangeais ta couverture, la nuit? J'pouvais pas le deviner, j'ai pas seulement toi au monde à penser! As-tu déjà vu ça se remplir l'oreille avec des morceaux de laine et du linge? T'étais en train de devenir sourd comme un pot, le docteur a dit. Tu me déshonores. Non seulement t'as sucé ton pouce jusqu'à ce qu'il devienne petit comme un pois, jusqu'à l'âge de trois ans, mais maintenant qu'on t'a guéri de c'te manie-là avec des mitaines, tu en commences une autre! Tu te fais des nids dans les oreilles comme si t'étais un oiseau, pleure pas, c'est inutile...

— C'est parce qu'il a besoin de distractions quand y dort, c'est la mère de Michelle qui a dit ça.

— Toi, je t'ai pas demandé ton avis, Pauline Archange. Quand je pense à la disgrâce de tout ce qui sortait de cette oreille-là... Qu'est-ce qu'ils vont penser de nous autres, ces gens-là?

Il y avait dans les réprimandes de ma mère, sous son apparente sécheresse, une noblesse si touchante à vouloir nous protéger de l'humiliation que ce sentiment me faisait mal pour elle. Je retournerais encore chez Michelle, mais désormais il y aurait «un moment de honte» entre nous; en pénétrant le secret de l'oreille cireuse de Jean, on avait pénétré notre négligence, notre misère...

TROISIÈME CHAPITRE

Quand je disais à ma mère: «Nous autres, on fait une séance dans le hangar, ceux qui veulent venir, ils n'ont qu'à payer cinq cents par tête!», elle s'écriait alors dans son indignation jalouse:

— On dirait que tu sais plus quoi inventer pour être égoïste, je te le dis, Pauline Archange, ton père n'aimera pas ça quand y va découvrir que t'as encore pris son chapeau de castor pour faire du théâtre. Hier, tu volais les draps pour t'faire des draps de scène, y a tout de même des limites! Ton père va chasser tout ce monde-là qui nous arrive dans la cour, sur leurs bicyclettes et ce sera fini, net comme j'te parle, tes séances!

Mon père défonçait nos décors de carton, me dépouillait sur la scène «du manteau et du chapeau de saint Christophe marchant sur les eaux...»; il exprimait ainsi, peut-être, la crainte de l'imagination que je lui inspirais, impatient de détruire en moi ce qui le menaçait en lui-même.

— Ça va te montrer qu'y faut pas se prendre pour le nombril du monde! Tu les as vus déguerpir comme des guêpes, hein, tes amis? T'as compris, j'veux pas de séances dans ma cour! As-tu compris une fois pour toutes? T'as la tête plus dure qu'une mule mais c'est moué qui va gagner! Mon père, lui y gagnait toujours; quand y disait à droite, on allait à droite et pas d'histoires! On était à genoux devant lui parce qu'on le respectait. Mais les enfants d'aujourd'hui respectent plus rien, pas même leur père qui est sacré! T'as même trop d'orgueil pour t'mettre à genoux devant moué le matin de l'la bénédiction du jour de l'An! C'était pas comme ça chez mon père. On s'jetait à ses pieds tous les gars ensemble pour avoir sa précieuse bénédiction, tous les seize, ouais! On n'avait pas de cœurs sans reconnaissance, nous autres! On vénérait nos parents jusqu'à la pâmoison et jusqu'à l'adoration, même quand on était battu. Y a la nécessité de punir quand c'est l'temps! Prends ta leçon pis cesse de bougonner. Mon beau chapeau de castor de cinq piastres, ma parole, tu penses qu'j'suis un millionnaire!

Et il ajoutait, excitant davantage ma colère:

— Ta grand-mère, ça, c'était une femme de talent! Elle savait traire les vaches et pis tout faire comme dix hommes! Elle était debout à cinq heures, elle travaillait, elle, elle traînait pas par les rues, elle j't'assure! Et pis c'était une vraie raconteuse, pas de rideaux, pas de scène, avec elle, elle vous parlait tout cru dans la figure avec sa marmaille autour, l'soir, près du feu, sa couture sur les genoux, le visage tout plissé par le froid, et quand elle commençait à parler, j'te mens pas, les bébés cessaient d'brailler dans leur ber, c'était pas des choses inventées, elle qu'elle disait, c'était des contes avec de l'eau et des arbres, ça n'avait pas de fin, elle savait pas même lire ni écrire, mais elle parlait cent fois mieux que tous les livres que tu lis!

L'austère silhouette de ma grand-mère debout «au bord de son champ», couvrant l'horizon de son regard décidé, l'esprit lourd et sans rêve que j'imaginais sous ses cheveux rares ne cachait pas pour moi ce mystère dont parlait mon père. Sur son lit d'agonie, sa grosse tête enfouie dans l'oreiller, elle regardait son petit-fils Jacob qui tuait les mouches en les enfermant vivantes dans un bocal et grognait amèrement:

— Regarde ces vieilles mains sur le drap, mon Dieu, elles feront plus rien à ton service! La faux va les couper comme des racines noires! Toué aussi on va te couper à la racine, mauvais Jacob qui vis avec les porcs. J'm'en vais prier pour ton âme au paradis et t'garder pour toujours sous mes yeux comme font les fantômes. Compte sur la miséricorde du Bon Dieu quand même t'aurais péché mille fois. Des mains tordues, paralysées! Si c'est pas un malheur de mourir! Toué, Jacob, va me chercher de l'eau, j'm'étrangle dans mes prières. Qu'est-ce qu'elle va dire la Sainte Vierge quand elle va voir mes vieilles mains qui ont tant changé, elle qui a de si belles mains, à ce qu'y paraît... Va-t'en donc, mauvais Jacob, c'est pire qu'une malédiction t'avoir dans la chambre et y faut que j'pense à mon repentir, toué t'es un possédé, ton père l'a dit, y faut donc que j'm'éteigne toute seule comme un lampion pour le rosaire, au mois de mai, va-t'en, toué, j'veux donc pas que tu m'voies m'éteindre avec ma figure en grimace...

Ma grand-mère emportait dans la mort une vision du monde bordée de forêts noires et le souvenir de cette campagne désolée, laquelle lui semblait habitée par les quelques êtres qu'elle avait mis au monde (car dans le silence de la mort c'est à peine si l'on entendait leurs chuchotements près du lit), ce souvenir était pour elle un souvenir heureux.

— Oui, ta grand-mère a soupiré quatre fois: «C'est mon champ qui s'en va! Mon champ qui produit rien de bon, mais c'est ma terre qui s'en va, c'est la faux qui passe dessus!» Tu peux pas comprendre ça les sentiments, Pauline Archange, t'es trop gâtée!

— En tout cas, moi j'serai pas une cruche comme grand-maman qui savait même pas lire et qui signait son nom avec une croix, c'est de la vraie honte à soixante-dix ans! Julien Laforêt, y a appris à lire et écrire quand y avait quatre ans, et tout seul, à part ça. Il était pas plus haut que trois pommes et il écrivait son nom sur une ardoise! Mon père haussait les épaules sans répondre. Je pensais soudain à Julien avec envie. On le respectait, on l'aimait. Les beaux soirs d'été, à la campagne auprès de sa famille, debout sur un rocher, il lisait ses dissertations françaises à ses sœurs qui l'écoutaient en trempant timidement leurs pieds dans la rivière. Vêtu d'une brève culotte bleue, les bras levés vers le ciel, il discourait «sur la nature qui l'écoutait... Ah! mes sœurs, écoutons la campagne à notre tour, soyons attentifs au chant de la source comme à la mélodie de la voix humaine... Ne ris pas, Gabrielle, la nature est grave et je suis sérieux. Je parlais donc de la tristesse chez Chateaubriand, vous me suivez?

— Oui, répondaient-elles en chœur.

— Les devoirs de vacances sont les plus beaux! J'imagine déjà la joie de mes professeurs lorsqu'ils liront ceci: «Jusqu'à quel point la mélancolie de Chateaubriand est-elle chrétienne?» (Car je suis un lèche-curé.) Lorsque Chateaubriand, croyant résumer sa conception du christianisme déclare: «Le chrétien se regarde toujours comme un voyageur qui passe ici-bas dans une vallée de larmes et qui ne se repose qu'au tombeau», il exprime une vérité profondément chrétienne...

— Oui, oui... répétaient ses sœurs.

— Taisez-vous! Oui, pour nous, fidèles du Christ, il n'y a qu'une seule réalité,notre salut! Et ce salut éternel doit canaliser tous nos efforts... (Menteur et courtisan, va!) Bien sûr, cela n'émeut pas vos âmes féminines, mais je continue, car la campagne céleste m'écoute. Cependant, Chateaubriand oublie que si, d'une part notre fin ultime et nécessaire est le bonheur du ciel... d'autre part, nous devons tendre de toutes nos forces vers le bonheur ici-bas. Selon saint Thomas d'Aquin, il faut le construire progressivement, sachant bien cependant qu'en ce monde nous ne pouvons le goûter qu'imparfaitement, incomplètement, devrais-je dire. Et si le christianisme nous détourne des choses de la terre, c'est seulement lorsque nous les croyons une fin en elles-mêmes! Au contraire, c'est lui qui nous apprend que, parce qu'elles viennent de Dieu, notre créateur, elles ne peuvent que nous diriger vers Lui... L'un des plus grands saints, saint François d'Assise n'était-il pas un saint joyeux? (Mon professeur dirait: «Avec saint Thomas d'Aquin et saint François d'Assise, vous êtes en bonne compagnie!») Vous, mes sœurs, animaux inférieurs de la création, n'avez-vous jamais senti la mélancolie de Chateaubriand?

— Oui, oui, oui.

— Alors, c'est très mal. Souvenez-vous que cette tristesse vague n'est pas chrétienne en son essence, puisque l'espérance du chrétien fervent exclut la tristesse des passions. Et qu'est-ce que la passion? C'est un sentiment noble qui exige une grande élévation d'âme. Ainsi la définit mon amie Romaine qui admire Lamartine. Ainsi, dit-elle, «le poète des *Méditations*, dans ses vers constamment dépouillés de sensualité, ne s'abîme pas dans des descriptions physiques de l'être aimé dont il ne parle toujours qu'avec discrétion, «effleurement». Mais vous, mes sœurs, méfiez-vous de l'effleurement, c'est dangereux. Songez plutôt à l'union de deux cœurs, de deux âmes:

Comme deux soupirs confondus
Nos deux âmes ne forment plus
Qu'une âme...

Ah! le soleil se couche dans sa robe papale! Comme c'est beau! «À travers l'être aimé, me disait Romaine, hier, il faut voir Dieu qui est notre palier vers la lumière.» Enfin! Mais l'être aimé vient-il à disparaître, quelle douleur pour le poète! «Le soleil des vivants n'échauffe plus les morts.» Regardez le soleil qui disparaît derrière la montagne, vous ne le reverrez plus! Quand vous vous déshabillez, le soir, pensez-vous à cela parfois? Que le jour achevé ne reviendra plus! Telle est la durée éphémère des jours heureux, ils fuient inexorablement.

— Oui, oui, oui!

J'allais parfois chez Julien, avec Romaine Petit-Page et ses amis «faire des pique-niques d'art» comme elles les appelait, ces heures étaient mélancoliques car je ne sentais pas en moi la grâce des sœurs de Julien à qui Romaine apprenait la danse sous les arbres, ni l'effervescence de son fiancé Louis, dont la chevelure touffue, les yeux chavirés, jetaient sur la platitude des poèmes qu'il récitait un halo romantique:

Ô mes muscles, vous dormez,
Comment vous éveiller
De cette incubation?

Vous dormez, comme l'huître,
On blesse l'huître pour la perle,
Mais l'huître enrichie d'une perle
N'est-elle pas enrichie d'une faiseuse de perles?
La perle correspond à son huître
Comme le coup de couteau
Au ventre ouvert,
Combien pathétique cette acceptation du motif
Qui accepte le coup,
On coupe la branche qui ne participe
pas à la mission de l'arbre,
Ô Arbre, ne condamne pas ta branche
C'est le bras de Dieu qui s'agite...

— Ah! soupirait Romaine Petit-Page, comme il faut aimer pour écrire ainsi! Combien de fois ai-je senti, moi aussi, mon Louis bien-aimé, un poème en gestation dont le désir paralysait même mon expression. J'allais très humblement à sa recherche, et j'en rapportais, pauvre pêcheuse de lune, une relique imprévue, oui, un véritable reflet d'infini. Mais n'est-ce pas toujours ainsi? Car créer, c'est s'approcher du ciel, «si vous n'êtes pas comme le petit d'entre les miens, dit Jésus, vous n'entrerez pas dans mon royaume». Il faut être un enfant pour aller au ciel après la vie humaine, n'est-ce pas Julien?

— C'est un fait que la science n'a pas encore confirmé, dit Julien, d'ailleurs... toutes nos actions humaines...

— Bon. Assez. Laissez parler les grandes personnes, mon chéri. Je dirais même que mon fiancé a le génie de l'enfance. Il sera un grand poète. Vous vous souvenez, Louis, de nos radieuses nuits d'illumination à Paris? Je vivais des expériences... merveilleuses! Un mariage de poètes est une union si pure, le corps des poètes n'est que parfums et élégance! Je me souviens de votre tête, Louis, qui reposait sur mon épaule, un autre adolescent, très beau, très mince, un jeune écrivain comme nous, lui aussi, dormait sur mon lit. Nous l'avions peut-être recueilli dans la rue car je ne me souviens pas de ce qu'il faisait là, dans ma chambre. Mais je me souviens de cette visitation divine qui liait nos gorges, déchirait nos poitrines, ce souffle que j'avais toujours accueilli seule, tout effrayée et émue dans mon indignité, cette présence de la bonté, du divin appel, de la certitude, tout cela, dont je vous parle en tremblant, car j'éprouve encore beaucoup de vertige à parler de moi, une sorte de pudeur, vous comprenez? Eh bien, cette souffrance, je la partageais enfin avec mes deux compagnons. Je la retrouvais dans vos yeux de biche, Louis. Dites-moi que vous la ressentiez aussi. Car je vous ai vu, mon ange, vous transformer devant moi, respirer dans l'au-delà, vous aussi, tendre les mains pour saisir une forme de beauté si évidente qu'elle semblait là, près de nous, modelée dans le vide comme un nuage, et transie, étranglée d'un silence supérieur, je vous regardais, mon amour, avec le respect qui nous vient devant le geste du prêtre. Oh! Julien, vous êtes orgueilleux et précoce, vous ne pouvez pas comprendre l'innocence de mon petit Louis, la douceur de ses poèmes! N'est-ce pas, Louis, que cet instant était si beau entre nous, à Paris, si étrange que nous avons pleuré tous deux de nos limitations en remerciant Dieu de sanctionner ainsi l'œuvre à faire avec des moyens si humbles! Comme je voudrais qu'ils sachent cela, tous ces autres, ces artistes torturés, que je voudrais leur dire que pour eux, surtout, «le Seigneur est un berger». Combien me faudra-t-il accomplir de choses pour mériter d'avoir vécu une telle heure?

— Allons cueillir des pommes, dit Julien Laforêt, tendant vers moi sa main impérieuse, allons, ma petite Pauline!

Je marchais silencieusement à ses côtés mais il s'écria:

— Taisez-vous, Pauline, les femmes devraient toujours se taire. Quand j'écoute notre amie Romaine, j'ai toujours faim, je veux manger des pommes, j'aime la vie terrestre, moi! Mais vous, Pauline, écrivez des mauvais poèmes mais je vous défends de les lire à haute voix: c'est trop pénible. Vous bâillez? Reposez-vous donc ici, sous cet arbre, je vous parlerai de Platon. Ne vous rongez pas les ongles, c'est une mauvaise habitude. Il fait si chaud et si bon! C'est un beau jour pour penser à Platon! Regardez le soleil qui brille à travers les branches, telle est la vie qui passe et ne revient plus! La pensée de la vieillesse m'obsède beaucoup. Et vous aussi, peut-être. Mais quand il fait beau, je pense à Platon. Platon et l'amitié. Un jour, ce sera le sujet de ma thèse. Je pense à cela sans cesse. J'ai déjà trois carnets remplis de notes et jusqu'ici, je ne les ai montrés à personne. J'ai un ami, André Chevreux. Il sera peut-être digne de les lire un jour. Mais sa sensibilité est supérieure à la mienne car il a l'humilité chrétienne que je ne pourrai, hélas, jamais acquérir. Et la grande question qu'il faut précisément se poser, ma chère Pauline, est celle-ci: «Ce qui rapproche deux êtres, est-ce le fait d'être semblables ou contraires l'un à l'autre?» Homère a pourtant déjà répondu à cela, en laissant entendre que l'identité, la similitude est ce qui pousse les individus les uns vers les autres. Mais le vertueux rechercherait-il ceux en qui il trouve la vertu? Pas toujours, je le crains. Et on dit que l'homme bon, dans la mesure où il est bon, se suffit à lui-même, bonheur qu'il m'arrive même de connaître, mais brièvement. Fermez les yeux, Pauline, je n'ai pas besoin de vous: je sais que vous m'écoutez dans votre sommeil. Il importe donc pour moi de saisir le mouvement de la pensée de Platon et de rechercher la raison d'être de l'amour. Et l'amour est la recherche du bonheur. Et la recherche du bonheur est l'enfantement dans le beau.

Socrate explique que tous les hommes sont féconds selon le corps et selon l'esprit: découverte heureuse. Aussi, quand vient l'âge, ont-ils le désir d'engendrer. C'est l'œuvre divine car, dit-il, par l'engendrement qui le perpétue, l'homme participe à l'immortalité de la divinité. Et vous, vous dormez, Pauline! Cet enfantement, pour sa réalisation, demande la présence de la beauté et de l'harmonie car «le laid ne s'accorde jamais avec le divin tandis que le beau s'y accorde!» L'amour devient donc une recherche du bien. Ce désir du bien qu'a tout homme implique donc de sa nature un vœu d'immortalité. Et, il faut en convenir, c'est cette immortalité que recherchent l'homme et la femme en s'unissant. Mais, comme je le disais plus tôt, l'homme est aussi fécond selon l'esprit, ce qui sera je l'espère, Pauline, ma fécondité et la vôtre. Vous êtes malheureusement encore dans les limbes de l'enfance, mais l'âpre maturité nous guette tous! Enfin, notre esprit peut engendrer à son tour la sagesse, la prudence, la justice, toutes les autres vertus ainsi que tous les œuvres des poètes et des artistes. Quelle riche procréation! Telle est «la vocation de l'amour», mais d'un amour selon l'esprit, bien entendu. Nos passions érotiques doivent donc se transformer en des sentiments mystiques, ce que m'a appris notre amie Romaine, mais je me demande parfois si elle a raison.

Quand je tombais de sommeil pendant les discours de Julien, il me laissait seule, la tête appuyée contre un arbre, puis il venait vers moi quelques minutes plus tard, les bras chargés de pommes qu'il laissait tomber à mes pieds en riant:

— N'ayez pas peur, c'est moi! Ces pommes sont délicieuses, c'est la cinquième que je mange... Oui, comme je vous le disais il y a un instant, quel est donc le rôle du philosophe en ce monde? Avons-nous seulement un rôle? Nous ne sommes pas, comment dire, «des marchands de culture», ce qui serait une noble mission, mais notre devoir n'est-il pas de guider les hommes vers la vérité? Ce qu'il faut bien savoir, c'est que le sage — et ici, le sage, c'est moi — lorsqu'il est parvenu seul à la contemplation des grands mystères se doit de revenir à ses frères moins fortunés, donc à vous, ma petite Pauline, pour les entraîner malgré eux «à la saisie de l'Être». Ah! comme je rêve d'être cet homme qui délivre les humbles de leurs ténèbres. Délivrer les autres de la vérité qu'ils portent en eux! Cette vérité enfouie en vous-même, Pauline. Mon âme, comme l'âme des philosophes, mon âme est grosse mais en même temps je suis la sage-femme, l'accoucheur des esprits et celui qui les éveille à leur mission libératrice en ce monde!

L'innocence dans l'amour dont parlaient sans cesse Romaine et ses amis, me rendait honteuse de mes secrets, car auprès d'eux, craignant la dureté de leurs regards sur ma vie, je me taisais. Ils ne pouvaient pas comprendre un secret plus troublant que la mort de Séraphine. Ce n'était que l'histoire d'un viol mais je ne songeais pas à la raconter à personne, ni à Julien Laforêt dont le regard semblait bondir légèrement au-dessus des gouffres de la conscience, ni à Romaine Petit-Page qui me souriait d'un air de pénétrante bonté. Benjamin Robert avait dit «qu'il éveillerait mon cœur à la pitié», car pour lui, j'étais «une enfant secrète et peut-être méchante», sa singulière présence m'inspirant parfois une froideur qui le blessait, mais quand il avait obtenu une pitié que longtemps il avait mendiée, il était triste. On ne le voyait plus pendant quelques mois. «Ses supérieurs l'ont peut-être encore puni pour ses mauvaises actions!» disait Mlle Léonard d'un ton hargneux, «cet homme est capable de tout, on le sait bien!» Germaine Léonard était plus soupçonneuse encore de la conduite du prêtre depuis le séjour de Philippe à l'hôpital, car ne pouvant détacher ses yeux «de ces deux prisonniers en liberté», elle les avait discrètement épiés et se souvenait de leur étrange conversation dans la chambre où Philippe attendait le résultat d'un examen médical. C'est là que Benjamin Robert avait raconté son rêve:

— Oui, Philippe, j'ai très peur d'un rêve... Nos rêves ne sont-ils pas toujours des prophéties? C'était par une nuit d'hiver, j'étais encore au monastère, je crois. Je priais à genoux près de mon lit quand un homme vint frapper à la porte de ma cellule. C'était un petit homme au sourire malicieux, il s'approcha de moi et me dit à l'oreille: «Venez chez moi, venez bénir ma fille!» Je le suivis. Il m'entraînait dans la nuit froide, puis dans un taudis sans lumière où mendiaient de maigres enfants à peine vêtus. Au bout d'un long couloir, j'ai vu, par la porte d'une chambre qui était ouverte, une petite fille de trois ans qui me souriait, assise sur un grand lit, elle était entourée d'hommes qui posaient sur elle leurs yeux avides, mais elle semblait calme parmi eux. «Dans mon monastère, elle serait à l'abri de la honte», ai-je pensé, en lui ouvrant les bras. Mais elle n'avait pas compris ce geste, car elle m'ouvrait les bras en m'invitant aux gestes de l'amour.

— Quel malheur pour le prêtre qui veut s'avilir comme un homme, dit Philippe, attention, mon ami, car un jour on est chercheur du plus grand amour sur la terre pour devenir chercheur du plus grand malheur, de la plus grande catastrophe, et on voit que dans le malheur une foule de liens que l'on voulait briser se resserrent autour de votre gorge pour vous étreindre avec plus d'angoisse encore... Par compassion, par orgueil aussi, vous serez à la frontière d'un crime...

Benjamin Robert dirait plus tard qu'il n'avait pas cédé à l'orgueil «mais surtout à la luxure», comportement qui lui semblait obscur après plusieurs années... Cet homme ne ressemblait pas aux autres dans ses faiblesses, car même lorsqu'il provoquait le dégoût par l'audace de ses actes, il lui arrivait d'attirer encore les êtres dans sa bonté. Pour Germaine Léonard, «cette bonté dans le vice» n'était pas une vertu, car elle disait sèchement:

— Il ne faut pas prendre les vessies pour des lanternes! Un homme égaré ne peut pas être bon!...

Benjamin Robert souffrait d'insomnie, et lorsqu'il séduisait les êtres, n'était-ce pas pour lui dans cette inconsciente rêverie qui remplaçait son sommeil, comme dans un rêve, aussi, on était captif d'un regard, d'un sourire, lesquels perdaient soudain leur innocence pour s'insinuer en vous, troubles et magnétiques. Ses gestes étranges vous surprenaient à peine: les bras aveugles qui se fermaient sur vous vous reposaient de l'intensité de ce regard qui vous avait longtemps poursuivi... Tout commençait parfois par un incident banal, tel que je l'avais écrit dans mon cahier: «Comme y faisait beau et que les oiseaux chantaient, Benjamin Robert nous a amenés, Jeannot et moi, et d'autres enfants de la paroisse, faire une excursion dans le bois. On est tous allés se baigner et c'était gai. On a tous chanté main dans la main. Jeannot était fatigué et le père Benjamin l'a porté sur ses épaules, même qu'il avait l'air des saints sur les images avec un mouton autour du cou. Ensuite, tout le monde a joué à cachette et le père Benjamin a dit de ne pas aller trop loin. Mais tout le monde a disparu loin près de l'eau et Benjamin Robert était inquiet. J'aurais pas dû rester là, c'est vrai, derrière un buisson à lire mon livre, parce que Benjamin Robert fumait, avec ses yeux qui me regardaient de loin.

— Pourquoi ne jouez-vous pas avec les autres, Pauline?

— C'est mon affaire, si j'veux lire. J'suis plus un bébé pour jouer à la cachette.

— Insolente petite fille, venez au moins me tenir compagnie. Vous vous cachez toujours de moi...

— C'est mon affaire.

Ce jour-là, il m'a juste touché la joue et les cheveux. Les autres sont revenus en criant et en riant, puis on est tous repartis en autobus, puis tout le monde chantait dans l'autobus, pas moi parce que j'avais pas envie de chanter.»

Pendant que l'on guérissait de la maladie du dégoût, Benjamin Robert se condamnait peut-être à une nouvelle réclusion, mais dans cette solitude, il subissait la douleur qu'il avait infligée aux autres. Combien de fois ses passions trahiraient-elles la loyauté d'un cœur épris de justice? Il n'y avait donc de paix que dans la souffrance?

Victime ou coupable, chacun appartenait au monde sanglant de ses rêves. Dans l'un de ces rêves encore hanté par la présence de Benjamin Robert, je touchais ma poitrine pour découvrir avec terreur «que j'avais perdu mon cœur, qu'il était peut-être perdu dans les cailloux comme une pièce de vingt-cinq sous...» Puis je voyais, dans une cour ensoleillée près d'une église, «mes amis les p'tits marchands de journaux qui jouaient avec mon cœur en le faisant bondir comme une balle rouge, ils jouaient avec mon cœur sous les branches d'un grand lilas blanc et le sang coulait partout sur les fleurs blanches.» Pourtant, il me semblait, en me réveillant, que ce sang de l'injuste violence serait un jour la sève de mes livres, car nul ne pouvait effacer en nous la trace des choses vécues, et cette trace, je n'étais plus la seule à la sentir en moi...

«Oui, j'ai un cœur de mère, disait Romaine Petit-Page sous le regard étonné des passants (elle marchait entre Julien et moi et nous caressait affectueusement de son sourire paralysé aux belles dents), oui, je vous le dis ce soir, en cette soirée d'automne et d'adieu, j'ai un cœur grand comme le monde, de chaque être... («Et toujours le même», pensait Julien, d'un air morose...) Et maintenant, comme deux oiseaux tremblants qui quittent la chaleur du nid, nous devons partir, mon fiancé et moi, vous laisser seuls! Priez pour nous, que Dieu nous protège dans cet avion, nous portons tant d'œuvres futures sous nos fronts blancs, tant de visages aimés, aussi! Hier encore, après les vêpres, je rencontrais deux jeunes Allemands beaux comme le jour, nous avons joué de la guitare, ri et chanté... Comment oublier cette certitude d'être indispensables à tous, et cela sans orgueil! Non, je ne vous oublierai pas tous les deux, sur le sable brûlant de Majorque, le sable de mes rêves. Vous vous souvenez de ce vers de Victor Hugo qui parle du cœur des mères? De la façon dont le cœur des mères disperse l'amour?

«Chacun en a sa part et tous l'ont en entier... Je me sens si vite responsable des autres, mais quelle est donc ma part de responsabilité dans ces élans que je ne peux refréner? (Julien ne répondit pas. On n'entendait que le bruit des feuilles mouillées qu'il écrasait de sa botte en marchant.) Nous avons tous besoin d'être aimés et compris, vous aussi, Julien, vous comprendrez un jour. En attendant, gardez votre fierté, votre détermination et cette noble pureté qui est votre grâce et le privilège des poètes! Les feuilles tombent et meurent! Déjà septembre, le ciel est rose comme vos joues, mon petit Julien! Puis se tournant vers moi: «Je vous écrirai en pensant à mon passé. Vous êtes la petite fille mélancolique que j'étais, ah! la robe noire à col blanc, plis plats, corsage plat et jambes graciles... le cœur battant et la corde à sauter enroulée sur l'épaule au désespoir des gens sages qui conseillent de marcher pour aller à l'école. Tout cela, c'est vous, ma chère Pauline, et je garderai cette image de vous sous mon ciel d'aquarelle là-bas... Je vois même un petit toit de tuiles roses sous un capuchon de nuages, quelle description exquise pour un poème n'est-ce pas? Mais il est dur de partir et de vous quitter... Serez-vous

encore gentil et bon à mon retour, Julien, mon chéri? Depuis que je vous connais, vous étiez encore au berceau, vous avez peut-être été, dans ma vie, l'unique sentiment stable... Aussi, ne me refusez pas ce bonheur... Vous serez peut-être différent quand je reviendrai... vous ne serez déjà plus peut-être cet enfant romantique et poitrinaire... (Julien avait beaucoup impressionné Romaine par sa coqueluche tardive) mais je retrouverai intacts, je pense, votre cœur et votre esprit, je ne demande pas autre chose, c'est déjà l'essence de l'être! Moi, je ne change pas de toute façon, j'ai toujours bonne mine, sans perdre ma taille bien entendu! Oui, Julien, je vous quitte, je vous embrasserai pour la dernière fois dans quelques heures, mais je vous quitte en vous donnant la clef de mon château, vous serez le gardien d'un éternel premier amour... Ne doutez donc plus des promesses de la vie... Comme je vous le disais autrefois, en vous faisant découvrir *Le Cid* (je me souviens: je cousais en même temps une robe de dentelle bleue que vous aimiez tant), *Le Cid*, "une fleur d'amour et d'honneur", a dit Sainte-Beuve, je vous disais, je me souviens que tout amour est un acte de foi... d'espérance...»

— Quel fanatisme de l'honneur dans ce chef-d'œuvre, fanatisme qui fait oublier à Don Diègue, lorsqu'il risque la vie de son fils dans un duel, tout sentiment de l'amour paternel, sentiment si naturel, plus humain, plus grand, plus noble même que celui de l'honneur...

— Taisez-vous, mon petit Julien, vous parlez comme un vieux professeur, il n'y a que les intellectuels secs qui renient le sublime honneur de Corneille... Je pleure toujours quand je pense à l'amour de Chimène pour Rodrigue, cet amour presque religieux sera toujours le plus grand, le plus fort, et hélas, le plus combattu! Oui, il faut pleurer, les larmes n'empêchent pas toujours de voir si elles exigent toujours de s'écouter jusqu'à l'âme...

Romaine Petit-Page et son fiancé montaient vers le ciel, leurs pitoyables mains agitant «des adieux et des roses» pendant que décollait leur avion dans une bourrasque de fumée blanche.

— Envolés! dit Julien dans un soupir de délivrance, et nous, ma chère Pauline, comme des mouches sans ailes, nous trempons encore dans leur miel! Demain, la rentrée des classes! Enfin, je pourrai réfléchir, méditer, sans jamais lever le nez de mes livres, sauf pour contempler le soleil couchant tombant comme un manteau de feu sur la cathédrale, ou bien pour manger du sucre à la crème. J'aime beaucoup mes sœurs. Elles font bien la cuisine. Et vous, Pauline, vous avez l'intention d'être sérieuse comme moi?

— Je vais vendre mes calendriers, mais pendant le jour, c'est pas drôle d'étudier avec les bonnes sœurs! Des vraies chipies qui déchirent mes poèmes!

— Un jour je serai là pour défendre la pensée des humbles, vous verrez! En attendant, la solennelle figure de Socrate me donne du courage. Je me couche le soir en pensant à lui. Platon, comme vous le savez, lui a voué à travers toute son œuvre un culte réel, consacrant d'abord ses écrits à racheter la fausse image que la condamnation à mort du vieil Athénien avait pu laisser à ses compatriotes, protestant ainsi de toutes ses forces contre l'injustice dont il fut la victime pour avoir voulu libérer les hommes. Cette passion émue pour le souvenir du vieillard, dont toute l'œuvre de Platon est marquée, vient de ce qu'il devait à Socrate qui le révéla à lui-même. Comme dit notre amie Romaine, «on ne renie jamais ses premiers maîtres». Et pourtant!... Toutefois, cette amitié à laquelle Platon ne cessa d'être fidèle, il en laisse l'impérissable souvenir à la mémoire des hommes. Elle pourrait être l'illustration la plus haute de ce sens profond reconnu à l'amour humain qui, ainsi, a guidé le plus grand penseur vers les vérités les plus inaccessibles, les plus graves! Mais moi je pensais en écoutant distraitement Julien: «Tu parles d'une chanceuse, cette Romaine-là! Elle fait seulement écrire des livres, embrasser son fiancé pis partir en voyage. Julien Laforêt aussi est chanceux. Toujours des médailles d'honneur et il a l'air de tout savoir comme un vrai coq. Maintenant que Romaine est partie pour les honneurs, il voudra plus me voir, j'suis trop ignorante, j'vais encore traîner dans les rues avec Mimi, Minette et Micheline Daumier et avoir peur des morts, la nuit!»

Ces deux vigoureuses jumelles et leur sœur plus jeune formaient la trinité espiègle et musicale «de l'équipe des allumeuses», dans les Mireillettes. Toujours vêtues d'une jupe similaire, d'un bas de laine qui s'arrêtait à leur genou athlétique, elles chantaient toute la journée, et pour mieux distinguer parmi ces trois têtes aux cheveux tressés, ces expressions des visages complices, la cheftaine Berthe demandait:

— C'est vous, le contralto?

— Non, moi j'suis le ténor.

— Vous avez glissé une couleuvre sous l'oreiller de votre chef d'équipe?

— C'est pas moi, c'est Mimi.

— Mimi m'a dit que c'était Minette. Et Minette, c'est vous!

— Moi, j'suis Micheline.

— Pour être juste, je vous punirai toutes les trois! Pas de fanion d'honneur cette semaine!

Lorsqu'elles chantaient à l'église, Minette se balançait sur une jambe puis sur l'autre près de l'orgue. Mimi la poussait du coude:

— T'as des vers, branleuse?

— Sanc-tus, Sanc-tus... chantait Minette...

Et sa voix perçait nos oreilles comme les cris d'un animal torturé... Elles vendaient des calendriers en se disputant sans cesse, mais quand elles passaient devant la maison d'un mort, elles faisaient le signe de la croix, et comme nous avions fait tant de fois, Séraphine et moi, elles s'approchaient peureusement de la famille en deuil (laquelle traînait comme une chaîne noire sur la galerie, les uns, priant à genoux contre la porte, les autres n'osant pas se lever, lourds d'alcool et de cette noirceur de la mort et de leurs vêtements dont ils semblaient accablés, non plus à genoux, mais accroupis dans les ténèbres comme pour vomir sous le souffle de la pourriture qui passait sur eux) et là, immobiles près des autres, elles cherchaient à pénétrer le mystère de la mort, si près, de l'autre côté de la porte, et leurs yeux erraient sous leur front large et buté. Un peu plus loin, sur le chemin du retour, on rencontrait une femme borgne et laide traînant derrière elle, tout en le secouant par l'oreille, laquelle était toute gonflée et rouge (cette oreille qui était encore l'oreille de Jean dans mes rêves), son fils de dix ans. Comme elle méprisait l'œil étranger qui se fixait sur l'intimité de cette scène, sur l'intimité de son taudis, au coin de cette ruelle, ce mépris, c'était la haine de la mortification qu'elle éprouvait devant nous! Mais j'étais sans doute trop coupable moi-même pour juger cette femme. «T'as beaucoup de paille dans ton œil, disait mon père, si on faisait une montagne avec tes péchés, on pourrait monter pas mal haut dans le ciel!»

Il évoquait ensuite le passé de ces erreurs d'un air de gravité têtue:

— Y a eu le jour où t'as laissé tomber Jeannot dans la cave, ta mère t'avait dit de le surveiller mais comme d'habitude, tu rêvassais, tu faisais des écrivaillures au coin de la table... Ta grand-mère, même si elle avait de la cervelle et de la vigueur, et tant de vertus chrétiennes, c'était pas une toquée comme toi, elle! Et Jeannot, tu te rappelles, il avait une si grosse bosse sur le crâne que même en mettant de la glace dessus, ça grossissait encore... Y a eu le jour où t'as oublié ta p'tite sœur dans son bain et elle a grelotté dans l'eau refroidie et attrapé de la fièvre! Et pis, y a eu la fois où toué et tes voyous d'amis vous avez brisé la vitre des pompiers, pas même l'ombre d'une flamme dans tout l'quartier et ils nous sont tous arrivés en hurlant sur leurs machines de guerre, t'avais eu une bonne rude fessée mais j'aurais donc dû t'en donner deux en même temps... Tu peux pas être bonne, on sait ça, c'est parce que t'es née le jour de la tempête du jour de l'An et si on n'a pas tous péri c'tte nuit-là, c'est parce que l'Bon Dieu nous tenait par un cheveu... Nous autres, on en voyait des tempêtes, tu penses, dans no'tre temps! Des fois, elles avaient quinze pieds de hauteur de neige, on pouvait pas même pousser la porte d'la cabane, l'vent hurlait à vous emporter comme un corbeau gelé! Mais ta grand-mère, pendant l'temps de la malédiction, elle chantait des cantiques à la Vierge Marie, et ces plaintes-là à côté du gros vent épais, tu peux pas savoir comme ça montait droit des entrailles! Quand l'été arrivait, c'était pas drôle mais on gémissait pas comme vous autres, les mauvais jeunes, on était enveloppé de no'tre crasse comme d'un manteau, les pommes de terre avaient l'air tordues par la chaleur, on mangeait presque rien, mais ta grand-mère paternelle, elle nous remplissait donc de reconnaissance, de pitié et d'amour, juste à regarder sa vieille face brûlée par le soleil, ouais c'est vrai comme j'te parle tout ce que j'te raconte là! On faisait pas des péchés à longueur de journée, nous autres on n'avait pas l'temps, si j'avais pas surveillé mon p'tit frère, moué, si y était tombé tout vert dans la cave, ta grand-mère m'aurait donc fouetté les pattes avec des branches d'épinette...

Le récit de mes fautes éveillait toujours en moi le souvenir de fautes plus graves qui me faisaient rougir. Mon père «était plus catholique que saint Joseph» disait ma mère (et cette vertu semblait la décevoir un peu) mais il ignorait que chacun de nous pouvait être coupable aussi dans son silence, ou sa complicité... Ces crimes de la complicité, nul ne songeait à les condamner pourtant, aucune loi ne les jugeait...

«Une compassion violente et empoisonnée, voilà tout ce que m'inspire cet homme», pensait Germaine Léonard, assise à son bureau, le corps secoué par un tressaillement involontaire (car Benjamin Robert lui inspirait toujours le même dégoût) pendant que le prêtre jouait nerveusement avec son béret noir, du bout des doigts, son regard triste errant au plafond; il y avait sur son visage une expression humble et docile mais Germaine Léonard n'y voyait que de l'orgueil, «une vanité stupide, se répétait-elle, en soupirant d'impatience, je dois absolument chasser ce fou de l'hôpital, quel mendiant de pitié, alors!»

— Êtes-vous donc si avare de pitié? disait Benjamin Robert, debout devant elle, le destin de ce jeune homme ne vous émeut donc pas? Vous avez pourtant pitié de vos autres malades...

— Votre ami est un criminel, dit Germaine Léonard. Quand on a tué un autre homme, on doit bien avoir la force de souffrir et de mourir en silence, n'est-ce pas? Je n'ai pas le temps d'avoir pitié de lui, nous avons ici chaque jour des enfants innocents qui meurent, et de toute façon, je méprise votre pitié...

— Alors, dites simplement que cela vous réjouit de voir

souffrir un condamné! Nous ne l'avons pas pendu, par com-passion, il est vrai, mais maintenant, il nous semble juste de l'abandonner à cette expiation de ses crimes! Je ne vous com-prends pas, docteur! Nous pourrions le guérir, croyez-moi, de ce cancer qui le ronge, j'en ai la certitude, car il y a une malédiction plus douloureuse qui pèse sur lui, c'est le remords! Il se brûle à la flamme de son propre repentir...

— C'est bien naturel, dans ces circonstances... Tous les meurtriers éprouvent des remords....

— Si nous le laissons mourir ainsi, se suicider ainsi sous nos yeux, ne sommes-nous pas des meurtriers nous aussi?

— Ah! quelle exagération folle! quelle histoire malsaine, répugnante, je ne veux pas être témoin de cette histoire, moi!

— De quoi parlez-vous? Vous êtes déjà témoin. Nous le sommes tous. Je vous ai amené ce grand malade moral pour m'aider à sauver son corps; dans son désespoir, en prison, ce garçon a désiré mourir et la maladie est venue vers lui comme une femme charitable et maintenant il se jette dans ses bras, la mort l'attire plus que la vie, il a commis trop de fautes, il est indigne de vivre, croit-il, telle est la maladie intérieure qui risque de l'emporter.

— Médicalement, il est incurable, dit Germaine Léonard d'une voix indifférente qui fit frémir le prêtre, et pourquoi voulez-vous le sauver? Pour vous-même sans doute...

— Je vois que vous me jugez indigne de souffrir pour un autre, et vous avez peut-être raison. Mais peu importe, je ne suis qu'un instrument de vie, je vous l'ai déjà dit, mais vous écoutiez distraitement. Peut-être est-ce en vain que je frappe la sécheresse de votre âme, l'univers d'autrui est sou-vent inaccessible pour moi et j'ai l'impression d'être très mal-adroit avec vous...

— Que voulez-vous dire au juste? Je n'ai pas beaucoup le temps de vous écouter, vous savez...

— Je partirai, dans quelques instants. Philippe aura peut-être le courage de résister à la mort, le bonheur de survivre! Mais auprès des autres malades, il peut aussi succomber à la souffrance, ne se réconcilier avec ses frères humains qu'au seuil de l'agonie... J'avais fait un rêve en prison au sujet de ce détenu qui ne ressemblait pas aux autres: oui, dans ce rêve, le bien avait triomphé du mal, mais ce n'était qu'un rêve, et le bien ou le mal, c'est autre chose maintenant pour moi... C'est la vie et ses souffrances, et le mal, c'est notre injustice devant la vie! Je me tais. J'ai déjà trop parlé. Je pars!

Il avait mis son béret, il marchait déjà vers la porte, mais il se retourna brusquement et dit à Germaine Léonard d'un air triomphant:

— Philippe ne mourra pas! La fausse justice sera punie! Puis il disparut.

Dans une salle commune, pendant ce temps, Philippe écoutait les plaintes d'un vieux compagnon mourant près de lui et il se demandait (en cachant parfois sa tête sous l'oreiller, pour ne plus l'entendre gémir) si lui, Philippe, «était au monde pour tuer, vivre ou expier!» Son agonie serait semblable à celle de son compagnon, peut-être, la même douleur, le délire mental, puis viendrait le repos, l'oubli de tant de fatigues, de tant d'erreurs!

— Vous souffrez? demandait une infirmière à son compagnon malade.

— Non. Non. Tout va bien, tout va mieux... répondit le malheureux en pleurant.

«C'est bien, pensait Philippe, il faut leur cacher à tous notre peur, et notre souffrance! Avoir même la force de cacher que l'on meurt... C'est ça!»

Mais un nouveau cri s'échappait déjà de la gorge du mourant:

— Je voudrais être déjà mort! Je voudrais être déjà mort!

Les infirmières qui veillaient le malade s'approchèrent de son lit:

— Allons, allons, dit la plus jeune, il faut dormir.

— Un peu de silence.

Philippe observa qu'elles souriaient, ce sourire imperceptible errait sur leurs lèvres comme une pensée moqueuse, ce n'était que le sourire de l'égoïsme, peut-être, le goût de vivre qui passait avidement sur ces visages fatigués par de longues veilles, mais Philippe éprouva soudain une telle pitié pour son compagnon qu'il voulut se lever «et frapper ces deux femmes, humilier en elles un amour de la vie dont elles étaient trop satisfaites devant la mort...» Il se répétait en même temps: «Tout est perdu, ma propre violence se venge contre moi, elle pénètre mon corps et mes veines... Je ne peux pas me lever, je suis trop faible... Dommage! Dommage! Pour obtenir de soi le pardon, il faut aller si loin, aller jusqu'à la mort!»

Mais il ne pouvait pas fermer les yeux et glisser encore vers cette chaleur et cette faiblesse qui l'accueillaient au fond de lui-même: descendre si bas, respirer la pourriture de la mort, c'était trouver une consolation loin du jugement des hommes, peut-être, effacer le sang lourd d'un crime qui le hantait, mais c'était aussi fuir la vie, la lumière automnale et glacée qu'il voyait au loin tomber sur les hommes et les arbres, de ce lit où il souffrait, où il ne désirait plus mourir...

LES APPARENCES

PREMIER CHAPITRE

Je rêvais tant d'écrire la vie que je croyais parfois la posséder; mais quand je voulais écrire ces choses du passé, elles semblaient disparaître dans la brume, ne laissant devant moi sur la page blanche, dans un cahier écorché par l'usure, que la brève silhouette d'un être que j'avais pourtant longtemps aimé; son dos humilié s'engouffrait dans une rue, s'éloignait, et songeant plus tard à cette disparition j'avais soudain l'âme remplie de terreur et de respect; «mais le temps de pleurer était fini», disait ma mère. C'est ainsi que j'avais à peine remarqué la disparition de grand-mère Josette tant était puissant en moi le désir de vivre. Je voulais soudain la retrouver, ainsi que tous ceux qui avaient vécu autour d'elle autrefois, non seulement les disparus mais ceux qui vivaient encore (si transformés pour moi qu'ils étaient déjà de l'autre côté de la vie). Mais la voix de ces êtres se taisait en moi, étouffée par l'appel impatient des compagnes de mon âge, Élisa Moutonnet, Louisette Denis, Marthe Dubos, qui criaient mon nom sous la

fenêtre de ma chambre ou m'attendaient dans la cour du couvent avant la cloche de neuf heures, bâclant leurs thèmes sur
leurs genoux tout en me racontant leurs aventures de la veille.
Les jours s'écoulaient et la horde des morts entrait dans la
nuit. Lorsque je jouais des pièces avec mes amies, dans la
cave chez Élisa Moutonnet, «imitant les acteurs de Radio-
Province dans les romans savons», j'oubliais volontairement
grand-mère Josette, Sébastien et tant d'autres dont le temps
semblait vouloir me séparer pour toujours.

Ces Noëls ne reviendraient plus ni leurs veilles délicieuses et trop longues quand on refusait de se coucher et
même de fermer les yeux jusqu'à l'heure de la messe de
minuit, se promenant, les mains jointes dans le dos, tout près
du salon dont on avait fermé la porte afin de laisser dans le
mystère et le recueillement l'arbre décoré qui inclinait ses bras
dans l'ombre (lequel ne serait illuminé qu'au retour de la
messe). Seul son parfum venait vers vous, vous énervant encore davantage, comme ces oncles et ces tantes qui chucho-
taient en passant à vos côtés, courant sans vous voir, les bras
chargés de boîtes mystérieuses et de rubans... On me défendait
de leur parler car ils étaient si absorbés par leur passion de
vous rendre heureux en cette nuit, qu'ils n'avaient de regards
tendres que pour les cadeaux qu'ils préparaient, de délicatesse
rêveuse que pour ces joies qu'ils caressaient en pensée. Et si
je demandais à Sébastien «ce qu'il faisait là d'un air drôle»,
il me répondait brusquement:
— Quand j'étais un bébé, je dormais, moi, la veille de
Noël. Tu ne grandiras jamais si tu ne dors pas. Dis donc à
grand-mère Josette qu'elle vienne vite me débarrasser de toi!
Grand-mère Josette et Alice faisaient le ménage dans la

cuisine pendant que Judith surveillait la cuisson des petits pains.

— Je n'en veux pas ici, disait grand-mère Josette. Onézimon, occupe-toi donc de ta p'tite fille qui nous traîne dans les jambes!

— J'ai pas le temps, j'fume ma pipe, répondait mon grand-père en grognant.

— Sois donc utile, Pauline Archange, mets-toi à cheval sur mon balai et on va balayer la cuisine ensemble!

Ce balai, dont la taille était revêtue d'un ancien châle de ma grand-mère, ressemblait un peu à la tante Alice qui penchait vers moi son austère visage au bout du long manche contre lequel je m'appuyais: ce balai et Alice, tout en me transportant à travers la maison «comme un vieux paquet de guenilles et de poussières», m'inspiraient vite le sommeil, et dans la crainte de ne plus ouvrir les yeux avant minuit, je voyais grand-père Onézimon qui m'emportait déjà vers le lit où ma mère avait couché Jeannot, lui qui n'avait que quelques semaines et qui dormait pendant cette nuit fébrile, ne nous montrant, de l'humide corolle de vêtements où il reposait, qu'un chétif poing blanc qui frémissait parfois dans les rayons de la lampe. Mon grand-père rabattait sèchement la couverture sur ma tête, mais même en glissant vers un sommeil saccadé, interrompu par le son de l'horloge et le bruit des voix, tout près, on ne dormait que d'un sommeil transparent, si sensible à ces bruits, à ces voix qu'ils parvenaient à l'oreille démesurément amplifiés, telle cette conversation entre grand-mère Josette et Judith que je croyais entendre, au fond de mon oreiller, à travers le lourd bourdonnement du sang dans ma tête:

— Je l'ai encore entendu tousser toute la nuit, ce Sébastien-là.

— C'est rien qu'un rhume, maman, ça va lui passer.

— J'me plains pas, ma fille, y faut remercier le Bon Dieu pour toutes ses grâces, la nuit de Noël, mais même la Vierge Marie aimait pas voir son fils sur une croix, c'est p'têtre notre dernier Noël tous ensemble, toi tu vas au noviciat et pis un jour en Afrique. On a beau dire, c'est loin ces pays-là! Et pis y a Alice qui veut marier son Boniface, elle a tellement peur d'être vieille fille celle-là qu'elle prend le premier veuf qui passe! Y a encore Marie-Joséphine mais quand son fiancé va revenir de la guerre, elle va lui voler dans les bras. Y me reste encore mon Sébastien si l'Bon Dieu permet que j'le garde celui-là!

— Voilà les petits pains qui brûlent, maman!

Comment s'élever de la sphère comateuse de ce sommeil quand grand-mère Josette entrait dans la chambre, annonçant qu'il était l'heure de partir pour la messe? On ne se souvenait pas pourquoi on venait vous chercher quand la nuit était si froide et si noire au dehors, et habillé, encapuchonné par ces mains rigoureuses qui vous arrachaient à la chaleur du lit, on éprouvait soudain une grande tristesse en suivant grand-père Onézimon dans la rue enneigée...

— Réveille-toi, la Pauline, à quatre ans t'es assez vieille pour aller voir l'petit Jésus naître dans sa crèche, à l'église, regarde comme c'est beau autour, tout l'monde s'en va à la messe, la neige est épaisse comme du gros fil et elle mord le nez, regarde ton cousin et ta cousine qui courent sur l'trottoir d'en face, y se lancent des boules de neige, y sont pas empotés eux autres, y sont pas endormis comme des taupes! V'là ta tante Alice et ta grand-mère qui suivent derrière, bavardes comme d'habitude, les mains dans leurs manchons, y nous manque que des étoiles pour que les mages soient contents.

Mais quand tu vas vois Jésus tout en cire avec des yeux bleus, quand tu vas entendre les grandes orgues de Marie-Joséphine, et l'chœur qui chante la gloire du Seigneur, sur la terre comme au ciel, j'te le dis, Pauline, tu vas te réveiller! T'entends le grelot des voitures et des chevaux qui vont à l'église? Tout l'monde est sorti, les riches, les pauvres, les guenillous, y manque seulement Sébastien qui a mal à la gorge, le chatouilleux!

En franchissant le portique de l'église, on ouvrait les yeux dans la lumière vive, écarlate, laquelle répandait une luxuriance ecclésiastique sur les gens qui oubliaient un instant leurs différences sociales, car un même nuage de neige avait enveloppé dans la rue cette communauté disparate, les hommes secouaient leurs chapeaux poudreux, les femmes se mouchaient bruyamment et tous descendaient vers l'autel par le sentier d'un tapis de velours rouge (lequel, en quelques heures, deviendrait aussi blanc que le trottoir blanchi par la tempête), les familles ne se séparant que lorsque le père avait trouvé «le numéro du banc» qu'il avait loué pour les siens en cette nuit de Noël. Dans leur robe brodée d'or, le curé et ses abbés vous tendaient les bras, près de l'autel, récitant l'une après l'autre jusqu'à l'aube cette chaîne de messes dont le «Glo-o-ria, Glo-o-ria in excelsis Deo», accompagné par la riche mélodie de l'orgue que jouait ma tante Marie-Joséphine, dans le chœur, faisait tressaillir les vitraux, chassait enfin le sommeil dont les enfants étaient accablés (les plus petits se réveillaient à peine, suçant leur pouce, blottis comme des boules de laine au fond des bancs), et nous invitait à une sorte d'extase où la vie humaine et ses divisions sanglantes n'existaient plus. Dans le soubassement de l'église, dans la sacristie comme chez les sœurs franciscaines, à côté, on offrait aussi des messes chantées par le «Chœur des Religieuses de Noël», et ces nombreuses paroisses, dans tous les coins de la ville qui avaient baigné toute l'année dans une léthargique tristesse, vibraient, cette nuit-là, comme au matin de Pâques de tous ces bonheurs contenus, abandonnées aux simples réjouissances, à l'émerveillement mystique que leur permettaient les églises en ouvrant à tous les portes de leurs théâtres.

(Ces semaines précédant Noël ne reviendraient plus, dans leur nerveuse festivité, quand les curés, rassemblant leurs fidèles dans la nef «pour faire la loterie des bancs de la messe de minuit», voyaient à leurs pieds le peuple soumis «à qui on vendait les bancs à bon prix comme du bétail».) La fable qui avait ému les âmes pendant des siècles perdrait peu à peu son aspect enchanté pour ne devenir qu'une fête profane, non plus consacrée au rêve naïf des bergers et des mages, mais au triomphe de plaisirs plus personnels et plus sobres. Voilà pourquoi cette nuit de Noël auprès de grand-père Onézimon, dans l'église, me semblait presque tragique car je savais qu'elle ne reviendrait plus, avec la maladresse de ses chants mal chantés, dans la bonté de ces liens qui m'entouraient. Quand mon regard s'arrêtait au visage de Marie-Joséphine, perdu si loin dans le chœur, égaré par les effusions de la musique qu'elle jouait, je sentais déjà venir entre elle et moi, avec le chant de l'orgue, une profonde inquiétude qu'elle ne pouvait pas cacher, car pendant que nous caressions la cruelle innocence de cette nuit, liée à l'image de Jésus souriant près du bœuf et de l'âne dans l'étable, nous avions oublié la fin de cette belle histoire dans le sang et l'humiliation, ce que Marie-Joséphine, elle, n'oubliait pas car elle imaginait l'agonie de son fiancé soldat dans un pays lointain.)

Après la messe, les familles se dispersaient allégrement dans les rues, le laitier, le boulanger montaient dans leurs voitures attelées, alignées les unes près des autres dans la cour du presbytère et les chevaux faméliques qui avaient transporté le pain, le lait, toute la semaine, laissant pendre à leurs naseaux une lourde écume de givre pendant que leurs maîtres se plaignaient «du p'tit maudit fret de l'aube, même avec une peau de mouton on se réchauffe pas même l'orteil gauche», ces bêtes paraissaient moins lasses en cette nuit de Noël comme si elles eussent partagé les douces visions alcooliques de leurs compagnons, redressant l'échine avec eux, s'ébrouant sous les grelots de leur collier pour s'enfuir dans la nuit blanche avec leurs voitures légères, féeriques, d'où le boulanger ne criait plus: «Pain, pain rond, pain tranché, mangez le pain familial!», mais le «Joyeux Noël la compagnie, Joyeux Noël, les vieux, les jeunes!» dont la retentissante gaieté nous suivait sur le chemin du retour.

— On voit qu'il a pas une femme, celui-là, y a longtemps que grand-mère Josette lui aurait tordu la peau du cou, tiens, le malin! soupirait grand-père Onézimon touchant du bout de sa canne l'épaule sautillante de ma cousine Bérangère («celle qui avait des grosses joues roses comme les pommes McIntosh» disait sa mère), Bérangère qui trottinait près de moi, criant et riant sous la rafale de boules de neige que nous lançaient ses frères de l'autre côté de la rue...

— Si vous vous tenez pas tranquilles, vous autres, vous aurez pas de réveillon!

Dès que l'on apercevait le sapin illuminé à la fenêtre du salon, on montait en courant à la maison, s'arrêtant sur le seuil de la cuisine avec émotion, car les grandes personnes se recueillaient déjà autour du réveillon, dévorant de leurs yeux ronds, presque liquides dans les lueurs des chandelles, les mets bariolés qui abondaient sur la table. Dans l'ardente faim, la vive joie que chacun éprouvait cette nuit-là, les enfants tendaient plusieurs fois leur assiette «pour avoir de l'intérieur de la dinde», mes tantes ne souriaient plus de gêne devant la table démunie comme pendant les autres jours de l'année quand grand-mère Josette disait pour les consoler: «Tu mangeras à Noël, Judith, en attendant, il faut faire pénitence.» Non, toute la famille mangeait cette nuit-là sans honte et dans une souriante frénésie (à l'exception de grand-mère Josette qui se réjouissait trop de l'appétit de Sébastien pour penser à elle-même). Et dans la perfection de cette œuvre de grand-mère Josette, dans la beauté de ce repas, les sacrifices, les inquiétudes antérieurs à ce dîner passaient inaperçus. Même lorsque mon grand-père s'écriait avec reconnaissance...

— On en a donc mangé des patates, hein, ma Josette, pour en arriver là?

Grand-mère Josette répondait d'un air offensé:

— T'es trop gâté, mon Onézimon, tu parles toujours comme si t'avais pas mangé de ta vie. Mets ta serviette autour du cou et tais-toi vite!

Nous allions enfin au salon où, agenouillés près de l'arbre, nous regardions non pas la crèche et les personnages déjà contemplés plus tôt à l'église, mais le floconneux paysage qui se dessinait plus loin sous les branches, derrière l'étable silencieuse, avec ses collines, ses moutons et le berger qui nous tournait le dos, un chapeau à la main... Là-bas, de l'autre côté du village, nos cadeaux scintillaient dans l'ombre, une fine pluie d'aiguilles de sapin s'égrenait sur leur enveloppe dorée, et grand-père Onézimon disait en se levant de sa chaise:

— Nous voici ce soir tous ici réunis pour recevoir les bienfaits du Seigneur, j'vais donc vous faire un p'tit discours de trois minutes...

Discours annuel que ma grand-mère devait interrompre en tirant son mari par la manche, «car lui quand y commence à parler, ça peut aller jusqu'à l'aube».

— Les cadeaux, Onézimon!

— J'vais commencer par les femmes parce qu'y paraît que l'Bon Dieu les préfère! Tiens, j'vois quelque chose qui dépasse de cette boîte-là... ça doit être le tablier pour Alice.

Ce qui nous émouvait sous l'humble apparence de ces dons (un bocal de confiture enrobé de papier bleu étoilé, une poupée confectionnée dans du vieux linge), c'était la patience, la tendresse enfermées dans ces objets ordinaires, c'était une tendresse longuement mûrie pendant que grand-mère Josette tricotait un foulard pour Sébastien ou des gants pour moi, un noble sentiment qui venait jusqu'à nous pour réchauffer les cœurs un instant puis disparaître. Car pendant ces heures où nous étions heureux, des lueurs de tempête traversaient pourtant cette joie protégée! On s'arrêtait soudain de chanter «Jouez, hautbois, résonnez, musettes», à la radio, pour voir couler le sang du monde, tout près, par une brèche sensible dans la maison, une voix métallique apportait jusqu'à nous ce message de paix:

— La guerre rachète tous les péchés du monde!

Puis les cantiques de Noël reprenaient avec plus de vigueur, des voix d'anges calmaient les massacres du monde.

— Pleure pas, Marie-Joséphine, y va bientôt revenir ton fiancé...

— C'est bien long... c'est trop long...

— Pense au martyre de Jésus sur la croix...

Marie-Joséphine se retirait alors dans sa chambre, la tête entre les mains. Mais les cris fous de Bérangère embrassant sa poupée, s'écriant: «Merci! Merci!» la bouche pleine de chocolats, ses longues tresses volant autour d'elle dans son excitation, cette scène distrayait vite grand-mère Josette du chagrin de sa fille et même de sa propre douleur lorsqu'elle posait son regard inquiet sur Sébastien qui chantait debout près d'elle, à qui elle prenait la main dans une rêverie inconsciente «pour savoir s'il avait de la fièvre». Avec la mort graduelle des êtres et des choses autour de nous, la maladie de Sébastien, le départ de Judith pour le couvent, le mariage d'Alice, nous allions assister à l'agonie des naïves joies et désormais il serait impossible d'être heureux la nuit de Noël. Nous irions encore chez grand-mère Josette «pour recevoir la bénédiction du jour de l'An» mais dans le salon obscur, jadis étincelant de lumière, plutôt que de revoir Sébastien entonnant un cantique au milieu de ses sœurs, il ne resterait de lui dans cette maison qu'une photographie encadrée sur le mur blanc, le collégien qu'il avait été, posant sur nous un regard triomphant et innocemment malicieux, car cette photographie nous ramenait vers une saison exaltée, printanière, au temps où Sébastien avait obtenu de nombreux prix, quand le rire de la santé s'unissait en lui au rayonnement de l'intelligence. Quand je passais la nuit chez grand-mère Josette, je dormais parfois dans ce salon, près de cette image de Sébastien qui demeurait éveillé pendant que moi je glissais vers la mort, tout en ne cessant de respirer. Si je me réveillais à l'aube en souffrant de maux de dents, le trait de lumière qui s'échappait des volets rouges semblait raviver la brûlure de l'abcès et je me penchais à la fenêtre pour voir si ma cousine Bérangère ne jouait pas dans la rue, elle qui se levait si tôt et qui saluait de ses petits cris d'oiseau les premières femmes grelottantes qui marchaient vers l'église. Mais elle dormait encore et le matin ne viendrait que dans quelques heures. Sébastien lui-même, figé dans son arrogance lointaine, semblait me dire comme autrefois:

— Capricieuse, va, qu'est-ce que tu feras dans les flammes du purgatoire si tu pleures aujourd'hui pour une dent qui fait mal!

— J'irai pas au purgatoire!

— Ah! Y paraît que les saints eux-mêmes descendent là-bas faire un tour....

Enfin, quand je ne pouvais plus me retenir de pleurer, grand-mère Josette, dont le sommeil était léger car elle se réveillait encore à chaque heure croyant entendre la toux de son fils de l'autre côté de la cloison, grand-mère Josette accourait vers moi, ses cheveux gris dénoués sur les épaules, et me prenant dans ses bras elle demandait, comme elle avait fait tant de fois auprès de Sébastien délirant:

— Qu'est-ce qu'il y a? Qu'est-ce qu'il y a?

Je ne lui avouais pas mon mal car elle m'eût envoyée chez un dentiste boucher, à la clinique gratuite de la paroisse, mais je lui répétais à travers mes larmes:

— C'est pas les dents, c'est les oreilles qui font mal!

— Mais as-tu déjà vu ça aussi aller courir dehors, avec Bérangère, sans bottes par un temps pareil! Si tu nous écoutais, Pauline, t'aurais pas les oreilles en feu! Pleure pas, ma fille, j'm'en vais te guérir tout de suite... j'vais te faire une compresse de chaleur...

Ces «compresses de chaleur» n'étaient souvent que des morceaux de caleçon de mon grand-père que l'on avait réchauffés quelques instants sur le calorifère de la cuisine, mais lorsque grand-mère Josette appliquait ce baume sur mes oreilles, je souffrais déjà moins... Grand-père Onézimon apparaissait soudain, l'œil vague, les cheveux ébouriffés:

— Va te coucher, Onézimon, j'ai pas besoin de toi.

— Qu'est-ce qu'elle a à larmoyer comme ça, hein? C'est du caprice, ça!

— On sait ça que t'as pas pitié des malades.

— La maladie, ça existe pas, c'est un chatouillage de femmes! disait mon grand-père en retournant à son lit, moi j'ai jamais mal nulle part, j'me plains pas non plus!

Avec la fuite du temps, je jouais de moins en moins avec Bérangère, car si elle était encore trop jeune pour aller à l'école, moi je traînais partout mon «livre de lecture» et quand grand-père Onézimon prenait Bérangère sur ses genoux «pour la faire sauter dans l'air comme un ballon», il me disait simplement à moi:

— On va faire notre lecture ensemble et nos devoirs!

Je l'accusais «de ne pas savoir lire» mais il se concentrait aussitôt sur la page assombrie de signes qu'il ne comprenait pas et posait vite un doigt inspiré sur la grossière illustration de mon livre:

— C'est écrit: «il pl-e-u-t!» Même ce bonhomme-là a sorti son parapluie et ses claques! Ah! Il pleut, je pleus, tu pleus, c'est écrit là!

— Sans vous manquer de respect, papa, disait Marie-Joséphine qui écrivait une lettre à son fiancé au bout de la table, ça ne se conjugue pas comme le verbe avoir, non, papa!

— Tu connais rien là-dedans, l'instruction, qui a dit que c'était pour les femmes? Viens, Pauline, y faut toujours que les femmes vous rabaissent le caquet!

Lorsque mon grand-père avait fermé derrière nous la porte de son atelier, il déposait deux pièces de dix cents dans ma main et ajoutait d'un air satisfait:

— C'est pour t'acheter un autre p'tit Chinois!

— Y coûte 25 cents chacun, c'tte année...

— Les prix montent, y faut dire, y faut bien que l'ciel coûte cher aussi! Comment y vont tes Chinois sur le tableau de l'école, y montent chaque jour vers le paradis?

— Mère Sainte-Scholastique a dessiné la route du ciel en rose, quand tu m'donnes des cents, mes p'tits Chinois montent un peu plus vers le ciel...

— Bon. Mais t'es sûre qu'ils reçoivent l'baptême avant de mourir! J'veux pas donner des cents pour qu'y descendent en enfer comme tous les autres Chinois!

— Les p'tits Chinois baptisés vont au ciel, c'est mère qui l'a dit. Séraphine, elle, elle aime mieux les p'tits Africains, mère Sainte-Scholastique dit qu'on les trouve partout au bord de la route, en Afrique, des fois y sont tous mangés par la lèpre, ça fait bien pleurer Séraphine.

— Moi aussi, tiens! Pauline Archange. Heureusement qu'y a les missionnaires qui les ramassent, hein, sans les missionnaires y aurait trop d'enfants innocents en enfer, tu te rends compte, brûler ces pauvres p'tits poulets dans la braise des démons? Des fois, on se demande ce que l'Bon Dieu a dans la tête.

— Toi aussi tu irais en enfer si t'étais pas baptisé, grand-papa. C'est mère Sainte-Scholastique qui l'a dit.

— Elle a la langue raide, cette mère-là, comme toutes les femmes! Comment tu vas l'appeler ton Chinois?

— J'vais l'appeler Bérangère.

— Bon. T'es sûre qu'un peu d'eau bénite ce sera assez pour qu'il vole au paradis tout droit? Comment ça coûte pour l'sauver d'un seul coup, sans l'faire attendre au purgatoire?

— Ça coûte une piastre, a dit mère Sainte-Scholastique.

— C'est du vol, Pauline Archange, dans mon temps on achetait les Chinois et leur ciel pour dix cents. Des fois, l'Bon Dieu exagère, y a pas à dire!

Mère Sainte-Scholastique dessinait tous les mois une nouvelle carte de la «Sainte-Enfance Rachetée» qu'elle fixait ensuite sur le mur de la classe, ne pouvant détacher ses yeux de cette fresque qui témoignait bien de l'émerveillement raciste qu'elle avait éprouvé en dessinant la longue route semée de pièces de vingt-cinq cents, ce chemin de l'humiliation suprême que devait suivre le «petit Chinois» ou le «petit Africain» pour arriver au paradis: au bas de la carte, on voyait les damnés qui nageaient dans leur étang de feu, «eux sont morts sans baptême» disait mère Sainte-Scholastique en nous les montrant de sa baguette. Un peu plus haut, un grand missionnaire vêtu de blanc recueillait du ravin de l'ignorance les âmes qui avaient reçu le baptême. Celles-ci, représentées par les photographies de vrais petits Chinois, cheminaient derrière le prêtre en souriant de leurs dents de lait, descendaient ou s'élevaient de leur balance de rédemption au rythme des sous que nous avions la générosité de leur offrir. Quand je n'avais rien à donner à mère Sainte-Scholastique pendant une semaine, elle épinglait cruellement la photographie de Bérangère près du ravin, là où grouillait toute une famille de serpents noirs:

— Donnez-lui un peu plus d'argent et elle pourra apprendre son catéchisme!

Le commerce des Chinois était sans doute fructueux car lorsque mère Sainte-Scholastique ouvrait son armoire, elle couchait respectueusement «ces piastres sacrées» dans une boîte où elle entreposait aussi des oiseaux de celluloïd pour les «premières de classe» et cette délicate couvée aux vaporeuses ailes se mariait peu à la boîte qui lui servait de nid et où il était écrit en larges lettres bleues: «K-O-T-E-X». Ainsi, avec candeur, mère Sainte-Scholastique glorifiait ce mépris des individus et des races, instinct de condamnation que nous avions embrassé avec notre foi! Quand ce petit Chinois qui avait été longtemps lié pour nous au symbole d'une méprisable possession — car pour quelques cents nous avions acheté de multiples âmes jaunes ou rouges —, quand une famille voisine adoptait soudain l'un de ces exilés d'orphelinat et qu'il devenait notre compagnon de banc à l'école, avec quel acharnement étions-nous prêts à le persécuter! Les parents adoptifs, qui avaient déjà neuf enfants, retrouvaient le soir l'orphelin meurtri de coups, saignant du nez dans la neige quand montait encore dans la nuit le mauvais rire des écoliers: «On a battu Ping-Pong! On a battu Ping-Pong!»

Parfois ces enfants rachetés intercédaient pour nous dans la vie réelle: auprès d'eux, nous avions moins peur de traverser le pont, après l'école, «donne la main à mon Chinois, tu vas pas tomber», disait Séraphine, et si le vent nous poussait contre les barreaux du garde-fou, elle parlait «de notre ange gardien qui nous donnait des coups d'ailes...» Mais la nuit tombait toujours trop tôt et rien ne nous semblait plus redoutable que d'entendre soudain sans les voir les hennissements des chevaux passant près de nous dans l'obscurité, leurs charrettes invisibles patinaient sans fin sur la croûte de glace pendant qu'une voix bourrue annonçait: «Marchand de ferrailles, des parapluies, des cloches, des chaînes!» Ces sons appartenaient plus au cauchemar qu'à la réalité et quand le «marchand de ferrailles» descendait jusqu'à notre visage une lampe enveloppée de brouillard et de neige, nous étions trop troublées pour répondre. Assises près de lui «sous une couverture de poils chaude comme un poêle à charbon», nous l'écoutions qui chantait en guidant son turbulent cheval dans la tempête: «V'là le bon vent, v'là le joli vent...» Séraphine se frottait les yeux de ses mitaines (lesquelles étaient encore attachées à la manche de son manteau par des épingles) mais ne reconnaissait pas sa maison:

— Elle est en briques roses ou grises, ta maison?

— J'm'en souviens pas.

— J'm'en vais te la trouver comme un éclair, braille pas, j'aime pas ça les p'tites mères qui chialent comme des veaux, v'la le bon vent, v'là le joli vent... Y fait ti beau en hostie, hein?

Quand il s'arrêtait miraculeusement devant notre porte, l'une de nous criait dans ses sanglots: «C'est ici!», mais ces lamentations l'irritaient sans doute car il ne nous laissait sauter de sa charrette que lorsqu'il avait longuement ri de notre frayeur, puis il chantait d'une voix plus mélancolique: «V'là le bon vent, ma mie m'appelle, ma mie m'attend, bonne nuit mes p'tites peureuses, v'là le bon vent, ma mie m'attend!»

Je m'élançais dans la jupe de ma mère sans regarder ce qu'elle faisait: elle suspendait en l'air sa cuillère remplie de soupe et soupirait avec impatience:

— Toi et Séraphine, vous avez encore traîné après l'école!

Mais pendant que je me réfugiais contre les jambes de ma mère, j'entendais encore les hennissements des chevaux et le bruit de leurs sabots dans la nuit.

— On a moins que rien, gémissait l'oncle Victorin qui fumait avec mon père dans la chambre voisine, j'veux pas grand-chose, des roues de bicyclette, des guenilles, des bas percés, j'veux juste habiller mes enfants pour l'hiver, y a Jacob qui est pire qu'un serpent avec sa langue et qui me coûte si cher, ce maudit-là!

— Quand je te donne une piastre pour faire soigner Jacob, tu la bois, Victorin, l'Bon Dieu va te punir, ivrogne!

— Donne-moué une piastre et je l'amène chez l'docteur demain ce damné Jacob-là, j'te le promets sur la tête de not'e sainte mère!

— Blasphème pas le nom de not'e mère avec des mensonges! Prends une piastre et soigne ton garçon infirme que t'as déjà trop battu, père déshonoré!

— Il va nous enlever jusqu'à notre chemise, ton Victorin, disait ma mère en ouvrant «le cahier des dépenses» le lundi soir. On est encore en dessous de la balance à cause de lui.

— Aide ton prochain, c'est écrit dans l'Évangile, répondait mon père.

— Ah! des fois j'pense que t'es trop bon pour vivre, Jos!

Je faisais mes devoirs dans mon lit ce soir-là car mes parents avaient envahi la table de la cuisine de factures et de coupons bleus pour la nourriture, mais quand huit heures sonnaient, c'était l''heure où les espérances de la journée semblaient sourdre de chaque objet familier dans la chambre, comme si, de cette intimité avec soi-même, de la nappe de poussière qui recouvrait les meubles au halo d'une lampe sur le front de Jean, une nouvelle vie pouvait éclore pour moi, laquelle ne finirait qu'à l'aube, avant mon départ pour l'école, mais pour cela je devais garder les yeux ouverts, fixer longuement une fleur brune dans la tapisserie du plafond... La voix de ma mère répondait comme en écho à l'éternité des choses autour de nous:

— On est en dessous pour le loyer, mon mari!

Quand la maison devenait plus silencieuse, on entendait encore les soupirs de Jean, tout près: ce serait bientôt «l'heure de la bouteille» et il commençait à s'éveiller: si je lui prêtais ma main pour jouer, l'un de ses doigts se posait soudain dans ma paume et restait là, délicat et rêveur comme un papillon, mais dès que ma main frémissait légèrement, le même frisson parcourait tout son corps et il se réveillait aussitôt, secoué par un violent chagrin. Comment retrouver mon rêve désormais, car en entrant dans la chambre et en prenant le bébé dans ses bras, ma mère invitait l'existence quotidienne parmi nous; elle demandait, comme la veille:

— T'as fait ton alphabet?

— Non.

— Je te réveillerai à six heures, demain, à l'heure du laitier.

Une existence de devoirs commençait à l'aube, une vie dans le présent, et il était vain de vouloir courir vers un passé qui semblait si proche, pourtant! De là-bas, Sébastien m'appelait de ses regards résignés et doux, je revenais avec lui dans la maison de ma grand-mère où Bérangère jouait encore aux billes près de moi dans les marches de l'escalier, c'était par une matinée fulgurante dans mon souvenir, et nous écoutions les cris de Marie-Joséphine, notre tante (celle qui avait tant souffert de rhumatismes dans les jambes), elle descendait à nouveau l'escalier en courant et se précipitait dans les bras de son fiancé et lui l'embrassait contre la porte sans nous voir car il semblait revenir d'un voyage à travers la mort.

DEUXIÈME CHAPITRE

Même lorsque je voulais évoquer pour moi-même ces images du passé, tout en les écrivant, le présent, l'avenir me paraissaient plus vivaces que les événements déjà vécus car le temps n'avait pas encore effleuré ces jours qui attendaient devant moi, inhabités peut-être mais remplis de l'espérance que l'imagination leur prêtait. Mes parents me voyaient à peine depuis que je gagnais ma vie. Louisette Denis, Marthe Dubos, Élisa Moutonnet et moi descendions ensemble, le soir, après la classe, vers le centre de la ville où nous étions vendeuses chez Éloi Gagnon et Frères, et désormais, quand mon père me parlait, c'était pour exiger de moi «la pension de la semaine», infime salaire dont je me séparais amèrement, car en divisant cet argent avec mon père, c'était l'humiliation du travail que je partageais avec lui, la fatigue de ces heures où debout derrière un comptoir glacé («Il faut laisser les portes ouvertes en hiver pour inviter les clients», disait le patron), j'avais cru accroître ma liberté en m'achetant des livres, des cahiers pour

écrire, quand cette liberté, chaque soir, je l'avais involontairement perdue en acceptant des heures prolongées de travail,
et cet esclavage commun, plutôt que de nous attirer la bienveillance du patron et de ses confrères, ne semblait leur inspirer qu'une hostile courtoisie. J'enviais Élisa Moutonnet qui
dépensait vite son argent au cinéma où on la laissait entrer
quand elle maquillait son visage pendant que Louisette Denis
et moi qui étions refusées assistions dans la cour à des «films
sonores» dont Élisa nous racontait l'histoire plus tard, mais
pour nous qui n'avions recueilli, grâce à un carreau brisé dans
la salle noire, que des fragments du langage de l'amour, l'histoire s'effaçait devant ces paroles haletantes: «Mon amour, ah!
mon amour, donne-moi vite un enfant, un enfant de l'amour!»
Élisa Moutonnet qui sortait du cinéma en rougissant nous étonnait toujours lorsqu'elle disait:

— Vous n'avez rien manqué, c'était une histoire banale.

— Raconte-nous l'histoire quand même...

— Mais non, ça ne vaut pas la peine, il n'y a rien à dire.
Un homme, une femme, ils s'aiment, ils ont un enfant illégi-
time, c'est la vie quoi! Mais vous êtes trop jeunes pour comprendre, vous autres!

Après la fermeture du magasin, nous répétions de mauvaises pièces jusqu'à minuit, puis le temps s'écoulait en rê-
vasserie autour d'une chandelle pendant que Marthe Dubos
parlait de Saint-Ex, de l'avion qu'elle piloterait elle-même un
jour; avec quelle grâce, quelle agilité elle sillonnait déjà le ciel
nocturne, elle qui n'était pas gracieuse ni agile pourtant, mais
personne comme elle n'avait autant rêvé de l'espace, «du ciel
net et sans étoiles», et cela, tout en mangeant beaucoup et en
devenant de plus en plus lourde; elle pouvait en même temps
avaler un énorme plat de gruau, et son livre ouvert devant
elle, suivre pas à pas dans le désert le héros ascétique exténué

par la faim et le soleil, lui qui n'avait mangé qu'une orange depuis le jour de sa «panne de moteur» et qui jetait des regards implorants vers la seule présence qui l'eût rejeté: l'avion et ses ailes calcinées dans la chaleur. Quand Marthe Dubos se taisait, je n'avais plus le courage de rentrer chez moi, je l'avais suivie trop loin du côté de ses exils où l'homme était bon quand il était seul, mystique et généreux quand nul n'attendait de lui la rupture de ses sens avec son esprit, et le soleil dont elle avait parlé, la nuit, l'océan, tout ce roulis de puissance anéantissait ma fragilité, la soumission que je devais encore à mes parents qui m'attendaient avec anxiété à la maison. Ma mère ne me croyait pas quand je lui disais que j'avais passé la nuit chez Élisa Moutonnet afin de ne pas réveiller mes frères et sœurs.

— Tu vas finir à la crèche comme Huguette Poire, si jeune qu'elle jouait encore à la catin, tu te vois avec un ventre de six mois, sous le tablier? Et avec ça qu'elle le montrait à tout le monde comme un cadeau de Noël. C'est ça qui arrive quand on couche dehors!

— J'ai fait seulement dormir sur le sofa chez Élisa Moutonnet, demandez à sa mère, si vous voulez tellement tout savoir.

— Réponds pas quand ta mère te parle.

J'étais toujours triste quand on me parlait d'Huguette Poire, car si elle avait «dansé à la corde jusqu'à la fin» comme disait ma mère, cette fugitive audace l'avait vite abandonnée quand, sur son lit de douleur, à la Crèche Maria-Goretti-Des-Pécheresses, les religieuses avaient refusé de la secourir, couvrant ses cris et ses supplications de leurs basses prières, à la chapelle. Pourquoi ma mère ne songeait-elle pas au fils sans visage qu'Huguette avait laissé derrière elle, sous un ciel triste où ne courait pas même un souffle de charité pour accueillir cette nouvelle vie, pourquoi n'imaginait-elle pas la douleur d'Huguette Poire quittant vite le lieu de l'expiation et de la honte, sans un regard, sans une pensée pour cet être né dans le malheur? Ma mère jugeait plus sévèrement encore «le pèlerinage d'Huguette Poire dans les hôtels du port, là où ça coûte seulement vingt-cinq cents pour se donner à n'importe quel débardeur qui arrive en ville...» quand pour moi, la fuite d'Huguette Poire, son insouciante prostitution dans les quartiers pauvres n'étaient pas plus coupables que la vie qu'elle avait toujours connue chez ses parents, près de ses sœurs maladives et de son père alcoolique. Elle voulait supprimer cette existence d'autrefois quand elle admirait sur elle-même, avec des yeux limpides de gratitude, «la belle robe à crinoline, les souliers à talons hauts» achetés par ses amants, mais comme son désir d'innocence avait toutes les apparences du vice, on ne voyait en elle que ses gestes grossiers et sa débauche précoce. Benjamin Robert, peut-être, en passant près de cette ornière où se débattait l'âme d'Huguette, eût compris quelle mystérieuse avidité, quel besoin d'amour restaient enfouis sous les apparences de la luxure, car lui seul, parmi les êtres que je connaissais, avait l'habitude «des crimes d'autrui» et les nuits d'hiver, quand tant de prêtres innocents mais repus dormaient dans leur monastère, protégés par leur foi comme par une légitime tiédeur dans la vertu, Benjamin Robert qui, lui, s'accusait ouvertement de tous les crimes, et qui, la nuit, errait, errait, se laissant mener par ses extravagantes pitiés, lui seul affrontait avec compassion la détresse des enfants de la rue et conduisait vers le refuge qu'il avait créé pour eux, le garçon, la jeune fille titubant dans son ivresse, car pour lui qui avait souffert, chacune de ces créatures qu'il rencontrait lui semblait digne de l'admirable amour dont il était à la recherche, pour lui-même comme pour les autres. Il cédait pourtant à de furieuses imprécations contre Germaine Léonard quand elle ne l'assistait pas dans sa cause et ne lui donnait pas les remèdes qu'il réclamait «pour des intoxiqués de douze ans, brûlés par l'alcool, l'estomac si ravagé qu'ils ne sont plus capables de se nourrir et souffrent d'inanition...» La calme expression de défiance avec laquelle elle répondait «à l'impatiente philanthropie de ce prêtre», le sourire qu'il lisait sur ses lèvres pendant qu'il lui parlait de choses si graves, ces mouvements d'orgueil humiliaient en lui «l'amour du prochain» et il s'écriait en agitant désespérément les bras:

— Mais êtes-vous médecin pour soigner les anges ou les hommes? Votre vision de l'injustice s'arrête donc au seuil de votre hôpital? Mais c'est une honte, une honte!

Mais Germaine Léonard, comme pour l'exaspérer davantage, répétait ce qu'elle lui avait déjà dit plusieurs fois d'un ton essoufflé par la haine:

— Je vis pour mes malades, moi! Cela suffit à ma conscience. Je n'ai pas de crimes à racheter.

— Ah! murmurait-il avec colère, rien n'est plus dangereux que ces consciences endormies, satisfaites! Ces consciences raisonnables dont la vie se retire peu à peu...

— Taisez-vous, mon père, vous êtes délirant.

Elle pensait sincèrement que tout ce que lui racontait le prêtre était marqué par l'exagération, la folie, que le récit de l'alcoolisme des enfants s'insérait parmi d'autres hallucinations «d'un esprit dépravé et confus», quand chaque jour à l'hôpital elle était témoin des mêmes plaies sociales et s'efforçait de les guérir, mais à l'intérieur de sa profession, cette lucidité était juste, quand dans la vie il eût été malsain pour elle de reconnaître ces mêmes microbes qu'elle avait minutieusement étudiés au laboratoire. Et ainsi, si Germaine Léonard avait appris par quelqu'un d'autre l'histoire d'Huguette, elle eût partagé avec ma mère le même jugement implacable, condamnant chez Huguette Poire une faiblesse, un dénuement spirituel qu'elle ne pouvait pas même imaginer, elle qui avait toujours été forte et irréprochable, «du moins en apparence», songeait-elle, elle qui abordait la défaillance des gens en se ruant vers eux dans l'impertinence de son caractère et l'ombrageuse assurance de ses pouvoirs intellectuels.

Quand je demandais à Élisa Moutonnet pourquoi elle avait tant de livres (elle touchait pourtant le même salaire que moi au magasin), elle répondait évasivement en secouant sa tête paresseuse et sensuelle, le regard toujours un peu lent sous ses longues paupières:

— Parce que je les prends moi-même dans les librairies.

— Tu les voles?

— Mais non, je les glisse dans la poche de mon manteau quand personne ne me voit.

— C'est du vol, ça!

— Il ne faut pas exagérer, voyons!

Quelques instants avant la cloche de midi, Élisa Moutonnet, Marthe Dubos et Louisette Denis se levaient promptement de leur banc, croyant entendre le prélude d'un tintement dans l'air, mais mère Sainte-Alfreda leur ordonnait aussitôt de s'asseoir:

— Nous n'avons pas encore dit la prière, mesdemoiselles!

Si elles étaient aussi pressées de sortir c'était «pour faire la chasse aux livres pendant l'heure du déjeuner»... Chacune entrait dans sa librairie comme dans un royaume et parcourait d'un regard possessif, chargé d'une voluptueuse arrogance, les rayons de livres dans la pénombre... Un employé dont on ne voyait que la moustache noire derrière une pile de volumes mangeait une pomme, l'ait méditatif, mais Élisa Moutonnet savait que cet homme «jouait à être invisible», jeu qu'elle pratiquait elle-même et dont elle avait observé tous les aspects: elle savait qu'un agile espion pouvait s'évader brusquement de ce commis en apparence distrait et insignifiant, c'est avec une extrême prudence («comme un chat qui marche sur les pots sans les faire tomber», disait-elle) que ses mains circulaient sur les étagères pendant que ses yeux regardaient fixement devant elle, et si le commis levait la tête, elle lui souriait avec une insistance amicale et l'homme baissait les yeux, soudain embarrassé. «Ce n'est pas une question de technique mais de charme», disait Élisa, mais quand Louisette Denis ripostait au coup d'œil d'un employé par un large sourire enfantin, celui-ci était plus alarmé que séduit et il s'approchait d'elle avec méfiance:

— Vous cherchez quelque chose, mademoiselle?

— Oui, un livre pour ma sœur. Un livre à l'index.

— Nous n'avons que des ouvrages religieux, ici.

— Vous en avez, monsieur. Je les ai vus, cachés en dessous des autres, ici, en bas.

— Je l'ai échappé belle, cette fois-là, disait Louisette Denis à Élisa Moutonnet quelques minutes plus tard, pendant qu'elles attendaient l'autobus sur le trottoir. C'est ta faute, aussi, tu m'apprends d'autres techniques quand j'en ai trop des miennes. J'étais tellement énervée que j'ai pris trois fois le même livre!

— Je te l'ai déjà dit, Louisette Denis, tu n'as pas l'air assez respectable pour voler.

Assises ou debout dans l'autobus bruyant, nous lisions, la tête plongée dans nos livres, échangeant des regards absents quand quelqu'un nous bousculait; dans un élan de compétition nous regardions parfois par-dessus l'épaule de l'autre, car pendant que Louisette Denis et moi étions encore dans la lettre A de la collection populaire «J'ai tout lu, j'ai tout vu» («Qu'est-ce que l'atmosphère, qu'est-ce que l'arboriculture?»), Élisa Moutonnet et Marthe Dubos dévoraient sans les comprendre des volumes sur la biologie, la botanique, dont elles parlaient entre elles d'un air doctoral et mystérieux. Je rentrais chez moi, un livre à la main; ma mère déposait devant moi une assiette fumante que je touchais à peine, ce qui l'irritait beaucoup:

— Des livres, partout des livres, disait-elle, c'est pas comme ça que tu vas passer ton année au couvent! T'ouvre jamais ton algèbre mais pour des livres défendus t'es toujours prête.

— C'est simple, l'an prochain, tu vas gagner ta vie toute la journée et tu vas suer un peu pour avoir ta nourriture prête sous le nez! ajoutait mon père, finie l'étude, finis les petits caprices! On va voir qui va gagner.

Une sourde douleur envahissait soudain mes pensées, les phrases que je lisais se perdaient dans le brouillard et le cœur très sec, pourtant, j'avais l'impression de voir Jean et ma sœur à travers mes colériques larmes, mais ce n'était que l'écume de la soupe brûlante qui passait sous mes yeux.

— Mange... Mange... disait ma mère à Jean. Cesse de jouer avec des morceaux de pain sur ma nappe propre!

— C'est pour les oiseaux.

— Quels oiseaux? Mange ou ton père va te donner une tape. Y a tout de même des limites!

— C'est pour les moineaux qui mangent seulement de la crotte de cheval dans la rue!

— Tu parles aussi mal que les voisins, on dirait que je t'élève mal comme les mères d'à côté, c'est vrai, pourtant!

— C'est écrit dans l'Évangile, disait mon père qui aidait Geneviève à boire son lait (elle était assise sur les genoux de mon père et regardait autour d'elle de ses yeux bleus toujours surpris), c'est écrit comme j'te parle, Jeannot, le Bon Dieu s'occupe lui-même de ses oiseaux et de ses fleurs. En attendant, mange et écoute ta mère.

— C'est une passion qu'il a, il pense seulement aux oiseaux, c'est une maladie!

Mais avant le dessert,quand le téléphone sonnait, la voix d'Élisa Moutonnet me rassurait: nous ne parlions encore que de nos lectures mais le ton de ces conversations inquiétait ma mère qui confiait à mon père:

— Elles parlent encore des garçons, c'est sûr! Pauline Archange pense qu'on comprend pas ses phrases qui ont ni queue ni tête! Mais on comprend tout, tout.

Pour ma mère qui n'entendait que ces mots fiévreux: «Ce que je veux, c'est *Le Désert de l'amour*, pas *Les Conquérants*, mais *Le Désert de l'amour*... je veux l'avoir dans l'autobus, oui, à une heure, devant la pharmacie», pour elle, ce langage était «de la folie pure», un inaccessible domaine qui la menaçait.

Le dimanche, à l'heure où d'habitude mes parents me réveillaient pour la messe, j'avais déjà quitté le lit où Geneviève dormait encore, le visage écrasé dans un fouillis de jouets dont elle entourait son sommeil, et, un sac de campeur sur le dos, j'attendais avec mes amies «le train express pour Sainte-Élisabeth-des-Prés», train qui nous transportait rêveusement à travers les petits villages, au-dessus des collines encore blanches de neige sur lesquelles le soleil répandait des lueurs bleues et froides, pour s'arrêter à Sainte-Élisabeth dans un soubresaut de vapeur, vieux train que la campagne semblait accueillir pour briser la monotonie du silence matinal, car, au grincement de ses roues sur le rail, d'autres bruits familiers commençaient un peu plus loin sur les fermes, tels le chant d'un coq, l'aboiement des chiens, et, pour nous qui descendions du train en criant, la campagne était toute frémissante déjà, des ruisseaux clairs s'élançaient sous la neige, et la montagne nous paraissait plus facile à escalader car dans la brume qui flottait encore très haut, sous le ciel, on ne voyait plus son sommet argenté. Élisa Moutonnet et Louisette Denis achevaient la montée de la colline Numéro 1 (suivant les écriteaux qu'une compagnie de scouts avait laissés derrière eux, cette colline n'était «qu'une bosse de chameau, prochain écriteau, cinq milles plus haut, monte et sois brave») et Marthe Dubos et moi étions encore dans une forêt de pins, en bas, flânant autour des arbres, quand, sur un écriteau accroché à une branche, on pouvait lire cet avertissement: «Attention, Ours».

— Avec mon avion, j'aurais déjà fait le tour du pic de la Sainte, trois fois, tu peux me croire! J'ai faim, moi, tu veux un gâteau au miel, Pauline Archange?

— Si tu manges tout le temps, on ne va jamais arriver aujourd'hui.

Devant la colline Numéro 2, Marthe Dubos qui avait déjà lutté deux heures contre la broussaille et les coteaux boueux s'écriait encore en ouvrant son sac:

— J'ai l'estomac vide, moi! Je n'en peux plus. Ce n'est pas une montagne ordinaire, c'est une vraie échelle de bois. Qu'est-ce que les scouts nous racontent cette fois pour nous encourager un peu?

— Ils disent: «Toujours plus haut, toujours plus droit, prochain ruisseau, sept milles.»

— Ils vont me tuer, c'est simple! Et dire que le ciel est si beau et que je serais légère comme un papillon si je volais aujourd'hui. Donne-moi la main, Pauline Archange, ou bien veux-tu que je me casse le cou sur cette butte-là?

— Si t'avais pas mis dix gilets l'un par-dessus l'autre comme une sœur, tu serais moins lourde à traîner.

Le visage caché dans son écharpe de laine, elle labourait le sol de ses épaisses chaussures de ski en soufflant; mais quand nous arrivions au sommet de la dernière colline, elle s'exclamait avec joie devant «le ciel si près de nous», «les nuages au-dessus de nos têtes», car ce qu'elle recherchait au bout de son ascension c'était «l'espace, l'horizon sans limites», et comme un aigle qui retourne à son nid au faîte d'une montagne, elle ne bougeait plus pendant des heures de la branche d'un chêne dont elle avait fait son gîte et d'où elle contemplait le coucher de soleil, après sa journée d'efforts. «Viens allumer le poêle dans la cabane» criait Louisette Denis, plus loin, mais dans son balancement serein entre le ciel et la terre Marthe Dubos ne nous entendait plus.

Nous avions hérité des scouts, parmi les ruines d'une maison ouverte à la nuit et aux étoiles, un poêle dont le tuyau fumait mais contre lequel chacune aimait se blottir, le soir, pour lire aux lueurs d'une bougie; seule Marthe Dubos rôdait encore autour de la cabane et le bruit de ses pas sur la neige semblait rompre un vaste silence autour de nous. Elle apparaissait soudain sur le seuil, sa grande ombre marchant devant elle en remuant les bras:

— Je ne veux pas vous déranger, les filles, mais j'entends des voix, tout près... C'est peut-être des scouts qui ont décidé de faire une excursion nocturne...

Quand deux étudiants qui avaient perdu leur chemin entraient timidement dans la cabane, les raquettes aux pieds,

Élisa Moutonnet s'approchait d'eux et, tout en les éclairant de sa lampe de poche, leur offrait l'hospitalité d'une voix transformée (plus lente, plus songeuse que lorsqu'elle s'adressait à nous), l'aîné détournait aussitôt la tête tandis que son frère, moins farouche, nous regardait tour à tour de son œil étincelant mais n'osait rien dire.

— Nous avions justement besoin de vous pour allumer notre poêle, disait Élisa en souriant, nous étions sur le point d'arracher la porte pour nourrir le feu... Avec vous deux dans la cabane, nous serons plus en sécurité, cette nuit, vous ne trouvez pas, les filles?

Mais comme elle n'entendait que les soupirs de Louisette Denis qui s'enfermait en bougonnant dans son sac de couchage, elle ajoutait avec une indifférence coquette:

— Comme vous voyez, les examens approchent et nous étudions comme des folles!

L'indignation de Louisette Denis était plus grande encore quand elle découvrait à l'aube Élisa Moutonnet et François Lepique enlacés dans le même sac de couchage.

— Mais ce n'est pas possible, répétait-elle dans son étonnement troublé, Élisa Moutonnet n'a pas encore eu ses règles, dis donc quelque chose Marthe Dubos et cesse de les regarder comme ça! Ce n'est pas possible.

— Tant mieux si elle n'a pas encore eu ses règles, disait Marthe Dubos calmement, elle en a de la chance! Puis elle marchait vers la porte en haussant les épaules...

Le voyage du retour était souvent bien morne: tout en apprenant nos déclinaisons latines, Marthe Dubos et moi, nous jetions sans cesse des œillades à Élisa Moutonnet et François Lepique qui se tenaient furtivement par la main, osant à peine se regarder tant notre vigilance paralysait tous leurs mouvements, et appuyée contre la fenêtre du train, Louisette Denis avait une expression sombre, car pour elle qui avait de l'amitié une conception presque chevaleresque et qui lisait Maritain avec ardeur, ce sentiment dépassait dans son cœur l'amour dont elle ne savait rien et il lui semblait qu'Élisa Moutonnet avait trahi la quiétude de l'amitié en invitant Louis et François Lepique parmi nous. «C'est avec l'esprit que les gens éprouvent de l'amitié, pensait-elle, mais quand on devient stupidement amoureux comme Élisa Moutonnet et François Lepique, quand on s'amourache de n'importe qui, on perd tout de suite la tête.» Elle tolérait pourtant l'image de l'amour chez une personne plus âgée, comme Germaine Léonard, la sensualité alliée avec l'intelligence lui apparaissait dans une ferveur mystique, reposante, et elle avait un souvenir si vif de ce jour où, de notre repaire dans les buissons, nous avions été complices de l'abandon de Germaine Léonard, pendant qu'elle offrait sa tendresse à un ami, qu'elle ne pouvait la rencontrer dans la rue sans lui exprimer de l'admiration avec des saluts inhabiles, de gauches courbettes, mais si Germaine Léonard recevait notre respect comme une chose qui lui était due, elle était ennuyée par l'excessive vénération de Louisette Denis et elle ne répondait à ses claironnants «Bonjour, mademoiselle Léonard, vous allez bien?» que par un hochement de la tête et une sèche parole: «Très bien, merci!», poursuivant son chemin d'un pas pressé. Quand nous allions patiner toutes ensemble, le samedi, la vision de notre groupe enjoué qui filait sous les fenêtres de l'hôpital devait l'irriter aussi car elle ne nous saluait que d'un regard hautain sous sa paupière à demi close.

— Voilà une femme enfermée dans ses principes comme dans un corset de fer! déclarait Élisa Moutonnet qui ne comprenait pas l'admiration de Louisette Denis «pour un personnage aussi raide», on dirait que personne ne l'aime et qu'elle n'aime personne.

Ce portrait extérieur ressemblait un peu aux apparences honnêtes que Germaine Léonard désirait sauver «aux yeux des autres», elle exhibait même avec fierté cette insensible façade de son caractère, laquelle recelait l'amour, la commisération, «mais cela ne concernait personne», car ce qu'elle voulait surtout cacher alors c'était «une liaison insensée» avec un collègue («Marié et père de deux enfants», pensait-elle avec sévérité pour elle-même) mais il était vain de songer à une rupture, cette fois, car ils participaient tous les deux aux mêmes travaux de recherches, collaboraient aussi au *Journal de l'Investigation Scientifique* et même si Germaine Léonard se répétait chaque matin: «Je dois lui parler ce soir, cela ne peut continuer ainsi...», sa résolution l'abandonnait quand, après une journée épuisante parmi ses patients, elle s'enfermait avec Pierre Olivier dans ce temple de l'étude que devenait pour elle le laboratoire, à cette heure paisible où, penchée sur un microscope, elle était trop absorbée par la vie des cellules pour penser à son confrère comme à un amant. Cette liaison lui semblait plus douce, soudain, rachetée peut-être par l'exaltation intellectuelle et le zèle qu'elle croyait partager avec Pierre Olivier: elle doutait des desseins humanitaires du docteur, toutefois, et il lui arrivait de sentir en lui sous l'impassible beauté de ce visage, de ce corps qu'elle aimait et que dans l'intimité elle comparait à ceux des dieux (se demandant en même temps si cette expression flegmatique de Pierre était bien celle des divinités) une résistance obscure, une froideur que la jeunesse de Pierre Olivier disculpait peut-être mais qui la remplissait d'inquiétude comme si elle eût découvert en lui «un cerveau sans âme» et, ce qui l'effrayait plus encore, un corps qui la possédait peut-être sans tendresse avec une application mécanique.

Germaine Léonard avait l'habitude de dominer ceux qu'elle aimait (croyant être aimée pour sa force, elle ne montrait souvent que sa maladresse, son impuissance), mais dans cette amitié, elle accusait Pierre Olivier de vouloir la dominer «inconsciemment, bien sûr», car tout ce qu'elle ne comprenait pas chez les autres, elle l'expliquait par «cette inconscience, cet état de triste aveuglement», défauts qui étaient surtout les siens mais dont elle se délivrait en les projetant sur un autre, et elle qui était présomptueuse, souvent si rigide dans ses jugements, condamnait la cérébralité de Pierre Olivier, son ténébreux orgueil, sans reconnaître ces fautes en elle-même, car elle était incapable d'admettre la supériorité d'esprit que Pierre Olivier avait sur elle, et malgré les éclairs de modestie qui traversaient parfois son cœur elle n'osait pas même penser: «Nous sommes égaux» (cette simple égalité eût représenté pour elle une blessure à son orgueil) mais se disait victorieusement: «Cette supériorité n'est qu'une illusion!»

Ainsi, elle parlait rarement des travaux scientifiques de Pierre: il avait publié très jeune des *Essais sur les Protéines*, s'attirant plus d'ennemis que d'admirateurs parmi ses aînés, et Germaine Léonard, comme les autres, préférait ignorer la virile détermination, le courage qui le poussaient à défendre son œuvre et à triompher des témoignages d'incompréhension qui oppressaient sa vie. Dans ce combat contre l'ignorance, il repoussait sans pitié «toute ombre religieuse qui traîne encore dans nos livres de médecine, dans nos salles d'opération! Quelle bêtise, par exemple, quand un maître de la chirurgie comme Dugal lève les yeux vers le crucifix qui domine la salle et demande le secours de Dieu pendant une intervention chirurgicale, cela me gêne jusqu'au dégoût!»

— Vous êtes trop familier envers vos supérieurs, répondait Germaine Léonard, j'ai beaucoup de respect pour Antoine Dugal, c'est un excellent chirurgien.

— Malheureusement, ces habitudes catholiques empoisonnent sa science. Cette sorte de piété est indigne de lui! Vous me disiez vous-même l'autre jour «qu'une bouffée d'air enrage toujours les esprits conservateurs ou ceux qui veulent protéger les privilèges» et maintenant, vous qui n'avez pas la foi, vous défendez ce triste privilège, cette morbide présence de Dieu dans nos salles d'opération.

— Je n'ai jamais dit cela, disait-elle vivement.

Germaine Léonard s'offensait de l'audace de Pierre Olivier quand il critiquait «ces professionnels respectables», indirectement c'était un peu contre elle-même que Pierre lançait son attaque ironique, «malgré sa noble allure il n'est qu'un prolétarien», pensait-elle dans sa colère, ainsi, que pouvait-il donc comprendre «au raffinement de l'élite» dont elle faisait partie parmi d'autres médecins, des avocats ou des juges, noyau de «familles privilégiées» dont elle réprouvait dans ses articles «le fade catholicisme sans charité» mais quand Pierre Olivier attaquait en elle-même ces privilèges, elle défendait aussitôt sa classe dans une ardeur vindicative, plaidant la cause de toute personne éminente «dont on ne doit pas souiller l'image» mais se jetant sans scrupules sur une réputation affaiblie comme celle de Benjamin Robert dont on se disputait voracement les lambeaux, autour d'elle, dans sa société.

— Au fond, vous n'appréciez que ceux qui vous ressemblent, lui disait Pierre Olivier, ceux qui sont dignes de votre estime morale...

Germaine Léonard niait fermement de telles accusations, mais si le jour suivant Pierre Olivier manifestait trop d'enthousiasme en parlant des *Chroniques de Prisons* de Philippe

L'Heureux, le seul nom de l'auteur faisait frémir Germaine Léonard et, oubliant ses véhémentes protestations de la veille, elle disait le contraire avec la même passion:

— Ce Philippe L'Heureux a de mauvaises manières d'écrivain, il abuse de la patience d'un lecteur, d'un auditeur. Un écrivain doit être discret sur soi, sur son œuvre, et même dans son œuvre, sur ce qu'il a à dire, sur ses obsessions. Autrement, il lasse, ou bien encore il peut exaspérer, crisper. Ce jeune auteur est trop délirant, ses personnages ne sont pas réels, vous savez bien que de telles conditions n'existent pas dans nos prisons! Il a inventé ces personnages malsains, vicieux, et je me demande quelles qualités vous trouvez en lui, dans la sensualité trouble de ce livre, vous qui connaissez un peu la vie...

— Mais un écrivain transmet sa vision, voilà tout, saine ou malade, c'est toujours une vision du monde!

— Je sais, je sais, mais à un certain degré de morbidité avouez tout de même que le lecteur ne peut pas se plaire aux personnages, ceux-ci peuvent aller jusqu'à lui répugner vivement! J'ai moi-même entendu plusieurs fois l'expression «écœurant» au sujet des personnages ou des aventures de ce pauvre Philippe L'Heureux, voilà ce qui arrive à un auteur qui décrit des personnages avancés dans la décomposition: il y a une décomposition positive qui est le mal même, mais je parle ici d'une décomposition négative, une désagrégation interne, une absence de bien et de mal, il faut se rappeler que ce garçon a écrit ce livre sur un lit d'hôpital, alors atteint d'un cancer et que la maladie, la peur de la mort, sont très présentes dans ce livre.

— Peu importe, vous savez comme moi que nous respirons partout dans le monde une haleine de putréfaction qui monte de nos crimes. Si Philippe L'Heureux est malade, nous n'avons pas la franchise, comme lui, de révéler le poison dans des pages douloureuses! Notre maladie est secrète, mais elle est là.

— Je ne sais pas de quoi vous parlez et je ne comprends pas, docteur, cette attirance qu'exerce sur vous le malheur — le malheur dans la littérature, bien entendu, car dans la vie la souffrance de vos malades semble vous émouvoir beaucoup moins.

Sans lui donner le temps de répondre à cette remarque pernicieuse, elle reprenait d'une voix moins assurée:

— Que signifient ce vieux masochisme, cette ancienne culpabilité chez un homme pratique comme vous? Le malheur existe, il est universel et profond, mais il faut le dominer un peu, vous savez cela autant que moi, c'est la seule façon d'y pouvoir quelque chose. S'y noyer comme ce fanatique Benjamin Robert (pardonnez-moi mais quel mauvais prêtre) ne donne rien à autrui ni à soi. L'œuvre de Philippe L'Heureux n'est qu'un cri incohérent et fou, un cri qui ne monte pas de la tête ni du cœur mais des entrailles! C'est dommage, car la force, les dons que l'on sent en lui pourraient devenir un océan de générosité bénéfique (emportée pas son lyrisme elle avait soudain un air plus doux, plus rêveur), de création lisse et signifiante où chacun trouverait pour sa faim...

Souvent, après avoir accablé d'injures un écrivain qui était jeune (donc menaçant pour elle), Germaine Léonard s'attardait avec émotion «à l'ombre généreuse des œuvres du passé» et lorsqu'elle dînait avec Pierre Olivier au Club des Médecins (lieu qu'elle choisissait toujours afin de préserver la fragile neutralité de leur rencontre), elle cédait à une sorte de ravissement en parlant «des tendres printemps de la littérature russe... Oui, c'est dans Tchekhov que l'on retrouve ces printemps épuisants de douceur... Presque rien, une brève sensation dans une pièce... Mais ce sont des printemps si familiers pour nous...»

Pierre Olivier l'écoutait en souriant mais quand leurs regards se croisaient, il cessait de sourire et lui versait du vin d'un geste détaché: «Racontez... racontez...» disait-il sèchement car il ne voulait pas montrer ce qu'il ressentait quand elle parlait pour la troisième fois en une année «des printemps de Tchekhov», paroles qui éveillaient en lui, avec la tendresse, un violent sentiment d'impuissance, non seulement parce que cette involontaire répétition précipitait Germaine Léonard dans une orgueilleuse mélancolie, mais aussi parce que la mélodie de ces quelques mots «les printemps de Tchekhov» lui rappelait l'écoulement des jours, la fuite de leurs vies, «des saisons qui passent, des printemps qui ne reviendront plus», ajoutait une voix intérieure, laquelle s'insinuait doucement en lui pour tourmenter toutes ses joies, mais il étouffait cette voix et disait d'un ton indigné:

— J'ai raison, alors, de dire que vous préférez les écrivains défunts à ceux qui vivent près de vous. Pourquoi pas, n'ont-ils pas enseveli dans la tombe tous ces secrets qui ont inspiré la beauté de leurs œuvres? Il ne nous reste que cette œuvre purifiée par la mort... Oui, un doux bouquet de passions distillées par le temps!

— Plus bas... je vous en prie, on nous écoute...

Pendant qu'elle cachait une partie de son visage du revers de la main en le suppliant de se taire d'une voix humble, craintive, il pensait dans un élan de pitié amoureuse: «Elle ne changera donc jamais, mais parfois malgré tout elle est plus aimable que personne d'autre», mais Germaine Léonard qui posait sur lui un regard embrumé par le vin et la fatigue ne voyait en lui que son attitude hostile, ne lisait sur ses traits que des pensées de mépris qu'il n'avait déjà plus:

— Vous ne dites que des bêtises, répliquait-elle, la gorge serrée, je me demande parfois si vous êtes sensible aux autres...

Ce n'est que lorsqu'ils se trouvaient seuls, la nuit, que Germaine Léonard délaissait ce ton protecteur pour un ton plus soumis. Pierre Olivier avait déjà attendu une heure dans un café avant de monter à sa chambre mais elle ne semblait pas encore prête à le recevoir lorsqu'il arrivait, et lui, qui était enclin au sommeil et qui souffrait souvent de migraine, regardait avec désespoir Germaine Léonard qui s'affairait autour de ses papiers et de ses livres épars sur le lit; il enlevait enfin son manteau et disait d'un air maussade:

— Je prends une douche et je reviens.

S'il avait craint, au début de leur liaison, de la blesser par sa hardiesse, il avait vite compris que Germaine Léonard était, la nuit, une personne étrangère à celle qu'il connaissait le jour, et qu'ils se dépouillaient tous les deux, pendant une brève halte, de leurs ambitions rivales, de leurs rancunes, pour se reposer l'un près de l'autre dans l'accord de leurs deux violences, non plus divisées et batailleuses, mais unies et rassérénées dans le plaisir, et même si Germaine Léonard érigeait faiblement un dernier principe dans quelque partie souterraine de son esprit: «Certains seuils, pensait-elle, il ne faut pas franchir certains seuils...», elle désertait malgré elle, comme dans les rêves, cette digue de conscience, et elle qui était si tyrannique pendant le jour, pour elle-même comme pour les autres, n'avait plus aucun pouvoir sur le ruissellement de ces actes que normalement elle eût appelés «permis» ou «défendus» mais qui coulaient loin d'elle maintenant, aussi librement que les eaux d'une rivière. Leur entente sensuelle était si parfaite qu'elle en éprouvait un peu de frayeur: puisque la nuit refermait à mesure la distance, les malentendus qui les séparaient pendant le jour, quand donc auraient-ils le courage de rompre cette liaison? Elle voulait déraciner cet amour de son cœur mais elle savait que son attirance envers Pierre Olivier était trop forte et que sous le souffle de la haine ou de l'indifférence meurtrie, la passion semblait croître davantage. Même lorsqu'elle se disait, pour fouetter en elle les plaisirs attendus: «Bien sûr, il est gentil, il fait bien l'amour, mais il ne pense qu'à me dominer», les différentes attitudes «ironiques ou cruelles» dont elle accusait Pierre Olivier, ensuite, toutes ces pitoyables défenses la protégeaient bien peu contre un attachement durable et très profond. Quand elle disait d'un ton coupant, elle qui avait été si tendre quelques minutes plus tôt: «Je te chasse, Pierre, je dois me lever à six heures demain...», il n'osait plus s'approcher du dos solitaire qui se mouvait dans l'ombre et il lui disait d'une voix lointaine (laquelle déguisait un sentiment subtil qu'elle n'eût pas compris, bien souvent):

— Oui, tu as raison, il faut dormir.

Mais debout sur le seuil, il attendait silencieusement son étreinte avant de partir dans la nuit. Ils s'embrassaient longuement encore, éloignant l'heure de la séparation par la promesse de futures rencontres: «Dimanche... dimanche, disait Pierre en la serrant dans ses bras, nous aurons toute la journée à nous...» Mais elle protestait à voix basse: «Cette conduite ne nous ressemble pas, non... il faut cesser de se voir... c'est une histoire bien folle...» Quand elle consentait à passer le dimanche près de Pierre, à sa maison de campagne, c'était avec beaucoup de réticence et tout en se promettant «de rompre avec lui à la fin du jour». Ces pensées de rupture l'assaillaient pendant toute la durée du voyage, et assise à une certaine distance de lui, dans la voiture, elle rabattait la lisière de son chapeau sur les yeux, comme pour éviter de le voir, et elle ne s'adressait à lui que pour observer avec désobligeance:

— Quelle façon de conduire sur les routes glacées!

Puis ils marchaient en silence vers la petite maison verte enfoncée sous les arbres, au bout d'une allée de pommiers qui leur cachait la ligne bleue du fleuve, lequel leur apparaissait peu à peu, non plus bleu, mais d'un brun presque sombre sous le ciel orageux, à mesure qu'ils avançaient vers la maison, mais quand Pierre Olivier, ouvrant la porte, poussait doucement Germaine Léonard dans la pièce glacée en disant: «Il y a du bois dans la cave... Attends-moi, dans une heure, tu auras moins froid...» elle était soudain affolée de pensées coupables et de regrets et se répétait en frottant ses mains l'une contre l'autre: «Ce n'est pas raisonnable, mon Dieu, non!», mais avec la première flambée qui s'élevait dans la cheminée une sorte d'indulgence envers elle-même la réchauffait et, même si elle disait à Pierre Olivier d'un ton sévère: «Quel égarement, quelle folie, mon chéri!», elle ne repoussait pas la main qui se posait sur son épaule, la dormante sensualité qui veillait toujours entre eux les réconciliait pour quelques heures, et pendant qu'ils faisaient l'amour près du feu, leur passion effaçait les contours de ces deux êtres qu'ils étaient si souvent l'un pour l'autre dans la vie quotidienne, chassés par l'exaltation de leurs sens, ces deux êtres erraient plus loin, avec leurs soucis et leur impatience, et ceux qui les remplaçaient temporairement ne se voyaient plus qu'à travers leurs caresses et l'unité de leur bonheur. Dans un rêve qui la tourmentait parfois, Germaine Léonard retrouvait Pierre Olivier tel qu'il était dans ses bras quand ils s'enlaçaient ainsi près du feu, mais une ombre menaçait ce rêve de vive allégresse, c'était une autre silhouette de Pierre qui hantait ce paysage voluptueux, celle d'un homme vêtu de sa blouse blanche de médecin qui accusait Germaine Léonard d'avoir perdu un document important pour leurs recherches et qui exerçait toujours un mystérieux pouvoir sur elle; même si elle émergeait de ce rêve pour trouver Pierre qui dormait paisiblement à ses côtés, elle était si contrariée par ces images de ses songes qu'elle débordait déjà d'animosité contre son amant. Ce rêve lui semblait presque prophétique quand, pendant leur promenade, l'après-midi, confiant à Pierre son «immense espoir pour l'avenir», elle remarquait avec quelle insolence il s'opposait à ses idées, les cheveux au vent, les mains dans les poches, il accentuait ses paroles d'une démarche souple, énergique et Germaine Léonard, qui marchait derrière lui dans une lassitude irritée, tremblait en l'écoutant:

— Tu dis: «Nous travaillons pour la guérison du cancer dans les générations futures, pour les enfants de demain», mais moi je pense: «Mes enfants pourront-ils simplement exister, vivre?» La soif de destruction qui règne dans le monde consume lentement tous nos efforts, toutes nos espérances et à la fin notre amour de la vie sera vaincu, tu verras!

— C'est une névrose, Pierre, tu ne penses qu'à la mort.

— Et toi, tu n'aimes que tes utopies...

— Eh bien, c'est merveilleux, je pense, de se voir confier le soin d'élaborer une utopie, une sorte d'idéal humanitaire et scientifique. Un jour nous serons des centaines à réaliser cette utopie. Les enfants que nous regardons aujourd'hui mourir, dans notre impuissance à les sauver, nous pourrons les guérir demain. Tu ne penses donc jamais à cela? Ce pessimisme est bien irritant, morbide, même...

Il écoutait Germaine Léonard d'un air outragé: encore une fois, leurs caractères dissemblables se heurtaient, pensait-il amèrement, et même si Germaine exprimait un peu de tendresse pour lui tout en l'accablant de remontrances, il méprisait en elle ce «besoin de réhabiliter les autres» au profit de sa propre stabilité intérieure: sous le voile de la raison, elle réduisait ou supprimait la force originelle qu'il sentait en lui pour étreindre les risques de ses expériences humaines, et ce qu'elle appelait «un bien lourd pessimisme» n'était pour lui que la manifestation «d'une saine violence» dont on ne pouvait aisément faire dévier le cours vers un rivage de sagesse ou d'insipide rationalité. Une telle absence d'imagination le froissait et, évitant le regard de Germaine Léonard qui cherchait le sien avec inquiétude, Pierre Olivier marchait à grandes enjambées sur la grève, et clignant des yeux vers un pan de lumière qui se levait au bout du quai, à l'horizon, il songeait à d'autres incompréhensions de sa vie, à la poigne aride de tous ceux qui, tout en désirant l'assister dans l'éclosion de ses aptitudes, ne pensaient qu'à étouffer en lui l'audace, sa témérité et ses erreurs, lesquelles se ramifiaient, selon lui, aux inventions d'un esprit agile et curieux. De tous ses entretiens avec Antoine Dugal qu'il admirait comme homme de science, ne sortait-il pas inévitablement indigné, car cet ancien professeur voyait encore en lui son élève et rehaussait cette fausse autorité de remarques «sur le plan spirituel» quand leur mésentente était déjà si profonde. Pourtant, Pierre Olivier était presque ému dans l'évocation de ses heures avec Antoine Dugal, il revoyait, en marchant, l'ascétique visage du vieil homme qui tout en le secouant par le bras, comme il eût fait auprès de son fils, le suppliait «de tourner ses regards vers Dieu...», il entendait encore cette voix creuse, désolée qui murmurait à son oreille: «Je ne peux pas séparer Dieu de la science. Voyez-vous, j'ai assisté à la messe pendant trente ans de ma vie, j'ai fui toutes les rencontres mondaines et le succès, mais j'ai trouvé des joies naïves devant l'Autel, comment pourrais-je vivre autrement, dites-moi? Sans l'aide de Dieu, je ne peux plus percevoir le rythme des âmes dans les corps mutilés que je soigne. Mais la race des médecins spirituels va bientôt disparaître, mon ami, et vous la remplacerez dans votre ferveur profane, mais pour vous, qu'est-ce que la vie, qu'est-ce qu'une vie infirme qui attend sa délivrance? Vous ne servirez plus le Maître, vous l'avez déjà oublié...» Quand Pierre Olivier, croyant rendre hommage à son ami, louait dans ses articles «les prodigieuses réussites sur les ossatures des infirmes d'un maître en chirurgie orthopédique», il observait avec étonnement que Dugal préférait, à l'éloge de son activité médicale, les modestes balbutiements d'une religieuse qui avait longtemps travaillé dans son ombre, à la clinique, et qui exprimait ainsi sa vénération: «Voilà un grand médecin, un bienfaiteur du peuple, un saint qui communie chaque matin pour ses malades, dont les visites à ses patients sont précédées de visites au saint sacrement et qui n'opère que dans le rayonnement du tabernacle, voilà un homme qui exerce son art comme un ministère sacré, une forme de sacerdoce...» Impressionnable jusqu'aux larmes devant de tels témoignages, il repoussait avec un sourire de bonhomie l'estime honorifique que Pierre semblait désirer pour lui, comme s'il eût dit: «Pour un chrétien, il n'y a jamais de récompense.»

«Quoi de plus insultant à la science, pensait Pierre Olivier en marchant sur la grève, que l'humilité d'un esprit remarquable qui renonce à tout honneur pour satisfaire un Maître invisible, je ne comprendrai jamais cet homme, peut-être a-t-il perdu sa vanité professionnelle mais à quoi bon puisqu'il a acquis la vanité du supplice, l'orgueil du martyr?» Il se disait aussi que «la puérile spiritualité» de son ami lui cachait sans doute des aspects attachants, plus passionnés de son caractère, et songeant à Germaine avec qui il aimait se délasser dans l'analyse touffue des héros de romans qu'ils préféraient (si altérés, tous les deux, de fraîcheur, d'une limpide imagination capable de les transporter loin de l'incurabilité des patients pour qui ils ne pouvaient plus rien, loin de la méthodique concentration de leurs travaux au laboratoire, qu'ils passaient parfois le dimanche à lire au lit, la divergence de leurs opinions les dressant encore l'un contre l'autre quand Germaine Léonard avouait chercher dans la littérature «la santé, l'ordre de la nature»), songeant à ces heures de lecture dans la chaleur des draps, Pierre Olivier eût aimé entendre Germaine Léonard lui parler d'Antoine Dugal comme d'un personnage dans une œuvre littéraire, mais en se retournant pour l'appeler, il vit qu'elle marchait loin de lui dans la direction opposée, elle lui paraissait soudain frêle et gauche, la tête penchée sous le poids de ses pensées tristes, et, oubliant pourquoi il avait été vivement blessé par ses paroles, une heure plus tôt, il courait vers elle en faisant des bonds juvéniles dans le sable, le ciel était plus éclairci, soudain, l'air plus tiède, et il pensait avec euphorie: «Je dois lui dire qu'elle a raison pour les printemps de Tchekhov», mais rebuté par l'air morose que Germaine Léonard feignait de prendre devant lui, il ne disait rien. Même si elle avait maîtrisé un premier mouvement d'ardeur en le voyant courir vers elle (éprouvant comme une ivresse le contact de sa joue rugueuse contre son front, d'un bras joyeux qui enserrait sa taille), un orgueilleux chagrin l'immobilisait là, sur la grève, et elle se disait en martelant ses pensées de coups de tête expressifs: «Il a encore tout gâché avec son appétit de la destruction, comme il est ennuyeux!» D'autres pensées, plus réconfortantes, traversaient son esprit en même temps, et Pierre observait imperceptiblement la transformation de son visage pendant qu'elle pensait: «Il n'est pas même sensible à la beauté de l'amour charnel, à cet apprivoisement si tendre et à tout ce qu'il peut signifier de réconciliation avec l'univers et de grâce en ce monde... Tout cela existe pourtant sur la terre...»

Elle disait enfin, d'un ton autoritaire:

— Nous avons parfois le devoir d'être heureux.

— Je veux bien être heureux, très heureux, mais ne parle jamais plus de devoir.

Il la serrait contre lui, et, pendant quelques instants, cette réconciliation les enveloppait d'une grande douceur.

Ils retournaient à la ville dans une humeur presque joviale: allégée de ses remords, Germaine Léonard songeait à ses responsabilités, à un mutuel dévouement dans le travail qui, pensait-elle, les élevait «au-dessus de l'agitation des sens», et ne craignant plus de céder à ses désirs, elle touchait parfois le genou de Pierre qui conduisait modérément la voiture à travers la nuit. «Ah! si nous étions toujours ainsi, pensait-elle dans un élan chaleureux, toujours pacifiés par le même accord!» Mais quand Pierre Olivier la provoquait en se lançant soudain dans une sorte d'explication médicale de «l'épilepsie du prince Mychkine», ce personnage de la littérature qu'elle se vantait de si bien comprendre, ajoutait-il avec un sourire ironique, mais qu'elle eût sans doute «systématiquement rejeté dans la vie», elle retrouvait aussitôt son aigreur contre lui, mais dans sa distraction sensuelle, elle oubliait sa main sur le genou de Pierre et répliquait rageusement:

— La maladie de l'Idiot a pour moi une interprétation allégorique, avant tout. Ce malheureux homme est malade de pitié et, comme le Christ, il ne vient sur la terre que pour représenter un amour et une charité impossibles. Cette sorte de pitié est troublante et bien déséquilibrée, il faut l'admettre. Mais je suis sûre que Dostoïevski ne voyait ses personnages qu'avec un regard puissant et sans complaisance, il ne baignait jamais dans leurs maladies et rien n'est plus beau que l'intervention noble, détachée, d'une conscience d'écrivain. Pourquoi ris-tu? Je suis sérieuse, moi. Tu ne peux pas me dire que l'Idiot ressemblait à ces jeunes détraqués que nous rencontrons aujourd'hui, partout, ces êtres absolument désossés, vidés par le cœur, épars, épaves...

— Je ris parce que le médecin en toi cherche même dans la littérature une guérison magique aux maux de l'âme, tu dissèques ces cœurs passionnés, ces furieux instincts comme s'ils étaient des cadavres.

— Ah! tais-toi, je t'en prie.

— Si le prince t'apparaissait soudain, tel qu'il était dans le train, après son exil et sa longue maladie en Suisse, tu ne l'aimerais pas car tu n'aimes pas la vulnérabilité et il était sans doute vulnérable ce jour-là. S'il posait sur toi son regard fixe, étrange, tu reconnaîtrais tout de suite la délirante maladie dont il est atteint et comme un froid observateur, tu pourrais te dire à toi-même: «Quelle épave, quel homme détraqué!»

— Ah! Ce n'est pas vrai.

— Le voici qui s'élance dans l'escalier de la vieille maison où Rogojine l'attend dans l'ombre, il a soudain une vision de ces yeux qui le guettent mais un sentiment hagard le pousse vers son meurtrier, c'est l'heure où il éprouve ce magnifique déchirement de l'âme qui le rend si heureux, mais la crise approche et, dans sa conscience à demi éveillée par la douleur, il entend ce grand cri animal qui s'échappe de sa poitrine, ce cri qui devait effrayer l'assassin, caché près de lui. Dis-moi, devant ce corps tordu, cette face convulsive, pourrais-tu nier la force, l'irrationnelle violence qui ont saisi l'écrivain quand il pénétrait la vie d'un tel personnage? Le Christ lui-même pourrait-il être aussi compatissant que cet ange maladif qui, dans un inexplicable mouvement de tendresse, pleurait contre le visage de Rogojine, lui caressait les cheveux et les joues, et tu dis que Dostoïevski «ne baignait jamais dans la maladie de ses héros», moi je pense qu'il était à la fois Rogojine et son meurtre, et le prince qui avait pitié de lui dans un état de merveilleuse hébétude.

Germaine Léonard était soudain très abattue: Pierre, dans son envol vers des régions intuitives qu'elle ne pouvait pas pénétrer, la laissait cheminer seule derrière lui dans la brume, et elle qui se reprochait souvent de posséder «un esprit lourd et sans essor» ressentait comme un affront l'éloquence de Pierre Olivier, la poétique vigueur qu'il dissipait «bien égoïstement» dans leurs discussions, pensait-elle quand elle devenait de plus en plus lasse et de moins en moins lyrique. Elle le quittait encore dans une jalouse exaspération et, pendant qu'il lui caressait la joue en disant: «À demain, ma chérie...», elle savait qu'il n'était déjà plus près d'elle mais dans l'intimité de sa vie familiale et, comme pour contenir les larmes qui montaient à ses yeux, elle pensait avec amertume: «Je dois terminer mon article cette nuit... j'ai déjà trop perdu de temps...» et, sans un regard pour son amant, elle s'enfuyait dans la nuit...

*

Quand nous arrivions à la ville, le jour commençait à baisser, nous marchions vers la gare en tournant la tête vers la rangée de wagons vides sur les rails enfumés et il semblait bien dur de rentrer à la maison quand tant de routes, roses et pourpres dans la lumière du soir, nous invitaient à partir de nouveau, ces routes que d'autres allaient suivre pour nous, car une foule de voyageurs trépignait d'impatience de l'autre côté de la grille de fer... Élisa Moutonnet se séparait de nous, murmurant avec langueur: «Adieu, les filles, on se verra à l'examen, comptez sur moi pour vous glisser les réponses, hein?» toujours négligemment suspendue au bras de François Lepique: dans une nostalgique résignation sans paroles, nous les regardions partir ensemble, les épiant d'un œil impoli jusqu'au coin de la rue où ils s'engouffraient en riant, la tête entre les épaules.

— Tant pis, on va aller toutes seules au Café de la Prune. Marche devant, Marthe Dubos, tu m'écrases les pieds.

— Y a pas à dire, disait Marthe Dubos, les temps changent.

— Non, c'est pas ma mère qui aurait eu un François Lepique dans son sac de couchage. Quand on allait à la montagne dans ce temps-là, c'était pour la montagne, pas pour les hommes.

— Tu as raison, Louisette Denis.

Mais dans les cafés, Marthe Dubos et Louisette Denis fumaient beaucoup afin d'attirer l'attention des étudiants bavards, sirotant une bière, sans jamais nous voir, toutefois, car dans leur animation philosophique, ils faisaient bondir leurs poings sur la table en s'exclamant: «Hostie de Christ, c'est pas un argument pour l'existence de Dieu, ça!»

Ils nous paraissaient remarquablement intelligents et forts et chacun de leurs gestes nous inspirait une admiration, une humilité dont ils se moquaient en se disant entre eux: «Les écolières, aujourd'hui, elles quittent vite en sacrement les jupes de leurs mères, moi je leur enlèverais la cigarette du bec et je leur donnerais une fessée!»

Enfin, Louisette Denis se levait en soupirant:

— Pour l'amour du ciel, partons d'ici, les gens sont trop mal élevés!

Même si nous avions mâché beaucoup de gommes à la menthe «pour éviter l'odeur», ma mère me disait avec assurance, dès que j'ouvrais la porte de la maison:

— Je peux te sentir à cent milles de distance. Te voilà qui fumes à ton âge, tu vas finir dans le ruisseau, comme Huguette Poire.

— Je n'ai pas fumé.

— J'ai le nez fin, viens pas m'en conter.

Je voulais lire seule dans ma chambre, mais ma mère s'approchait de moi et il y avait sur son visage une singulière expression de tendresse qui m'inquiétait, car ce visage de ma mère était celui des approches, des confidentiels abandons auxquels je ne pouvais pas répondre. Assise au bord du lit, je levais les yeux vers le plafond, lequel me semblait d'une dimension anormalement vaste, tout à coup, car pendant que ma mère me parlait, toutes les choses qui m'entouraient depuis longtemps, une chaise, une armoire laide sous un miroir, ces objets trop connus, fanés par le temps, créaient autour de mon corps une atmosphère de géante captivité et d'implacable écrasement: je cherchais la délivrance en baissant les yeux vers un espace éclairé par une grosse lampe, dans la cuisine, où ma sœur Geneviève, tout en mangeant sa purée, jouait avec un verre, en étudiait la forme entre ses doigts potelés, mais malheureusement ne laissait pas tomber le verre sur le plancher. Je ne pouvais donc pas m'évader de la chambre et la main de ma mère touchait encore la mienne, toute sèche et repliée.

— Tu m'écoutes, Pauline Archange?

— Oui, oui.

— Tu as grandi. As-tu remarqué quelque chose de spécial?

— Non, rien.

— T'es pas anormale, quand même, j'espère. As-tu mal quelque part des fois?

— Mais non, voyons.

— Réponds pas comme un chat enragé quand je te parle. C'est sérieux, les problèmes de la vie. Les religieuses doivent bien vous en parler des fois, tu sais ce que je veux dire?

— Les étamines et toute l'histoire, mais je connais tout ça.

— Y a des choses que tu sais pas.

— Je sais tout ce qu'il faut savoir. Vous n'avez pas besoin de m'en parler.

— C'est le devoir des mères. C'est bien beau, les sœurs, mais quand on y pense, elles ont jamais eu d'enfants. C'est pourtant des femmes comme les autres, mais ça sert à rien tout ça parce qu'elles ont pas d'enfants. Un sacrifice de plus au Bon Dieu! T'as pas mal au ventre, t'as jamais de crampes?

— Si j'en avais, j'en parlerais pas.

— Y faut que je te renseigne. Arrête de grouiller comme si t'avais des vers.

— Je veux m'en aller.

— Tu vas m'écouter jusqu'à la fin. C'est un grand mystère, à ce qu'y paraît, dans la création de Dieu, tu comprends, on est comme des animaux inférieurs, on est sorti de la côte d'Adam, d'abord, et en plus y faut enfanter dans la douleur, comme c'est écrit. Je ne sais pas si c'est bien juste, tout ça. Mais qu'est-ce que tu veux, le Bon Dieu n'a jamais été femme et y peut pas tout comprendre comme nous autres. Il en a eu assez de faire le monde en sept jours. Mais quand on y pense, perdre son sang chaque mois pendant une bonne partie de sa vie, c'est une vraie sentence de prisonnier. J'imagine que c'est ce qu'on mérite à cause d'Ève qui a désobéi dans le paradis terrestre. Quand même c'était pas une femme qui pensait beaucoup aux autres. Je vais pas prendre quatre chemins pour te dire la vérité bien crue: toute cette misère ça s'appelle les mens-tru-a-tions.

— Oui, oui.

— Oui, oui, quoi? Tu penses peut-être que t'es comme la Sainte Vierge et que ça t'arrivera pas un jour? Y faut que tu me le dises quand ça commence, je te donnerai des linges, tu les laveras dans un seau, mais n'aie pas le malheur de laisser traîner ça partout pour scandaliser tes frères et sœurs. Ils n'ont pas l'âge de connaître les mystères de la nature, t'as compris? Je me rappelle quand j'étais au couvent, dans ma jeunesse, y avait une pauvre fille qui avait tellement peur des religieuses qu'elle cachait toutes ses ordures chaque mois dans son tiroir d'école, ah! c'était pas drôle quand la bonne sœur surveillante a ouvert le tiroir, un vrai déshonneur pour la pauvre fille qui a été chassée à coups de règle!

Jean entrait alors en courant, et sans enlever son manteau, il nous racontait en un seul souffle le film qu'il avait vu l'après-midi, à la salle paroissiale:

— Saint Narcissus aurait ben pu faire comme les autres et jouer au drapeau dans la rue mais non dans sa robe blanche de fille y a fallu qu'y descende dans les catacombes là y avait des gens jaloux qui l'ont étouffé avec des pierres c'était ben sa faute y s'est pas défendu y s'est laissé faire comme une grenouille c'était pas un brave saint Narcissus...

— Arrête de te tortiller et va aux toilettes. C'est toujours plein de meurtres et de martyres dans les vues du dimanche, qui c'est qui vous montre tout ça?

— Les corneilles, voyons.

— Je t'ai déjà dit de pas appeler les Frères de l'Enseignement chrétien comme ça. Mais tu répètes tout ce que t'entends dire hein?

Mais Jean tapait du pied en disant:

— Les corneilles, les corneilles, les corneilles!

— Dévergondé, va, attends que ton père arrive!

Ma mère ne résistait pas à Jean, toutefois, car il représentait déjà pour elle, comme mon père, un pouvoir obscur, une volonté virile devant lesquels elle s'inclinait; aussi, même lorsqu'elle grondait son fils, sa sévérité était toujours plus douce, ses reproches plus nuancés:

— Le docteur Léonard se trompait donc quand elle pensait que t'étais un engourdi sans cervelle. Le frère dit que si tu faisais juste une ombre d'effort, t'aurais toujours la première place. Mais t'es paresseux et tu penses qu'à lire des histoires sur les oiseaux, j'te comprends pas! Mais Jean filait vers la porte de la cuisine et ma mère courait derrière lui pour le rattraper en disant:

— Tu vas étudier tes leçons, assez de jeux dans la rue, tu vas pas me glisser entre les doigts!

Immobile contre le mur, j'avais eu le temps de reconnaître le regard désolé que ma mère avait posé sur moi, ce regard soudain plein de compréhension et d'humour caché, lequel semblait maintenant me dire dans la solitude:

— Je ne voulais pas te parler de toi, non, mais pour une fois, un peu de moi-même, et tu n'as pas écouté...

TROISIÈME CHAPITRE

«J'aimerais bien vous revoir, ma chère Pauline. Venez donc à quatre heures, jeudi: je vous attendrai devant le parvis de l'église Saint-Thomas-des-Rois où je donne chaque semaine, comme Platon, des cours à mes disciples...»

Je froissais le billet de Julien Laforêt dans ma main, troublée par cette rencontre après une année de silence où la métamorphose de moi-même, que j'espérais chaque jour, jamais ne se réalisait et, tout en vendant des bas avec Louisette Denis chez Gagnon et Frères (derrière un comptoir vert qui ressemblait à un cachot et d'où s'élevait une avalanche «de bas de nylon à cinquante cents la paire»), je craignais de retrouver, avec Julien, la honte de mon ignorance et l'impuissance de vaincre ce défaut autour de moi.

— Tu te rends compte, Pauline Archange, il faut vendre quatre paires en une minute pour avoir un salaire! Pourquoi pas glisser une paire ou deux dans nos poches, après tout, on les mérite bien après nos heures supplémentaires...

— J'ai peur du patron.

— Élisa Moutonnet «a trouvé» un chandail de dix dollars l'autre jour. Le patron ne s'en aperçoit pas. Quand il regarde son buste, il oublie le chandail. Elle se prend pour une vedette celle-là depuis qu'elle connaît son François Lepique!

Dès la fermeture du magasin, je me hâtais de rejoindre Julien Laforêt à l'autre bout de la ville, mais quand je sautais de l'autobus, il me remarquait à peine: debout sur les marches de l'église, il dominait de son regard intense une marée de collégiens à ses pieds et entonnait de plus en plus fort sa louange à Platon:

— L'homme est-il un animal libre? Oui, mes amis, l'homme est un animal trop libre même, voilà la véritable position de Platon. Songez-vous parfois, mes amis, à cette grande phrase du philosophe: «Seul est libre celui qui a établi l'ordre divin au-dedans de lui-même»?

Mais comme ses disciples ne répondaient pas mais se dispersaient plutôt avec ennui, portant sous le bras une encyclopédie théologique intitulée *Beauté du dogme catholique*, Julien Laforêt se tourna vers un frêle étudiant qui marchait près de lui et dit gravement:

— Tu vois, Chevreux, les philosophes sont toujours incompris, les philosophes et les poètes. Il faut ajouter que les poètes, dans leur amour de la liberté, exagèrent parfois, même Baudelaire que tu admires beaucoup, je sais bien, Baudelaire, dans ses blasphèmes, essaie de grandir le mal et du même coup le pécheur: je ne suis pas sûr d'approuver cela.

— Tu as tort, Laforêt, dit André Chevreux, timidement mais non pas sans une certaine fermeté, levant vers Julien, qui était plus grand que lui, un visage curieux, presque laid, mais dont les traits exprimaient l'intelligence, la bonté. Tu as tort, il n'y a pas de blasphèmes dans l'œuvre de Baudelaire, un orgueil admirable peut-être mais c'est un orgueil qui a traversé la souffrance...

— Malheureux chrétiens, dit Julien Laforêt en pointant du doigt vers le nez de son ami, vous êtes toujours trop sensibles à la souffrance, vous autres, hommes de Dieu!

Quand André Chevreux me vit de l'autre côté de la rue où j'attendais Julien, il disparut agilement à travers un groupe d'étudiants, plus loin.

— Quel animal farouche, dit Julien Laforêt en me serrant la main, la voix encore pleine de reproches pour son ami, pouvez-vous imaginer, ma chère Pauline, un Napoléon timide, un Hercule craintif? Non, car la timidité est le défaut des petits hommes et l'arrogance, la vertu des grands.

Il hésita quelques instants, puis reprit avec la même ferveur:

— Chevreux m'exaspère, il a toujours été mon ami, mais quoi de plus ennuyeux qu'un être sans défauts? C'est une anomalie de la nature, même pour un chrétien. Venez, Pauline, il fait beau, nous irons sur la Terrasse des Braves. Aristote nous dit que «l'amitié parfaite est celle des bons et de ceux qui se ressemblent par la vertu. Cette amitié seule est durable». Je ne pourrai jamais ressembler à Chevreux par la vertu, hélas. Je suis gourmand quand lui jeûne toute la journée, le vendredi. Je suis avare de mes biens quand lui qui ne possède rien donnerait ses chaussures à un plus pauvre que lui. Je suis orgueilleux, vaniteux comme un évêque et lui est si humble qu'il ne me dit pas même où il habite. Tout ce que je sais de lui c'est qu'il ne pense qu'à l'injustice dans le monde... Oui, ma chère Pauline, qu'est-ce que l'amitié sans la connaissance? (Puis, il m'observait froidement des pieds à la tête en ajoutant:) Je vois que vous ne changez pas, vous êtes encore mal vêtue comme autrefois, vous gagnez encore votre vie et vous mâchez toujours de la gomme. Romaine Petit-Page pourra encore s'exclamer en vous retrouvant ce soir, à l'aéroport:

*«Ma chère Pauline, Ô mon
âme d'enfant,
Ma colombe, vous n'êtes donc
pas morte?»*

Eh oui, ils reviennent! Toujours enrobés de sucs et de miel, mais ils ne sont plus seuls tous les deux, ils ont une fille maintenant. «Une enfant douce et belle comme un nuage», m'écrivait Romaine, une image de plus dans leur album! C'est la mode maintenant de reproduire son image, ne prenons jamais ce risque, ma chère Pauline, nous pourrions mettre au monde des êtres inférieurs à nous-mêmes, ce qui serait très humiliant! Ah! si Aristote avait peuplé la terre de ses fils superbes, nous serions moins malheureux!

Romaine Petit-Page nous accueillait avec une joie affectée mais sincère: assaillis de baisers sonores, nous n'osions plus bouger, Julien Laforêt et moi, fondus l'un contre l'autre dans les bras de Romaine: mais si elle refermait sur nous cette étreinte indulgente, ce n'était que pour nous lier davantage «à son vaste cœur de poète», non pour nous unir l'un à l'autre, Julien et moi: dans un élan de jalousie, elle nous séparait soudain en disant:

— Mon petit Julien, me serez-vous toujours fidèle, vous m'avez si peu écrit à Paris? Ah! mon lion chéri, vous ne changez pas, et vous, ma pauvre Pauline, je vous trouve un peu pâle, vous travaillez trop à votre magasin. Mais je reviens et je ne vous quitterai plus, mes chers amis, vous avez tant besoin de protection, de la protection, de la direction d'une mère, je veux dire, mes orphelins chéris! Tiens, Louis revient avec les valises, vous voyez comme il est beau et mince, toujours jeune, avec sa longue chevelure romantique, son livre sera publié à Paris, vous savez, n'est-ce pas mon amour? Mon Dieu, le bébé, notre chère petite, où est-elle, je l'ai perdue...

— Ici, dit le mari avec impatience, offrant encore à nos yeux le même corps gracieux aux gestes alanguis, elle est là, derrière les valises.

— Mon pauvre amour, je ne t'aide pas, ce n'est pas bon pour ma taille mais comme tu es charmant sous le poids de toutes nos valises! Il ressemble à Sisyphe, n'est-ce pas Julien? Vous ne connaissez pas notre petite fille? (Elle prit l'enfant dans ses bras et la serra contre sa poitrine avec chaleur.) Elle est adorable, n'est-ce pas, un peu de rougeurs, mais c'est à cause de la rougeole, elle a bien souffert, notre petite fée! Dis bonjour à nos amis Julien et Pauline, dis bonjour, mon ange...

— Comment s'appelle-t-elle? demandait Julien, elle doit bien avoir un nom, comme tout le monde.

— Yvonne, dit Romaine Petit-Page, émerveillée, Yvonne de Galais.

L'enfant nous regardait durement de ses yeux vifs et petits comme les yeux d'une religieuse:

— Elle a une expression fort désagréable, dit Julien à voix basse, mais Romaine Petit-Page ne l'avait pas entendu car elle était encore toute soulevée par l'amour maternel.

— Ah! disait-elle, Yvonne de Galais, comme dans *Le Grand Meaulnes*, ce livre qui a bercé notre adolescence, qui la berce encore, n'est-ce pas, Louis? Yvonne de Galais, son château, ses mirages, le paradis de nos durables illusions! Quel miracle, quel enchantement quotidien d'être la mère d'une enfant si belle, si douée, souris mon ange, allons, montre ton sourire d'étoile...

— Ma-man, ma-man, dit Yvonne de Galais en pleurant, bo-bo, ma-man!

— Et elle parle déjà! Et elle chante comme un oiseau.

Elle ajoutait d'une voix autoritaire, en se tournant vers son mari:

— Viens la chercher, mon amour. Tu vois bien qu'elle est fatiguée.

— Je ne peux pas. Il y a les valises...

— Obéis tout de suite, mon amour. Tu as compris?

Ployant sous le poids de ses valises, sa fille accrochée à son cou, Louis sentait qu'il avait quitté «le gilet de soie» du Grand Meaulnes pour les entraves du mariage et que même s'il continuait de jouer pour Romaine Petit-Page le rôle séduisant qu'elle attendait de lui, le vêtement de fantaisie s'imposait de plus en plus à lui comme une armure. Qu'il semblait loin, déjà, ce temps où, épris de Romaine Petit-Page et légèrement amoureux de lui-même, il écrivait à Julien dans son ardeur brumeuse: «Romaine et moi vivons miraculeusement sur l'élan d'un été d'or et nous préservons notre bonheur comme un trésor enfoui, enrichi de tant d'espérances... Gardons toujours nos yeux clairs pour de belles images... Je t'écris par un bel après-midi d'été et Romaine sommeille près de moi, les pages de son manuscrit contre son sein comme le poète qui écrit même en dormant et je pense en la contemplant que les instants heureux sont secrets et surprenants comme des perceneige, quel doux chemin bordé de fleurs que le nôtre... Tu comprendras un jour mon cher Julien que ce n'est que dans la souffrance que l'on trouve ainsi de telles oasis à nos déserts, tu comprendras qu'il ne suffit que d'un merveilleux mouvement de l'âme pour épingler une courageuse étoile sur la vieille nuit ensorcelée, oui, l'âme a sa dimension étrange où des dieux qui nous attendent parlent une autre langue qu'ils nous font apprendre afin de percer le miroir de l'infini... («Le miroir de l'infini, pensait Julien, mais il exagère!») Pardonne-moi, Julien, je t'écris sans savoir ce que je dis, peut-être sentiras-tu tout ce que je te cache, ma pauvre lettre est baignée de mots car, depuis quelques jours, je me sens mal, je sais que mon roman n'est pas assez bon et je retourne mon chagrin comme un chapelet, dans la foi, peut-être, d'une première fraîcheur... La présence de Romaine me trouble d'ailleurs et je suis nerveux, c'est affreux, criminel, même, d'être l'ennemi d'un univers que l'on a soi-même inventé... Oui, quel jour triste, mon cœur se penche vers un jardin dans Paris où trois enfants cueillent des marrons verts avant l'automne au soleil rouge. Je cherche le bonheur en rentrant en moi-même comme on marche dans un marais. Mais j'ai encore à l'âme l'odeur d'une orange jeune et délicieuse: j'en ai même le goût assez fort... Je te quitte sur ce jardin bleu encore, mon ami.»

Mais Louis pensait maintenant en essuyant de son mouchoir les larmes qui coulaient sur le visage de sa fille: «Ah! Yvonne, le temps du premier amour est fini et, quand tu pleures la nuit, qui te console? Moi, toujours moi! Et le matin, pendant que je te lave, ta mère, elle, écrit dans son lit jusqu'à midi... Elle écrit notre roman d'amour, un roman toujours beau, toujours suave...»

— Pa-pa, Pa-pa!

— Ah! tais-toi!

— Il faut lui parler avec douceur, allons mon chéri, c'est une enfant si sensible, si précoce! Tu es irrésistible, Louis, même lorsque tu es en colère, tu ressembles tant à Augustin serrant sa fille dans ses bras, l'enveloppant de son manteau pour partir avec elle vers de nouvelles aventures, ah! mon aventurier chéri, dit-elle en caressant le bras de son mari, qu'il est doux de s'aimer toujours!

Mais il avait détourné la tête sans répondre, le cœur alourdi de rêves, d'aventures qu'il ne pouvait plus vivre désormais, pensait-il, car la tiédeur de son amour pour Romaine le gagnait lentement et il marchait presque malgré lui dans une somnolence lointaine, éthérée...

— Nous avons appris l'art du mime à Paris, disait Romaine à Julien, et nous ferons bientôt tout un spectacle pour vous deux, mes chéris, mes abandonnés. Mais qu'y a-t-il Julien? Pourquoi boudez-vous? Je vois pourtant à beaucoup de signes que vous êtes resté aussi pur. L'âge ingrat est difficile, je sais bien. Mais ne suis-je pas un peu la sœur aînée de ce petit garçon blond en train de grandir? Pourquoi ne vous confiez-vous pas à moi? Et vous aussi, Pauline? Oui, Julien, autrefois vous me parliez si brillamment de Corneille, Sophocle, Racine et Socrate et maintenant vous êtes bien silencieux. Serait-ce l'influence de votre ami André Chevreux, cet intellectuel? Autrefois, pourtant, j'approuvais vos jugements et j'étais bouleversée par la profondeur croissante de votre pensée... Quant à vous, ma chère Pauline, vous me dépassez par la révolte grondante de votre adolescence, toute celle anarchie me fait peur, en vous. Vous n'avez donc plus la foi? Comment pouvez-vous dire cela à votre âge? Pourquoi m'avez-vous écrit que je ne vous comprenais pas, vous et Julien, quand je vous aime tous les deux dans une ferveur continue que m'inspirent le temporaire, l'inaccessible, l'incompréhensible...

Quelques jours plus tard, nous assistions «à la séance de mime» promise par Romaine Petit-Page; le corps moulé dans un collant noir, Romaine et Louis entraient triomphalement sur une scène improvisée, traînant derrière eux une nuée de papillons de nuit dansés par les ballerines Clémence, Gyslaine et Gabrielle Laforêt dans leurs blancs tutus, mais ces graciles insectes, las de tourbillonner autour de Romaine Petit-Page, voletaient près de Julien qui les attirait comme une flamme et qui, irrité par les moqueuses caresses de ses sœurs, disait en les chassant: «De vraies petites chattes, il faut toujours qu'elles me touchent»... mais elles revenaient vers lui, sautillant et riant dans leur humeur presque démente.

— Louis, interrompait soudain Romaine Petit-Page (laissant errer ses beaux yeux de velours sur le corps de son mari), ah!... Louis, comment oses-tu danser ainsi, sans ton suspensoir?

— Quel suspensoir? disait Louis blessé dans sa vanité, à quoi sert la danse si ce n'est pour montrer la perfection des formes et l'élégance des corps?

— Allons, chéri, tu es fou: un jeune homme ne danse pas ainsi, «à l'état pur», si je puis dire, dans un collant flou qui épouse des choses que l'on ne veut pas nécessairement voir à toute heure du jour. Vite, le suspensoir! dit-elle, d'un air exaspéré.

— Pas de suspensoir, pas de suspensoir! disaient les sœurs de Julien.

— Mes sœurs ont raison, dit Julien Laforêt sobrement, nous sommes entre hommes après tout.

— Et moi? dit Romaine, je ne suis pas une femme, moi? Et notre chère Pauline? Tout de même Julien, vous me choquez! Et dans un flot de sanglots hystériques elle se précipita dans les bras de Louis en lançant cet inoubliable cri de désir et de victoire: «Ah! mon chéri, tu ne comprends donc pas que ton sexe est sacré pour moi? Ton corps entier est comme une hostie que je pose sur ma langue!» Louis répondit à cet appel par une molle grimace que Romaine interpréta comme un sourire, tant elle était égarée par sa passion.

Réconciliés, ils mimaient enfin pour nous, dans une suite de bonds syncopés et de frôlements d'oiseaux, l'affection qu'ils éprouvaient l'un pour l'autre, «cet amour exceptionnel par sa pureté», disait Romaine Petit-Page, et sans doute croyait-elle révéler, dans la précieuse liturgie de ses gestes et paroles, l'aspect le plus religieux de sa vie maritale, mais dans son exagération des choses les plus simples elle en montrait surtout le côté profane et voluptueux, ce qui plaisait beaucoup à Louis qui, ennuyé de séduire une femme toujours délirante de vertu, masquant sans cesse ses désirs de subtiles et provocantes piétés, trouvait en Romaine ce qu'il avait parfois aimé en d'autres femmes, le charme de ces prostituées avec lesquelles il avait trahi sa fiancée à Paris (ne pouvant plus attendre une récompense tant de fois promise et retirée par la catholique Romaine), et Romaine Petit-Page elle-même, qui n'eût jamais cédé la nuit à toutes les fantaisies érotiques dans lesquelles Louis baignait comme dans un brouillard d'images douces ou épuisantes, consentait maintenant sans le savoir aux caprices de l'imagination et, esclave de mouvements qu'elle attribuait à la sincérité de sa performance artistique, elle était pourtant tout abandonnée à ce qu'elle appelait avec dédain «la fureur de l'instinct, les transes du corps»! Peu à peu, toutefois, ils avaient délaissé l'imitation des oiseaux et leurs noces dans l'espace pour la sournoise rigidité de deux serpents qui s'affrontent et, leurs visages se touchant, bras et jambes repliés dans un foisonnement inextricable, ils se regardaient dans les yeux en haletant faiblement.

— Bravo! Bravo! s'écria Julien Laforêt en prenant une longue respiration, ce spectacle est fort impressionnant et sans l'ombre d'un scrupule. (Puis, attrapant l'une de ses sœurs par les cheveux:) Vous devriez être déjà couchées vous trois.

— Julien, dit Romaine Petit-Page, l'air encore un peu

vague, vous n'avez donc pas compris qu'il s'agit là d'un mariage d'âmes, d'esprits comme dans Lamartine? Quelles pensées avez-vous donc dans la tête, mon ange? Non, je ne vous comprends plus, mon petit. Non seulement vous êtes devenu anticlérical pendant mon absence, mais vous et Pauline me semblez si complices, vous confiant sans cesse des secrets quand je tourne le dos, et vous étiez si merveilleux si gentil autrefois! Oui, je me souviens, Julien, quand vous aviez douze ans et que je chantais pour vous endormir, le soir, vous me racontiez soudain des choses délicieusement fraîches... Je croyais ne jamais sortir de cette phrase superbe à la Tacite, vous vous souvenez: *«Non solum... sed etiam...»* et maintenant avec quelle cruauté vous refermez cette porte chérie! Serait-ce que le temps commence à durcir vos yeux, vos mains, votre cœur, et pourtant je rêvais tant à Paris en pensant à vous, je voulais vous faire «vivre Dieu» dans toute sa plénitude d'infini, car l'amitié, ce n'est que cela.

Mais pour moi, elle avait un ton plus amer:

— Serait-ce donc vous, Pauline? Vous voulez donc m'enlever mon petit Julien?

— Pauline éprouve pour moi une amitié fort platonique, répondait Julien Laforêt, à ma place. «L'amitié, dit Aristote, est un sentiment inné dans le cœur du créateur à l'égard de sa créature et dans celui de la créature à l'égard du créateur.» C'est ainsi que je veux faire de Pauline mon élève et la créature de mon esprit.

— Et moi, dans tout cela? Ne suis-je pas l'unique sœur et amie de votre jeunesse? Vous vous souvenez de ce jour où j'ai tant pleuré dans ce train en vous quittant, oui, je vous pressais contre moi, vous si pâle parmi vos œillets rouges, et vos sœurs aux nattes stoïques pleuraient aussi, les chères petites! N'était-ce pas un peu la fin de notre cycle de tendresse puisque vous ne pensez qu'à me trahir maintenant? Le poète doit pardonner, je sais bien, mais la trace de fouet brûle long-temps en lui! (Dans un élan de confiance, elle prenait la main de Julien qu'elle effleurait de ses doigts.) Je sais bien que notre été ne mourra jamais, ni votre blondeur, ni notre affec-tion, rien ne peut détruire cette fraternité amoureuse et sévère, entre nous, dites-moi?

— Non, rien, personne, dit Julien Laforêt en haussant les épaules; mais insensible à l'ironie, Romaine Petit-Page recou-vrait aussitôt son enjouement et nous enveloppant de ses bras souples, elle s'écriait, toute fière du pardon qu'elle venait de nous accorder: «Mes chéris, ne nous quittons plus, nous serons très heureux!» Mais à ce cri de joie, un long silence avait succédé...

*

Le lundi, jour de l'examen, mère Sainte-Alfreda avait l'habitude de saisir nos copies «au vol»: détestant les examens autant que nous, elle évitait l'ennui en fixant les yeux sur une petite montre noire, sur son pupitre, et tendait mécaniquement la main pour recevoir nos copies. Après l'examen, Élisa Moutonnet et Marthe Dubos longeaient les corridors en mangeant des oranges ou, assises près de la fenêtre, regardaient passer les garçons «dans la cour des futurs prêtres», comme elles appelaient le séminaire; mais ce jour-là, Louisette Denis qui sanglotait, effondrée sur une chaise, dans un coin, semblait les irriter beaucoup dans leur oisiveté nerveuse, car même lorsque Marthe Dubos demandait à Louisette Denis pourquoi elle pleu-rait «comme un veau», Louisette Denis refusait de répondre.

— Tu as manqué la géométrie?

— Non.

— Alors il ne reste qu'une chose, déclarait Élisa Moutonnet, tu es enceinte.

— Non. Mais j'ai perdu ma réputation quand même, avouait Louisette Denis en pleurant, le patron m'a attrapée, oui les filles, c'est fini, je suis une voleuse.

— Tu n'as rien volé, c'est un malentendu.

— Ouvre mon sac d'école, Élisa Moutonnet, et tu me diras encore que je n'ai rien volé.

Élisa Moutonnet sortait du sac de Louisette Denis des vêtements qu'elle contemplait d'un air ravi:

— Tiens, c'est joli ça, des gants de cuir, une jupe de laine, mais je te le répète, Louisette Denis, cela ne s'appelle pas voler mais acheter à crédit. Je parlerai au patron, moi, ne t'inquiète pas. Venez, les filles, nous allons régler cela... Avec les hommes, il suffit d'être habile!

«Je ne suis pas une vraie voleuse», pensait Louisette Denis, frappée par l'injustice d'une telle accusation; elle «volait» chez Éloi Gagnon et Frères, peut-être, mais ce n'était pas par malhonnêteté, «par nécessité, oui», elle savait qu'autrement elle ne posséderait jamais ces vêtements dont elle avait besoin et, comme elle avait sans cesse sous les yeux les objets qu'elle convoitait, elle ne séparait plus dans son esprit les désirs de ses rêves et les dangereuses implications de la réalité: pour aller vers les choses qu'elle désirait, elle usurpait les gestes, la démarche assurée des somnambules et se frayait comme eux un amoral chemin dans la nuit, mais quand la main d'Éloi Gagnon s'abattait sur son épaule, le rêve se transformait en un cauchemar dont elle ne pouvait plus sortir, car l'effraction commise dans la réalité ne correspondait plus à la miséricorde des rêves et l'accusateur qui déchirait le rideau d'épouvante en disant: «Voleuse! Voleuse!» n'était plus le fantôme d'un autre monde mais un homme engendré par la réalité, réalité dont elle redécouvrait peu à peu les redoutables lois au sortir de son sommeil. À quoi bon se répéter: «Je ne suis pas une voleuse, ce n'est pas vrai!» quand une voix plus puissante, celle d'Éloi Gagnon, de la société, étouffait cette chétive résistance, et cette voix semblait tenir pour toujours l'image que Louisette Denis avait d'elle-même et de sa probité intérieure. Pourtant, combien de gens, pensait-elle, volaient, tuaient chaque jour, dissimulant à mesure leurs illicites actions sous une confortable patine de rêves et d'habitudes! Il était donc plus facile d'admettre ses crimes quand le monstre réel vous serrait à la gorge en disant: «Regarde ce que tu as fait, tu as tué un homme, tu as volé ton frère!» Mais dans la vie, ceux qui détenaient un tel pouvoir, comme Éloi Gagnon, le juste et le juge devant ses employés, étaient souvent plus criminels que les autres car ils réalisaient sans scrupules leurs rêves les plus pernicieux et jamais ne confrontaient, comme Louisette Denis, le jugement de la réalité et ses terreurs. Même en suppliant le patron «d'excuser l'erreur de Louisette Denis», comme nous lui demandions, réunies dans son bureau, Élisa Moutonnet, Marthe Dubos et moi, cet homme ne songeait pas à renoncer pour nous à un pouvoir, à une fantasque appropriation d'autrui, lesquels avaient toujours été le fondement de ses richesses, «l'injuste salaire, l'exploitation des petites vendeuses», dont lui parlait Élisa Moutonnet pour l'attendrir, dans une indignation qui n'était pas dépourvue de vanité, d'un espoir de séduction auquel le patron demeurait indifférent, rien de tout cela n'émouvait ce maître de fourbes calculs qui avait quitté depuis longtemps «le bas de l'échelle», comme il le disait lui-même, ajoutant sentencieusement:

— Et moi? J'étais commis à cinq dollars par semaine, autrefois, et regardez où je suis maintenant!

On sentait que cette vie du passé, dans laquelle nous étions encore, vingt ans plus tard, n'était plus qu'un abstrait souvenir pour lui et que pour cette raison, l'injustice se prolongerait longtemps encore.

— Je suis un bon catholique: je ne vais pas appeler la police, mais que votre amie Louisette Denis ne vienne plus mettre ses pieds voleurs dans mon magasin. J'aime les gens honnêtes, moi!

— Puisque c'est comme ça, dit Élisa Moutonnet qui marchait vers la porte en ondulant des hanches, venez les filles, nous en avons assez de travailler pour des hommes qui ont moins de cœur qu'une pièce de dix cents! On préfère encore le chômage...

Pendant la leçon de versification de l'après-midi, Louisette Denis pleurait encore, mais plus bas cette fois, intérieurement, ce qui faisait plus de mal, pensait-elle, oui, elle avait connu la honte, la peur du châtiment et s'il y avait dans le monde «d'un côté les bourreaux et de l'autre les victimes», sa pitié ne devait-elle pas s'éveiller pour les uns comme pour les autres car au contact de sa propre honte n'avait-elle pas compris combien il était vain de condamner les hommes, dans leurs obscures perfidies ou leurs obscures mansuétudes, puisqu'ils ne pouvaient pas changer de toute façon, et qu'elle n'était elle-même parmi eux qu'une fragile poussière sur laquelle soufflaient tous les vents? Mais cette pensée était si pénible qu'elle essuyait encore quelques larmes. Elle regardait mère Sainte-Alfreda et pour la première fois se disait que «cette femme» (oubliant la religieuse dont elle n'avait jamais aimé l'uniforme) était vraisemblablement digne de pitié car il devait être humiliant de réciter avec émotion des poèmes à

des élèves qui se moquaient de vous et qui riaient à la dérobée!
Mère Sainte-Alfreda ne désirait que secouer ses douloureuses
chaînes, mais selon nous qui avions pourtant les mêmes souhaits pour nous-mêmes, elle s'abandonnait à une ivresse à laquelle elle n'avait pas droit:

> *Je suis gai, je suis gai, vive le soir de mai,*
> *Je suis follement gai sans être pourtant ivre!...*
> *Serait-ce que je suis enfin heureux de vivre;*
> *Enfin mon cœur est-il guéri d'avoir aimé?*
> *Les cloches ont chanté, le vent du soir odore...*
> *Et pendant que le vin ruisselle à joyeux flots*
> *Je suis si gai, si gai, dans mon rire sonore,*
> *Oh! si gai, que j'ai peur d'éclater en sanglots!*

Nous étions avares de ces vers qui célébraient pour nous
la jeunesse et la beauté, mais pour mère Sainte-Alfreda, cris-
pant dans un geste de révolte les plis de sa jupe endeuillée,
cette âpre revendication était surtout la sienne, montant du
désespoir de sa chair soumise, de son âme asséchée! Ce cri
soulevait sa poitrine pendant que les élèves riaient, mais en
vain, en vain, car si elle ne trouvait aucune consolation parmi
ses compagnes inférieures qui brodaient ou priaient Dieu toute
la journée, l'appréciation qu'elle cherchait parmi nous,
l'estime intellectuelle, étaient aussi bien rares, et quand elle
voyait ces corps indolents à leurs pupitres, ces visages, et surtout ces yeux espiègles qui l'épiaient sans cesse, elle préférait
fixer sa montre, ou si elle ne pouvait agir autrement, compter
ces pieds qu'elle exécrait particulièrement, car en contemplant
nos nombreux pieds, elle pensait «aux pieds des élèves de
demain, de toujours» et cette sombre fatalité l'attristait. Il ne
lui restait, pensait-elle, «que les émotions des autres» et, son-

geant au ravage de la folie dans l'œuvre de Nelligan, elle comparait son exil au couvent à l'isolement du poète à l'asile. Elle consacrait son temps à la rédaction d'une grammaire grecque pour ses élèves mais à quoi bon puisque nous n'aimions pas le grec; quant à ses remarquables dons pour les mathématiques, elle n'avait pas non plus l'occasion de les exercer beaucoup parmi nous qui étions si faibles en ces matières. Elle pensait donc que nous étions incapables d'aimer la beauté et que nous méritions «le suave enseignement des mauvais auteurs catholiques» que d'autres professeurs imposaient à leurs élèves dans les classes voisines. C'est toujours avec dégoût qu'elle écoutait ces voix niaises réciter de telles strophes *Des bons auteurs de chez nous* à leurs étudiantes:

> *Je suis mon seul amour. Je suis grand. Je suis digne.*
> *S'il est quelqu'un meilleur, c'est qu'il existe un Dieu!*
> *Et mon être est marqué, comme l'élu, d'un signe*
> *Tel qu'on en voit la nuit briller dans le ciel bleu!*
> *Vanité, tout s'éteint, tout expire et tout passe,*
> *L'astre dans sa clarté, le monde en son orgueil!*
> *Et l'homme qui remplit de tumulte l'espace,*
> *Mesure sa grandeur aux planches du cercueil!*

Elle était gênée, aussi, par une fierté religieuse excessive, tel ce discours qui, selon elle, «débordait de racisme»: «La langue est gardienne de la foi. Cérébrale avant tout, faite pour l'homme qui pense, cette noble langue sait aussi exprimer les sentiments les plus généreux du cœur humain, mais pour donner toute sa valeur, elle doit assujettir, même dans l'expression, les élans de la passion au contrôle de la raison éclairée par la foi. Mise des siècles durant et par les plus clairs génies de la race qui parle, au service de la foi catholique, de la morale catholique, de l'ordre catholique, de la tradition catholique; adoptée par les gouvernements comme langue de la diplomatie internationale; acceptée par les esprits supérieurs de toutes les races et de tous les pays comme le mode de communication le plus propre à transmettre aux hommes et aux peuples de se rencontrer, de se parler et de se comprendre dans les sphères les plus hautes de la pensée humaine, elle est devenue la seule langue vivante vraiment catholique, c'est-à-dire universelle, dans tous les sens du mot. Aussi a-t-elle produit, peut-elle produire et doit-elle produire le plus grand nombre d'œuvres propres à convaincre les esprits les plus divers de la vérité du dogme catholique, des nécessités de l'ordre catholique, de la supériorité de la morale catholique, propres aussi à faire admirer par tous les hommes les entreprises et les traditions catholiques, à faire aimer Dieu et l'Église.»

Même lorsque mère Sainte-Alfreda marquait devant la supérieure sa désapprobation «des médiocres auteurs catholiques», elle ne rencontrait encore qu'une muette opiniâtreté car la supérieure ne lisait «que des livres de prières et des vies de saints» et répudiait toute discussion d'un tressautement de sa manche noire. Pour comprendre davantage mère Sainte-Alfreda, il eût fallu penser simplement que cette femme était aussi égoïste que nous, mais notre égoïsme à nous était trop féroce pour jeter une lumière attentive sur la douleur d'autrui! Chaque volonté étrangère qui se dressait contre nous représentait au contraire un obstacle, un jardin de plus à piller, et Louisette Denis était peut-être la seule parmi nous qui, ce jour-là où on l'avait accusée de vol, apprenait en observant mère Sainte-Alfreda, en étudiant ce caractère qui lui était inconnu, que les gens qui devaient exercer leur autorité sur nous n'étaient pas tous de mauvaises herbes à piétiner pour aller loin vers les prairies libres et ensoleillées dont nous rêvions dans notre anarchie, mais des êtres qu'elle pouvait parfois comparer à elle-même, au moins pendant les instants où elle souffrait d'une injustice, comme elle souffrait maintenant en songeant à son emploi perdu, à une proche confrontation avec son père, mais même si cette inquiétude était aussi la nôtre, Marthe Dubos et moi, nous n'avions pas la même sympathie pour mère Sainte-Alfreda, songeant qu'elle était «logée, nourrie gratuitement» et que ses parents n'attendaient pas d'elle «une pension déjà en retard de deux semaines», nous étions jalouses et remplies d'aigreur...

Je savais déjà que mon père me dirait: «En septembre, finie l'école, t'as compris», mais en entendant à nouveau ces paroles, mon destin me parut inéluctable.

— Et grouille-toi pour trouver autre chose; autrement je m'en vais t'enlever ta machine à écrire. On se crève ta mère et moi pour que t'apprennes à devenir commis de bureau ou caissière dans une banque et toi tu rêvasses et tu traînes comme une déchaînée. Si ta pension est pas payée dans les trois jours, je t'enlève ta machine...

J'oubliais mes amies et ne pensais plus qu'à cette machine à écrire, grise ferraille, laide et déformée peut-être mais que j'aimais comme une personne; car cet instrument, si usagé fût-il, était une perpétuelle source de sensations neuves; auprès de lui, je n'étais plus seule pour écrire et ma pensée devenait plus claire dès que je touchais ses clés rauques, rien au monde, alors, ne me semblait plus précieux que ce compagnon fort et frêle — fort, car je me réveillais la nuit en songeant qu'il pouvait écrire à ma place tant il y avait de clairvoyance, de précision dans ce cerveau de fer; frêle, car mes parents parlaient sans cesse de nous séparer l'un de l'autre et que lorsque je partais pour le couvent, le matin, je devais le cacher sous mon lit, vivant tout le jour dans la crainte de ne pas le revoir, la nuit venue. Toutes ces craintes étaient chassées par une délicieuse paix dès que je pouvais m'asseoir avec lui, près de la fenêtre: les cris de Jean et Geneviève qui jouaient «aux quilles» tout près, sur le plancher fraîchement ciré, ma mère qui m'appelait pour «laver la vaisselle», ces voix ne pénétraient plus notre recueillement et, même si je ne faisais qu'aligner les mots les uns à côté des autres, sans comprendre leur signification, délaissant toute forme quand je les regroupais pour mon plaisir, chacun étincelait sous mes yeux comme une comète et mon ivresse était comblée. Le dimanche, après la messe, je transportais l'appareil de radio dans ma chambre, mais ma mère, qui m'avait tant de fois accusée de «traîner dehors comme Huguette Poire», me disait alors avec le même agacement:

— Tu traînes trop dedans, c'est pas naturel à ton âge, prends donc un peu d'air, d'abord c'est pas de la musique ordinaire que t'écoutes là, on dirait des vraies marches funèbres! Pan... pan... pan... On dirait que l'orchestre s'en va enterrer trente mille morts!

— C'est du Mozart.

— Mozart tant que tu voudras, Pauline Archange, j'te jure que ton père est découragé par ta paresse, il commence à en avoir assez de ta machine et des opéras à la radio!

Dans leur gauche sonorité, les mots que j'écrivais n'exprimaient que des sons pour les yeux, mais quand la musique de Mozart éclaircissait ces inharmonieuses nuées, il était doux de ne plus être captive de mes balbutiements pour aller plus haut, dans un monde où l'ignorance était bannie par une surnaturelle intuition, une surnaturelle aisance, je n'avais pas écrit une seule note de la symphonie que j'écoutais mais cette musique me prêtait une puissance que je ne possédais pas, un fier enchantement qui se brisait, hélas, dès que l'annonceur déployait ces désobligeantes réalités à la radio:

— Olive Bleue, mesdames, messieurs, Olive Bleue est le savon parfumé pour votre bain... Souvenez-vous, Olive, Olive Bleue, et maintenant je vous présente Mozart dans son meilleur!

Cette tache grossière s'effaçait toutefois devant l'agile incantation d'une flûte qui, comme un danseur, suprême et imaginatif, eût fait des mouvements de son corps plus qu'une danse mais un chant dont les notes tour à tour cristallines et graves ne se comparaient qu'aux voix des plus angéliques flûtes, cette incantation, par sa grâce, son énergie, m'exaltait toujours vers des sommets d'orgueil et d'espérance où je m'écriais: «Tout est possible! Quand on veut quelque chose, on l'obtient...» mais je ne tardais pas à descendre vers ma condition car ma mère ouvrait bientôt la porte en disant:

— C'est la quatrième fois que je t'appelle, prends ton linge de vaisselle et essuie, Pauline Archange, je me demande pour qui tu te prends!

Mais en essuyant la vaisselle auprès de ma mère (qui portait son éternel tablier à pois autour de la taille) mes pensées étaient déjà moins élevées et l'avenir ne m'inspirait plus. On disait que le génie, la divine intelligence étaient «des miracles du ciel» mais n'était-ce pas plutôt une malédiction? Élisa Moutonnet, qui avait souvent remarqué d'un air hautain «qu'il était aussi facile d'être Mozart quand on est né Mozart que d'être Élisa Moutonnet quand on est né Élisa Moutonnet», m'avait toujours irritée en disant cela; il me semblait que nous avions toujours trop de respect pour la bêtise et peu d'estime pour l'intelligence. Seule mère Sainte-Alfreda avait eu le courage de mépriser cette héréditaire révérence de la nullité, mais son audace nous amusait. Elle avait acheté pour notre classe une reproduction de Dürer, laquelle n'avait jamais attiré mes regards, mais soudain les détails de la magnifique *Melancolia* revenaient à mon esprit: je revoyais cet ange désordonné, perdu dans une géniale maussaderie, avec son gros poing replié contre la joue, les cheveux couronnés de fleurs qui ressemblaient à des épines, n'était-il pas une sorte d'esprit créateur tel que nous n'avions pas l'habitude de l'imaginer? Quand une religieuse sans intelligence disait: «Le génie touche la folie», on sentait que sous cette tranchante observation toutes les intelligences n'avaient qu'à s'agenouiller. C'est sous le poids de telles incompréhensions que cet Esprit de Dürer me paraissait si triste, si accablé: doué d'une vigueur supraterrestre il était pourtant lié à la terre, comme à un passé très simple et assis sur le sol rude, il laissait ses ailes ouvertes mais ne s'envolait pas comme s'il eût été trop mécontent de lui-même pour quitter son corps lourd et musclé, lequel était revêtu d'une tunique dont les plis s'agitaient violemment; en lui tout était violence, méditation passionnée mais cette violence ne s'apaisait que dans le travail, il tenait dans sa main droite l'outil de cette œuvre mystérieuse, mais les yeux au loin, ne travaillait pas encore. Les choses qui l'entouraient étaient modestes et n'évoquaient pour lui que la lutte, l'effort d'un labeur quotidien, certes, de l'autre côté d'une échelle oisive, l'aube se levait sur la mer, mais l'ange ne regardait pas de ce côté, son regard trahissait des pensées intransigeantes et pratiques et, à la fin, il ressemblait plus à un ouvrier solitaire qu'à un ange, et l'endroit où il méditait ainsi n'était pas un lieu de bonheur ni de repos mais un humble atelier où s'éveillerait bientôt toute la ferveur de son génie immense. Mais en attendant, il boudait près de son chien, chien dont on voyait les os à travers la peau, mais douce présence pour le travailleur car ce chien partageait les pensées inquiètes de son maître même lorsqu'il feignait de dormir. Aux pieds de l'ange, un marteau, une scie, des clous brillaient dans l'ombre.

L'évocation de cet ange vigoureux mais affligé par une lucide impuissance (peut-être parce qu'il voyait au loin ce que moi je ressentais dans ma misère, la cupidité, l'aveuglement des hommes, un horizon voilé de sang — un avenir dont la honte habitait toutes ses pensées —, oui, n'était-ce donc que pour ce monde obscur, assassin de la beauté et saccageur de l'innocence, qu'il allait bientôt se mettre à l'œuvre, lui qui ne désirait que le bonheur des hommes et leur contemplation sans haine?), cette évocation si profonde soufflettait pourtant mon courage, enflammait ma foi en une vie supérieure qui fût complètement la mienne sous la forme d'un aveu ou d'un livre, mais contrairement à cet ange prodigieux, si j'avais beaucoup d'énergie pour écrire, je ne possédais pas le don d'exprimer ce que j'éprouvais. Pendant ces jours d'attente, je regardais ma machine à écrire sans oser rompre le silence entre nous. Je n'aimais personne autour de moi (même le souvenir de Jacob ou Séraphine s'effaçait chaque jour davantage), mais la pensée de cet ange de Dürer remplissait mon cœur d'un immense amour sans objet et je restais de longues heures immobile sur ma chaise tout en sentant en moi-même comme près de moi (ce que ma mère ignorait quand elle disait: «Je te connais, Pauline Archange, à l'endroit, à l'envers, comme si je t'avais faite!») la présence d'un être aimé dans la chambre, quelqu'un que j'eusse choisi moi-même mais je ne savais qui, cette créature née de mon effervescence était bien réelle et débordait d'une exquise charité quand je lui demandais de s'asseoir à mon côté ou de poser sa tête sur mon épaule, le lien qui nous unissait était si pieux que je retenais ma respiration (songeant que ma mère m'avait dit que je respirais «trop par les bronches et que ça faisait un train d'enfer!») mais quand mon frère Jean lançait soudain son ballon contre la porte et que l'être que j'avais tenu près de moi s'enfuyait, effrayé, je pensais avec nostalgie: «Ah! si c'était vrai!»; il me semblait, en même temps, que cette présence ne pouvait pas fuir trop loin de mon regard puisque c'était un amour, mais ce qui m'étonnait plus encore, c'est que même lorsque je rudoyais Jean ou ma mère comme je l'avais souvent fait dans mon impatience, cet amour dont je rêvais les avait un peu transformés pour moi et je les regardais désormais en pensant: «Peut-être qu'eux aussi je les aime, après tout...»

QUATRIÈME CHAPITRE

Le matin, à l'heure où je partais pour mon travail à la *Banque du Roi* (lieu qui n'avait de somptueux que son nom car ce mortuaire édifice était situé près du port, dans le quartier où Huguette Poire et ses sœurs «accostaient les hommes par le gilet», disait ma mère), je rencontrais parfois Élisa Moutonnet, Marthe Dubos et Louisette Denis marchant bras dessous, bras dessus, vers le couvent où elles continuaient leurs études pendant que j'apprenais ce que mon père appelait avec candeur «l'beau métier de caissière dans une banque»: trop malheureuse pour me joindre à leur groupe, je disparaissais par les petites avenues grises encore baignées d'ombre et de fraîcheur avant l'apparition du soleil et la chaleur de ces premiers jours de septembre, et à mesure que je m'éloignais de mes amies, je me disais que je serais trop lasse, le soir venu, pour traîner avec elles dans les cafés, trop lasse aussi pour lire les livres dont je remplissais mes poches avant de quitter la maison. Je laissais ouverts sous mes yeux toute la

journée des volumes de philosophie, tout en jouant distraitement dans le vert écheveau sale de mes billets et en comptant
de l'argent comme l'eût fait une aveugle, mais bien en vain,
car je ne comprenais rien à ce que je lisais et, même en
contemplant longtemps une seule phrase, je ne pouvais pas
dire orgueilleusement comme Julien Laforêt: «Moi, je lis
Aristote comme je respire!» Mais je ne songeais plus à élever
mon esprit car trop de choses autour de moi contribuaient à
son abaissement. Il y avait la faim, une faim incessante qui,
tel un vertige, empêchait de lire ou de penser et traçait des
trous dans le brouillard. J'avais le temps de boire le bol de
café que ma mère m'offrait au réveil, mais lorsque les
employées ne me jugeaient pas assez aimable pour déjeuner
avec elles, j'attendais jusqu'au soir.

— Si t'avais pas toujours le nez fourré dans les livres, tu
serais pas si snob et tu ferais ton travail comme du monde,
regardez-moi ça, les filles, c'est jeune et ça se prend pour le
nombril du monde!

— Laissez-moi tranquille.

— Avec ça, que tu sais pas compter, Pauline Archange,
on se demande ce que vous apprenez vous autres au couvent!
Si le gérant t'accroche, tu vas en entendre parler. Y paraît que
t'as perdu cinquante dollars hier soir, juste parce que tu sais
pas compter, et ça se pense donc fin parce que ça étudie au
couvent. Nous autres, hein, les filles, on n'a jamais étudié, pas
longtemps en tout cas, et on connaît notre catéchisme et notre
calcul!

Cette paroi d'hostilité contre laquelle je me heurtais sans
cesse parmi des caissières à peine plus âgées que moi, ne s'expliquait, pensais-je, que par la dissemblance morale que je
sentais en moi-même auprès d'elles, dissemblance dont je devais être coupable sans le vouloir même lorsque l'amitié, plus

que la faim, me guidait vers la table commune où elles déjeunaient dans un bavardage ininterrompu et sans grâce. «Quand on ne ressemble pas aux autres, on ne leur plaît pas», disait ma mère, et cette pensée me poursuivait, le soir, quand je me retrouvais seule sur un siège au fond de l'autobus. Parfois, je préférais ma solitude et, appuyée contre la fenêtre, je regardais passer les étudiants de l'École des Arts qui allaient peindre chaque jour près du port: quoi de plus déchirant que cette liberté capricieuse qui se promène ainsi devant vous, pensais-je, et comment anéantir cette voix qui réclamait la même insouciance, le même privilège? Mais une autre voix, plus âpre, plus sèche, celle du gérant qui me touchait l'épaule soudain, me rappelait au devoir:

— Écoutez, mademoiselle, c'est bien beau regarder par la fenêtre comme vous faites, mais à cause de vous je suis en train de perdre cinquante dollars par jour. Ce n'est pas un refuge ici, c'est une banque. Si les choses ne changent pas, je regrette, mais il faudra vous chasser... Quand on est une caissière, il faut aimer un peu l'argent. Une caissière qui n'aime pas l'argent c'est une femme sans avenir.

Mais pour moi, «supprimer une erreur», comme l'exigeait le gérant, n'était-ce pas comme dans la vie, en commettre aussitôt plusieurs autres?

— Ne remettez plus les pieds ici, s'écriait le gérant agacé de recevoir mes défectueuses copies de chiffres, comment espérez-vous donc trouver un mari si vous ne savez pas même régler un livret de dépenses, hein?

— Je ne veux pas de mari.

— Ah! C'est ce qu'on va voir, vous en avez un toupet, ça n'aime pas l'argent, ça ne veut pas de mari et qu'est-ce qui compte plus que l'argent ou un mari dans l'existence? Demandez à nos caissières, elles ont toujours l'œil fixé sur les hommes, les hommes riches surtout, elles ont appris leur leçon, elles, elles vont droit au but, comme on dit «elles se casent vite». Mais vous, c'est un bien mauvais départ, vous allez sans doute passer votre vie au Bureau des Chômeurs et seulette avec ça!

Le gérant avait raison, je me présentais souvent au Bureau des Chômeurs, parmi de plus pauvres que moi (car c'est là, il me semble, que je rencontrais les familles les plus démunies de la ville), et je descendais très bas dans la hiérarchie du travail; que je fusse «paquetteuse de biscuits» dans une boulangerie ou «plieuse d'enveloppes» pour un homme d'affaires, toute vie intellectuelle, toute aspiration vers cette vie, naufrageait avec moi dans l'humiliation. On juge bien avilissantes ces actions qui se répètent (même en gagnant sa vie) et qui portent en elles le malheur de n'être utiles à personne: songeant à ma cousine Cécile, infirmière «à Notre-Dame-des-Fous, pour 10 $ par semaine, nourrie, logée...» je vins mendier à la supérieure de cet hôpital un quelconque labeur qui eût, au moins pour moi-même, l'apparence d'un acte rédempteur, même si je ne faisais que «laver les malades».

— Voyons, ce n'est pas une vocation, cela, mon enfant! répondit catégoriquement cette femme, derrière son bureau. (Et puis d'un air plus soucieux:) Ils sont dangereux, nos patients. Ce ne sont pas des fous ordinaires mais des fous furieux, de temps en temps quand ils vont trop loin il faut les arroser un peu, assez brusquement je dois dire, comme pour éteindre un incendie. Nous en voyons de toutes les couleurs, je vous assure! Nous essayons tout pour les calmer, en vain, bien souvent, car la folie est une chose complètement païenne, voilà ce que j'ai appris de plus important pendant mon séjour ici. Vous leur donnez des chocs, vous les passez sous l'eau comme des cendres rouges, vous leur nettoyez la tête comme on vide un poulet de ses entrailles et ils recommencent toujours! Des païens, nos fous, mon enfant, et pour la luxure, ça n'a pas de fin tout ce qu'ils inventent, mais vous êtes trop jeune pour ce spectacle du vice épanoui, satisfait, vous assisterez notre mère économe dans ses factures et vous apprendrez l'art de l'économie, car dans cette maison, vous savez, nous avons la réputation de ne pas rejeter une épingle ni un timbre. Ce sera une meilleure éducation pour vous que d'observer les débordements de nos Bienheureux dans le Royaume!

Je partais avant l'aube même, le ciel était encore noir, les rues silencieuses et, exaltée par ce silence, je cheminais vers l'hôpital, lequel était déjà tout illuminé contre l'horizon sombre, mais il y avait une telle crudité dans la lumière de ces ampoules électriques, derrière les barreaux, qu'on eût dit que se dressait, là-bas sur la colline, non pas un hôpital mais une prison isolée du monde car avant de traverser ce portail derrière lequel se courbaient sous un joug austère de grands démons que la folie transportait pourtant si haut — eux qui, bien qu'ils fussent inspirés comme les saints, n'avaient pas comme eux le droit de s'égarer dans leurs inclémentes extases — oui, avant de franchir cette grille où la raison (vêtue ici de l'uniforme d'une religieuse) punissait l'instinct et le tenait accroupi sous sa main de fer, on longeait des champs bruns encore dans l'ombre de la nuit finissante, des prés où jouaient les malades pendant le jour, quand il faisait beau, mais pour moi le singulier dessin de cette campagne, ces marais et ces routes touffues ressemblaient plus encore à ces autres marais, à ces champs spirituels que chevauchaient seuls et sans brides ces majestueux cerveaux enflammés dont la supérieure disait simplement:

— Quand ça chauffe trop, il faut éteindre. Deux mille âmes nerveuses qui grouillent autour de vous, jour et nuit, c'est trop, même pour une femme solide comme moi. Je n'ai pas vécu dans le silence, depuis vingt ans. Ces sauvages fredonnent sans cesse autour de mes oreilles. Et on dit qu'au paradis, le silence est bien rare aussi, donc il faut s'habituer à tout!

C'était pourtant là, derrière cette porte interdite que se déployaient toutes les fantaisies, les rêves les plus insolents (que tiennent enfermés les corps pendant le jour et dont ils ne livrent à la nuit que des épaves), les caprices les plus fantasques, il était vain de vouloir encercler, telle une nuée de poissons dans un filet, la fureur, la désolation de ces rêves, et même si la supérieure disait dans sa sagesse: «Que voulez-vous, quand la folie devient non seulement perfide, mais criminelle, assoiffée de vengeance, il ne reste que la camisole de force ou le bain glacé! C'est le bon sens qui le commande. Et le bon sens, à mon avis, c'est le seul talent des gens sans imagination comme moi!» je sentais que la folie ne perdait jamais sa hardiesse ni la puissance de son souffle, la supérieure domptait peut-être la frénésie de ceux qu'elle appelait «ses enfants désobéissants» lorsqu'ils cédaient aux ébats d'un amour trop bestial ou à de curieuses haines où l'ennemi demeurait toujours caché, elle n'avait peut-être qu'à dire: «Vite, la camisole de force!» pour apporter «un peu de calme dans ce purgatoire» mais elle savait que de ces fronts martyrs, ces visages lacérés de beauté ou de vice, elle savait, même en les entendant hurler comme des bêtes, que de leur vaporeuse souffrance qu'elle ne pouvait pas atteindre ni réellement apaiser, s'élevait la plainte primitive des hommes, le secret d'une vive angoisse enfin délivrée. «Même défigurés comme ils le sont par la douleur, disait-elle, ils ne nous racontent rien d'autre que ce que nous savons déjà mais que nous avons peur d'avouer: que tout homme est capable de tout quand l'amour de Dieu ne le tient pas par le collier, et même quelque chose de plus scandaleux, mon enfant: que le bien, la vertu que nous avons la vanité de croire si naturels à l'homme, ne le sont pas, car enfin nous arrivons sur la terre plus ou moins rejetés comme des petits chiens dans la boue, nous arrivons en ce monde dans la furie et, je le crains, prêts à toutes les méchancetés!»

Je la suivais dans les corridors, recueillant de ses gestes rudes, de l'éloquence de ses paroles, un peu de cette expérience qu'elle avait acquise, mais elle me repoussait en disant:

— Mère économe a besoin de vous, allez chez elle, c'est l'heure de ses comptes. Moi, j'ai quelques «échappés» à retrouver: on a beau mettre des grilles partout, fermer les portes à clef, remplir la maison de sonnettes d'alarme, ils vous filent entre les doigts, je ne sais comment, parce qu'ils sont rusés, vous savez, ils glisseraient par le trou d'une aiguille. Et puis, en plus, ils n'ont peur de rien, c'est assez pour les rendre transparents!

Même si je quittais le monde, chaque matin, pour parcourir les obscurs sentiers d'une jungle — laquelle, si elle était fermée à la société et à ses lois, était tout ouverte aux dieux du délire, aux œuvres de la fièvre et de l'enchantement —, en marchant au milieu de ces voix et de ces cris, je croyais les entendre monter de moi-même et je ne possédais pas comme la supérieure «ce don de la raison» ni la revêche bonté qui eussent dépourvu cette jungle de toutes ses ombres et de toutes ses sinuosités, prisonnière du paysage hanté que je découvrais là-bas, je ne pouvais pas dire comme cette femme: «J'ai trop l'habitude de leurs désordres, de leurs mensonges aussi, tout cela pour moi c'est clair comme l'eau des sources et même dans leurs tempêtes, leurs ouragans, je trouve mon rocher de paix!», mais bien au contraire, ombragée par ma propre pitié, enveloppée par les mêmes lierres, je me sentais atteinte, aussi délirante que le plus malade d'entre eux. La supérieure m'enfermait à clef dans le bureau de l'économe mais la stridente plainte que j'avais entendue une fois en passant par une cour grillagée où s'élançaient comme d'un marécage des centaines de corps et de visages, cette foule dont je ne devinais que les cris sans reconnaître les mouvements, cette plainte, même lorsque je m'éloignais des murs de douleur, résonnait encore dans le silence du bureau où, tout près de l'économe, je rangeais des timbres et cédais à ces molles tâches qu'elle exigeait de ses patients les plus faibles, lesquels, assis autour d'elle comme je l'étais moi-même, dodelinant de la tête et leurs genoux touchant les gros genoux de l'économe (ainsi, disait-elle, ils «étaient attachés»), cousaient des boutons, ou quand ils ne faisaient rien, regardaient couler leur salive sur leur robe de coton à rayures, leur robe de soumission. Pour l'économe qui vivait toujours auprès de ces êtres, ils lui devenaient «familiers comme des troupeaux de moutons» disait-elle, ignorant qu'il y avait en eux plus encore, une dignité, une candeur dans la souffrance que m'avait révélée autrefois le regard d'Émile, autre chose aussi, l'essence d'un surnaturel bonheur qui flottait dans leurs yeux et habillait de lumière leur peau déjà très blanche. Ces régions d'un univers oublié, je les parcourais aussi en lisant *Chroniques de Prisons*, ce livre qu'Élisa Moutonnet m'avait prêté en disant: «Tu l'aimeras, c'est un livre immoral, quand un livre est bien écrit, il est toujours immoral!» et il me semblait, malgré tout, qu'Élisa Moutonnet, en passant d'un air trop frivole parmi ces pages du prisonnier, ne l'avait pas compris. Quant à Germaine Léonard que je revoyais parfois, elle n'avait pour ce livre «impur, désordonné et barbare» qu'un bien cruel mépris. Mais ces confessions que Philippe L'Heureux avait récoltées parmi ses amis, en prison, cette violence vaincue dont on méconnaissait la force rappelait à mon souvenir ces autres lieux de pénitence, ces asiles, ces refuges où si l'on ne châtiait pas les hommes pour leurs actions, on les réprimait durement pour leurs rêves, où le crime commis en pensée (songe quotidien de tant de fous que j'avais rencontrés) était aussi rigoureusement expié par la séquestration que le meurtre auquel d'autres, comme Philippe L'Heureux, consentaient dans leur vie éveillée. Il y avait chez les uns comme chez les autres une absolue ferveur de vivre qui ne s'ouvrait que sur l'oppression sociale. Philippe l'Heureux écrivait «que les condamnés entendaient parfois sonner au loin dans la plaine déserte les cloches de la liberté» mais ce symbolique affranchissement n'était-il pas une chimère? Rien ne lui semblait plus morne que le mur de sa cellule mais puisqu'il cherchait ses «raisons de vivre» à l'intérieur de sa captivité, ne devait-il pas exalter le courage, les crimes aussi, de la seule communauté humaine qu'il eût appris à connaître? Il y avait, autour de lui, comme pour le chœur des fous, quand leurs rêves expiraient, la gêne de cette oppression, l'abaissement d'une vie presque animale parmi les prisonniers. Ce qui troublait tant Philippe (et me troublait beaucoup aussi) c'était «cette énergie à jamais perdue» des hommes enfermés, «un monstrueux sacrifice», écrivait-il, et il se demandait si la véritable communauté des assassins n'était pas celle «qui créait de telles lois d'expiation et de sacrifice», recommençant encore ce qu'il avait voulu accomplir par son premier meurtre, un procès à son père, «homme juste, homme bon qui avait pourtant exécuté un autre homme». Selon lui, «les juges vivaient dans une fragile citadelle où ils avaient tort de se sentir à l'abri, car cette foule de punis, dont on avait capturé l'énergie et les désirs, s'agitaient déjà comme des fauves autour de leur demeure et attendaient l'heure de la Justice»... Je me souvenais, en lisant ces pages, que, dans la maison de mes parents, les mots «on a pendu un homme cette nuit» chuchotés parmi d'autres messages à la radio, pénétraient vaguement notre conscience. Certes mon père protestait en disant:

— Pendre un homme, tu te rends compte, ma femme, c'est pire qu'ouvrir un bœuf pendant qu'il respire encore!

Mais dès que ma mère ajoutait:

— Tu oublies, Jos, que ce pendu-là a coupé sa femme en petits morceaux avant qu'on te le pende bien net!

Mon père, comme moi-même, se résignait à une injustice qu'il n'avait pas le pouvoir de dénoncer même s'il en ressentait toute la barbarie.

— Pendre un homme, tiens, c'est lui faire monter la mort le long du corps, c'est pire qu'une mort de bête!

Mais ma mère répétait avec entêtement:

— Et tu penses que c'est drôle pour sa femme d'être coupée en petits morceaux?

Pour d'autres qui, comme ma cousine Cécile, répandaient tout le jour une sainte bravoure «en lavant les pires maniaques», des malades qui bien souvent lui arrachaient les cheveux et la blessaient, bien qu'ils fussent assiégés de toutes parts par des rêveries criminelles, ils n'avaient pas le temps de penser à la nature de ces crimes, et ces problèmes dépassant la modestie de leur esprit rustique, ils se réjouissaient quand on leur apportait «la solution de l'électrochoc» disait la supérieure, «oui, ma fille, c'est bien la seule chose qui nous les ramène sur terre»! Ma cousine avait été témoin de tant de convulsions, la distorsion des corps lui semblait si naturelle que pour elle l'impérieuse secousse qui ébranlait ces têtes, flageolait ces reins, «n'était qu'un courant d'air froid qui traverse les os», disait-elle, et elle ajoutait avec la même honnêteté:

— T'as l'air de penser, Pauline Archange, que tous les fêlés dans la tête doivent prendre le large demain matin et s'en aller courir par les rues, tu manques de bon sens, je t'assure, t'en as jamais eu une graine, as-tu pensé à nous autres les bons catholiques, on fait jamais de mal à une mouche, nous autres, si tous les diables vagabondent dans nos parages on en a pas fini! Tu fais seulement renifler l'air dans la cabane des fous, t'es là qui te promènes comme en vacances derrière la jupe de la supérieure, mais laver les ordures c'est pas la même chose, c'est moi qui te le dis, attraper leurs poux c'est pas comique non plus, et se casser les nerfs et se faire griffer et battre pour 10 $ par semaine, je me demande si ça vaut la peine! Tu connais pas la vie, y a un couloir tout noir et quand je passe chaque matin dans ce trou-là, je tremble comme une feuille, y a un grand maniaque dans un coin, y fait rien de mal, non, y sort son appareil comme ça en plein jour, puis il me regarde et attend. Qu'est-ce que tu ferais, hein? On a beau dire, l'électrochoc leur nettoie pas tout le cerveau, y recommencent toujours!

Cela m'étonnait toujours lorsque ma cousine, à la sortie de l'une de ces séances de «l'électrochoc», poussait insensiblement devant elle un chariot où dormait un enfant plus assassiné que mort (ou endormi), dont le front pâle, marqué de stigmates sous les cheveux dans lesquels coulait encore une pluie de sueurs, paraissait avoir été brûlé sous la flamme d'une bougie... Si j'accourais vers elle en lui demandant avec une émotion qui l'agaçait: «Qu'est-ce qu'il a donc fait de mal pour mériter cela?» elle répondait en mâchant de la gomme:

— D'où est-ce que tu sors avec ta figure de carême? On l'a pas puni, ce petit gars-là, on vient de lui donner son remède. Il a l'air d'une image mais c'est parce qu'il dort. Hier, il a essayé de tuer sa mère avec un marteau, on est allé le chercher en ambulance et il était pire qu'un loup.

— Regarde comme il tremble...

— Ils tremblent toujours après, comme t'es idiote!

Et poussant devant elle son chariot, elle marchait vers ces corridors qui lui inspiraient tant de craintes mais dont elle affrontait pourtant toute la détresse...

Un jour, comme je marchais encore dans le sillon de la supérieure, elle me dit avec bonhomie:

— J'en ai assez de vous voir à mes trousses, vous êtes trop curieuse, voilà mon enfant! Vous allez chaque matin du côté des hystériques quand je vous ai dit tant de fois de ne pas quitter notre mère économe qui a besoin de vous. Je vous ai trouvé un emploi plus sain, autrement je risquerais de me réveiller un matin avec une folle de plus sur les bras: vous irez au Monastère de l'Allégresse chez nos pères capucins, vous ferez leurs commissions, cela vous aidera à oublier toutes les horreurs que vous avez vues ici. Ah! comme je voudrais aller avec vous chez nos amis capucins, ils chantent et babillent toute la journée, et vous verrez, ils travaillent bien peu, que Dieu bénisse donc cette séraphique race de rêveurs car ils ont la paix ici même sur la terre! Comme je les envie! En leur compagnie, vous lirez la vie des saints, ce sera plus édifiant pour vous que d'entendre siffler à vos oreilles les sacrilèges de nos blasphémateurs dans leur camisole de force. Mais vous savez, Dieu s'habitue et à la fin, Il fait comme nous, Il feint de ne plus entendre. Il pardonne. Sonnez au monastère

à huit heures, demain, un petit père valsant viendra vous ouvrir, le père Plumeau, c'est un être très nerveux, très mobile
et il vole si haut près du Seigneur qu'il lui arrive même de
venir faire un tour ici, heureusement pour moi car autrement
je serais seule au monde, je le soigne bien quand il vient, je
lui donne une chambre près du jardin et je l'écoute me raconter
des histoires merveilleuses, des histoires qui n'arriveraient
qu'au paradis car, voyez-vous, le péché de cette âme légère
comme un papillon, c'est l'innocence, oui, à cinquante ans il
est encore aussi bête qu'à l'heure de son baptême et il prétend
que Jésus lui parle à la chapelle pendant ses méditations.
Qu'en savons-nous, c'est toujours possible, n'est-ce pas? Mais
pourquoi ne me parle-t-Il pas à moi? Que voulez-vous, il vaut
mieux, peut-être, flotter dans des nuages d'or que de se vautrer
dans la boue. Ici, nous avons les deux. Nous avons de tout.
Les capucins sont mes amis. Nous avons aussi, parfois, le bon
père Eugène, celui qui s'occupe de la comptabilité du monastère (mais avec quelle distraction, ce monastère fera faillite un
jour, c'est certain), le père Eugène vient ici pour sa cure de
repos annuelle, mais c'est un grognon, celui-là, méfiez-vous,
quand il vient chez nous, il refuse de me parler, il boude dans
sa cellule et Dieu n'aime pas les gens moroses, vous savez.
Mais vous aimerez ces hommes, ils sont charmants avec leur
barbe longue et leurs pieds toujours nus (plus ou moins propres
aussi) dans leurs sandales, mais est-ce important d'être propre
quand on aime Dieu? Rappelez-vous qu'il faut demander votre
salaire car autrement le père Eugène oublierait de vous payer,
ces hommes n'ont pas assez le souci de notre existence pratique. C'est une barrière qu'ils franchissent trop aisément. Ils
sont comme ces vaches très jeunes qui bondissent partout dans
les champs et sautent par-dessus les piquets. J'en ai bien connu
quelques-unes dans ma jeunesse. Il fallait les ramener chez

mon père avec un bâton, sans les offenser, bien sûr. Le père Eugène a aussi un grave défaut: il n'a pas d'ordre, ni dans la tête ni autrement, en général les prêtres sont trop ordonnés, mais lui, non, et dire qu'il est comptable, cela vous donne des cauchemars! Son bureau est un grenier, il s'entoure de toutes les vieilles filles de la paroisse pour l'aider dans ses comptes, mais à mon avis, ces «punaises de sacristie» ont auprès de lui une mauvaise influence, elles le gâtent trop, et puis surtout elles sont trop dévotes pour lui, pas assez fantaisistes quand cet homme est la fantaisie en personne, même si son apparence semble dire le contraire, car il a un ventre que vous remarquerez avant de voir son visage, des gros pieds, aussi, mais nous ne devons pas juger les autres sur leur personne, le Bon Dieu ne nous donne pas toujours le visage de nos plus belles pensées. Enfin, vous verrez que cet homme «déborde» de grâce, si on peut dire cela. Mais dans son bureau, quelle paresse, même son chat ne peut pas y voir clair: il laisse cohabiter ensemble des bouteilles qu'il a trouvées je ne sais où, des vieilles chaises, en somme tout ce qu'il trouve, et derrière cet épais rideau de ferrailles et de poussières, il entretient en plus des «punaises de sacristie», imaginez-vous! Sous prétexte qu'elles ont eu la tuberculose ou qu'elles sont trop infirmes pour travailler dans des conditions normales, il les nourrit comme ses filles, d'un air un peu absent car il est toujours ailleurs (si on pouvait savoir où, ce n'est pas dans un lieu agréable car il est trop maussade), enfin, ces pauvres filles collent à lui comme des puces et il n'a qu'à dire: «Un verre d'eau, Justine» pour qu'elles accourent toutes à lui avec des carafes pleines. Au fond, c'est un indomptable paresseux mais, que Dieu le bénisse, nous ne pouvons pas guérir tous les vices, après tout! Et puis, vous aurez aussi le plaisir de connaître, vous qui aimez les livres, le père Allaire qui est la culture même, qui a écrit plusieurs volumes théologiques, je ne les ai pas lus car je ne les comprends pas, et lui aussi, il me semble, est un peu perdu dans ces régions mystiques, trop hautes pour moi, toujours au-dessus de la raison et du bon sens. On ne peut pas tout avoir: si le père Allaire vivait avec mes martelés, nuit et jour, «l'espace des plus pures délices», comme il appelle son ciel, deviendrait vite un abîme étouffant. Que voulez-vous, ces hommes, avec leur culture, leur raffinement, ils imaginent le ciel comme un frigidaire, inhabité par les hommes; pour moi, le ciel, mais c'est comme ici, sauf que Dieu est là pour mettre un peu d'ordre, naturellement, mais pour le père Allaire qui regarde sa plume tout en écrivant, dans le ciel il n'y a que des étoiles et encore, je ne suis pas sûre qu'elles brillent d'un éclat bien brûlant. Ces gens-là ont de l'inspiration et moi tout ce que j'ai c'est du bon sens.

Quand j'arrivai au Monastère de l'Allégresse, le père Plumeau m'accueillit en dansant, je marchais derrière lui, au pas de sa chorégraphie (car il me semblait que ceux qui essayaient de le suivre se mettaient à danser), et en regardant les pans de sa robe brune, lesquels tourbillonnaient autour de ses jambes grêles comme celles d'un enfant, je me disais que ce lutin déguisé en religieux, en m'ouvrant sa porte moyenâgeuse (un Moyen Âge étrangement baigné de joie), m'invitait à pénétrer les secrets d'une autre congrégation de déments, mais ceux-ci, comme des élus dans leur sphère céleste, jouissaient de ce que la supérieure avait appelé «non pas la satisfaction des forts mais peut-être le bonheur des doux», et qu'auprès d'eux, je n'aurais rien à craindre. «Par ici, disait le père Plumeau de sa voix aiguë, moi je suis bien content d'avoir une petite fille chez nous mais le père Eugène fera une scène quand il vous verra, c'est un bien âpre caractère et qui n'aime que les sainte-catherine; il est généreux aussi, il a la manie des choses qui se fanent et il s'imagine, parce que nous perdons sans cesse l'électricité ou le chauffage, que le gouvernement nous persécute quand le gouvernement nous adore. Tout le monde est en conférence dans son bureau, dès que nous perdons l'électricité ou le chauffage, le père Allaire est tout alarmé... Il dit qu'il ne peut pas écrire dans le noir et les pieds gelés. Moi j'appelle ça du caprice. Nous sommes tous trop attachés aux biens matériels. Pourquoi l'électricité quand Dieu peut très bien nous conduire dans les ténèbres?»

De la broussaille d'objets, de papiers où il était assis près d'un chat qui me parut aussi énorme que lui (mais qui avait la taille d'un oreiller bouffi de plumes), le père Eugène fit signe au père Allaire de me chasser, mais debout près de lui, absorbé dans une comptabilité difficile à laquelle son compagnon n'apportait aucun secours, le père Allaire répétait tristement sans me regarder:

— Voyons, père Eugène, il faut trouver cette facture.

— Je n'ai jamais vu un théologien qui a peur du froid, dit le père Eugène, irrité.

— C'est que l'hiver approche, père Eugène, on ne peut pas vivre sans chauffage.

— Mais si, mais si...

Puis, tournant la tête du côté des vieilles filles enveloppées de fougères, au fond de son bureau:

— Allons, mes filles, mes secrétaires, soyez utiles. Trouvez vite les factures. Comme vous voyez, le père Allaire s'énerve encore, comme si c'était ma faute quand le gouvernement nous coupe l'électricité!

— C'est que vous êtes le comptable de cette maison, dit le père Allaire, d'un ton suave.

— Il y a comptable et comptable. Ma vocation, en ce monde, ce n'est pas de payer des dettes au gouvernement, vous en avez des idées, père Allaire! Je vais arranger cela. Tout s'arrange toujours chez nous... Tenez, la voici, la facture, s'écria-t-il d'un air triomphant, soulevant de ses dossiers en désordre son gros chat gris — Monseigneur dormait dessus, il méprise les factures, lui aussi.

— Permettez-moi de vous rappeler encore une fois que Monseigneur est du sexe féminin, père Eugène, et mère d'une trop large famille, j'ai trouvé ses petits sur les pages de mon manuscrit hier, comment allons-nous nourrir toutes ces bouches, père Eugène?

— Le lait de Dieu est riche et abondant, dit le père Eugène en regardant Monseigneur avec admiration, car il avait une révérence particulière pour ce prélat tigré trouvé dans la gouttière, quand Dieu nous donne un bien ce n'est que pour le faire fructifier. N'a-t-Il pas dit: «Allez et multipliez-vous»? Bon, voici votre facture, laissez-moi en paix maintenant, qu'est-ce que vous m'amenez là, père Plumeau?

— Quelqu'un pour vos commissions, mon père. Elle vient droit de Notre-Dame-des-Fous, des mains mêmes de la supérieure, votre amie.

— C'est bien comme elle de m'envoyer quelqu'un de plus à nourrir, renvoyez-la. Vous savez que nous sommes simples et pauvres et que le gouvernement ne nous défend pas!

— Elle vous sera une fidèle compagne, père Eugène, à quoi bon tant se préoccuper du monde matériel dans lequel nous pleurons et gémissons? dit le père Plumeau en joignant les mains, est-ce que Dieu ne nourrit pas toutes ses mouches, ses fleurs et ses oiseaux?

— Cela n'est pas sûr, dit le père Eugène en caressant son chat qui ronronnait, assoupi sur son pupitre, et puis, c'est votre faute, père Allaire, si nous n'avons rien à nous mettre sous la dent! Vos livres ne se vendent pas, vous en écrivez beaucoup, pourtant, mais à quoi bon puisque vous ne vendez pas même dix exemplaires par année? Les religieuses, qui aiment pourtant les livres ennuyeux, ne vous lisent même pas. On dirait que le gouvernement ne vous aime pas trop, vous non plus. Faites tout de même un effort, père Allaire, essayez d'être moins ennuyeux, parlez de la beauté du mariage chrétien ou de la vertu du célibat, je ne sais pas moi, qui veut lire un livre qui a pour titre *Voyage astral d'une âme religieuse*? Même un moine pendant sa retraite ne voudrait pas d'un tel livre sur sa table de chevet. Vous êtes ennuyeux à mourir, voilà! Plus ennuyeux même que saint Thomas d'Aquin...

— N'insultez pas encore ce grand homme, père Eugène, je vous en prie. Vous pourriez vous retrouver un jour assis à ses côtés, au paradis.

— Jamais. Dans ce cas, pas de paradis...

— Enfin, père Eugène, vous ne pouvez pas comprendre les mystères de la comptabilité et les mystères du ciel à la fois!

— Mais si... Mais si...

Lorsqu'il faisait trop froid chez le père Plumeau, dans sa bibliothèque «consacrée aux saints et aux saintes», disait-il, et où «la petite Thérèse de l'Enfant Jésus avait, parmi tous les autres saints, la première place...», je visitais le père Allaire, ce prêtre dont le profil romain semblait plutôt incliné vers les plaisirs de la terre mais dont la virile énergie avait été comme éthérée, délicatement polie par la discipline intérieure, cet homme comprenait le désir que j'avais exprimé de devenir écrivain, mais les pieds sur sa chaufferette, les mains enfouies dans les manches de sa robe, il aimait m'entretenir «sur les dangers» d'un métier qu'il avait lui-même choisi «pour sa noblesse»:

— Allons, me disait-il, on ne peut pas aimer Rimbaud sans réserves, son œuvre est puissante, mais l'odorante saveur de cette œuvre n'est-elle pas empoisonnée? Ce jeune homme n'a pas eu une vie bien exemplaire, je le crains. Ni Monsieur Verlaine, son ami. Vous pensez à cela, parfois? Nous ne devons pas juger bien sûr. Quant à Monsieur de Lautréamont que vous admirez, il n'était pas un ange non plus, surtout dans sa vie privée. Cela n'a rien à voir avec la tragédie, la grandeur de leurs œuvres, je sais bien, mais vous devez chercher davantage une harmonie entre l'œuvre et l'homme, oui, une sorte d'accord de la moralité. Il y a quelques auteurs qui ont su combattre les penchants de leurs instincts. Monsieur Mauriac, voilà quelqu'un que vous pouvez admirer sans réserves et que l'admiration est méritoire quand on l'offre à quelqu'un qui vit et écrit comme un saint. Alors, de quoi parlerez-vous donc dans vos livres? Quelles sont vos muses, votre idéal, car il faut un idéal pour écrire: comme le prêtre qui consacre le pain à Dieu, vous apprendrez la consécration des choses les plus basses afin que montent vers nos narines les encens les plus fins...

— Je n'ai pas encore un idéal.

— Ah! Mais il faut l'acquérir, mon enfant. N'est-ce pas le cœur de Dieu qui est le frémissement, le centre nerveux de toutes nos œuvres? N'est-il pas le moteur sacré, la rédemption de toute chose? Bien sûr, vous ne serez pas dans l'obligation de nommer Dieu partout, trop d'écrivains religieux tombent dans cette indiscrétion, ce manque d'élégance, ils n'ont pas assez de secrets dans leur amour pour le Créateur, mais on peut parler de Dieu de mille façons, de la beauté de ses œuvres...

— Quelles œuvres?

— Mais vous connaissez les œuvres géantes de notre

Créateur, la nature, par exemple, les poissons, le calme des forêts, la piété des montagnes, vous avez déjà couru dans les ruisseaux, ah! l'eau fraîche des ruisseaux, quoi de plus charmant! Et le chant des oiseaux, vous l'écoutez parfois?

— Non.

— Il faut réveiller tous vos sens à la nature, aux divines choses de ce monde et non seulement à la souffrance des hommes, d'abord, il y a trop de souffrances, nous ne pouvons pas les assumer toutes et nos épaules sont bien frêles pour le poids de la croix, et puis souvenez-vous que Jésus a déjà sacrifié sa vie pour nous. Offrez-vous à son amour, vous verrez, votre inspiration sera plus élevée. La vie n'est plus un cauchemar quand on aime, oui, comme Monsieur Mauriac le dit admirablement dans ses grands livres, une vie sans amour est un désert. Quel esprit nuancé et sensible! Il y a aussi Monsieur Claudel que vous pouvez admirer sans réserves, je dirais toutefois que la chair est un peu trop présente chez ce poète qui a si bien chanté ses louanges à Dieu... Mais quelle passion, n'est-ce pas, trop de passion, peut-être, celle des sens, je veux dire, mais il est bon qu'un poète catholique chante ainsi le parfait accomplissement de l'amour charnel transfiguré par l'amour divin...

Le père Eugène, lui, m'accueillait avec sa misanthropie habituelle...

— C'est vous... encore! Qu'est-ce que vous voulez? Restez donc chez le père Allaire, il adore raconter celui-là et il penche du côté des étoiles. Mais moi je suis bourru et trop vieux pour vous.

— Je viens pour mon salaire, père Eugène.

— Quel argent? Quel salaire? Je ne vous dois rien, moi.

— Le père Allaire dit que vous avez un chèque pour moi.

— C'est bien comme lui de me dépouiller même de ce que je n'ai pas. Revenez la semaine prochaine, mes secrétaires auront le temps d'organiser ma finance... C'est long, préparer un chèque, donnez-moi au moins quelques jours...

Les semaines s'écoulaient et on oubliait toujours de me payer. «Ce n'est rien, disait le père Plumeau, ne vous inquiétez pas, Dieu ne vient-Il pas au secours de ses vers et de ses vertes couleuvres dans les champs? Imitons ces créatures patientes et sans haine. Mais puisque vous tenez tant à avoir un salaire, mon enfant, j'organiserai un pèlerinage à Lourdes, parfois cela nous aide à nager au-dessus du lac, sur le sable, si on peut dire. J'ai un ami, un saint homme (il y en a tant en ce monde!) qui s'occupe beaucoup de pèlerinages, c'est un immigrant frais tombé de son bateau, je ne sais pas d'où il vient mais tout ce qui vient d'ailleurs n'est-il pas un cadeau du ciel? Ouvrons nos bras à ces oiseaux migrateurs qui cherchent le paradis sur nos rives, ne soyons pas avares et ouvrons à tous notre porte! Albert et moi avons organisé plusieurs pèlerinages à Lourdes et notre cœur est encore là-bas, en exil, aux pieds de la Vierge des guérisons et des miracles. Ce généreux homme, comme un prêtre à qui il ne manque que l'habit, recueille sur son sein toute âme pécheresse, il affronte le mal partout où il le rencontre, mais à mon avis, il lui arrive d'aller le chercher un peu trop loin, il dit que pendant ses voyages il a traversé toutes «les maisons de luxure» de l'Europe, mais bien sûr, toujours pour ramener la brebis perdue au Seigneur, c'est un risque qu'un saint peut prendre, j'imagine, s'il vit dans le monde, mais pour nous, prêtres qui avons fait le vœu de chasteté, d'obéissance, il est peut-être plus prudent de donner la Grâce à des âmes plus modestes. Oui, nous organiserons l'un de ces pèlerinages à la Vierge qui laissent un souvenir si tendre!

Autrement, les infirmes de nos paroisses ne voyageraient jamais, vous comprenez, et ces sainte-catherine que le père Eugène affectionne tant deviendraient un peu moisies derrière leurs fougères, dans le bureau. Qu'il est bon de s'envoler ainsi pour un mois, deux mois, et de prier pendant que l'avion nous emporte d'un continent à l'autre, le ciel est si près de nous pendant que nous récitons des *ave*... Partir, mon enfant, quelle joie, planer au-dessus de ce monde que Dieu a créé pour sa gloire comme pour la nôtre!»

Mais l'ami du père Plumeau me semblait d'une sainteté un peu trouble lorsqu'il venait nous visiter au monastère. Dès que le père Plumeau disparaissait vers l'ascenseur (ce mouvement de lévitation était si lié à sa personne que je m'habituais à le voir monter de lui-même comme s'il n'eût pas touché le bouton de l'ascenseur), Albert rapprochait sa chaise de moi et les pieds sur mon bureau, sermonnait:

— Vous permettez, mademoiselle, je me sens plus près de vous ainsi. J'aime être près des gens, les regarder dans les yeux, lire leurs pensées. Ne baissez pas les yeux: si vous êtes pure, vous n'avez rien à cacher. Je connais bien les femmes, j'ai beaucoup voyagé et fréquenté tous les lieux de péché du monde, je crois. Mais près de moi, les prostituées n'ont pas cédé à la tentation, non, j'ai recueilli de leurs lèvres les plus savoureuses prières, parfois même à travers leurs injures, je dois dire. La sainteté effarouche ces êtres plongés dans la noirceur de leurs vices, mais en leur donnant un peu de caresses, comme à des enfants, vous leur arrachez des larmes de repentir. «Priez, priez, leur disais-je, prions ensemble, agenouillez-vous près du lit et prions.» Ainsi, peu à peu, elles devenaient mes amies, mes compagnes fidèles, et à leur baiser de reconnaissance je mêlais moi-même quelques larmes. Quoi de plus touchant que ces femmes qui s'humilient, demandent pardon, si j'étais Dieu, moi, je n'aimerais que le péché.

Peu à peu, le père Plumeau découvrait que même avec l'assistance d'Albert «et de tous les saints du monde» qui l'aidaient «à remplir la corbeille à pain du monastère», nous allions tous «vers un fatal dépouillement digne de saint François».

— Oui, nous sommes au bord de l'abîme, mon enfant, c'est dommage, nous ne pouvons plus vous garder. Je suis triste de vous perdre, c'était la première fois que nous avions quelqu'un de votre âge, ici, et le père Eugène, dès qu'il vous verra tourner le coin de la rue, en profitera, le malin, pour ouvrir sa porte à l'une de ces fleurs de sanatorium dont il aime tant le parfum, il ne peut pas vivre sans être servi et entouré de vieilles filles, et encore, il les aime laides et bougonnes, ce qui est plus déprimant encore! Il les nourrit des miettes qui tombent de sa table, dit-il, allez tout de même lui dire adieu, il aura peut-être quelques miettes pour vous aussi, il serait bien temps, malgré tout, car on ne peut pas vivre de la bonté de Dieu et moins encore du sel et du vent!

— Approchez, dit le père Eugène, de quoi avez-vous peur, je ne vous mangerai pas. Je ne suis pas comme le gouvernement qui dévore tout le monde, moi. C'est à cause de vous que nous ferons faillite, vous m'arrachez mes derniers cents, tenez, prenez vite ce chèque et allez à la banque dès aujourd'hui car demain nous serons à sec. Pourquoi avez-vous besoin d'argent, de toute façon? Pour des provisions frivoles, je parie! (Il caressait la tête de son chat endormi sur ses genoux.) Ah! Monseigneur, nous en avons traversé de malheurs vous et moi! Nous en avons léché des bols de lait vides, hein? Avec cela, nous ne trouvons pas des souris tous les jours dans le jardin. Au moins, avec nous, notre Mère la Sainte Église n'engraisse pas, au moins! Et vous, Monseigneur, agile comme vous l'êtes, vous passerez par la porte étroite du paradis... (Puis changeant de ton:) Alors, vous voulez écrire des livres comme le père Allaire? Pourquoi? Il y a déjà tant de livres ennuyeux! À votre place, je me marierais vite: le mariage arrange tout! Pour nous autres aussi, le mariage arrangerait tout, pensez donc, on mangerait mieux, quand on y pense, il y a trente ans que les religieuses nous font la cuisine, ça vous retourne l'estomac, les oignons. Ah! Elles nous traitent aux petits soins, elles nous lavent, elles nous repassent, mais des fois, on en a assez de manger dans les mains de la religion, de dormir dans les draps de la religion, mariez-vous donc, ça vous changerait les idées...

Chez le père Allaire, la qualité des adieux était plus subtile mais le théologien avait si froid que ses dents en claquaient:

— L'hiver est là, tout près, vous partez au bon moment, je commençais à m'habituer à votre présence. Vous vous souvenez du Petit Prince lorsqu'il quitte sa rose? Quelle belle amitié, il faut ainsi cueillir dans la vie les roses les plus exquises de l'amitié. Vous avez un confesseur, Pauline, un ami capable de vous diriger loin des sentiers impurs de l'existence?

— Non.

— Mais l'adolescence est périlleuse sans cette ombre vigilante. Vous trouverez quelqu'un, Pauline, oui. En attendant vous avez vos amis les livres. Il y a des livres dangereux comme il y a des amis dangereux. Peut-être faut-il découvrir les uns comme les autres? Je me souviens de ma propre adolescence qui brûlait comme un feu solitaire, Dieu était bien loin encore, mon orgueilleux esprit s'abreuvait à d'autres sources... Mais soudain, comme saint Paul fut frappé par la foudre et tomba de son cheval, la Grâce de Dieu a frappé ma poitrine et j'ai pleuré. Oui, j'ai pleuré. Alors adieu mon enfant, quand vous serez seule, venez me voir, je suis seul aussi et personne ne me lit.

La tendresse avait quitté ma vie, me disais-je, lorsque le père Plumeau referma derrière moi la grille de son jardin. L'hiver descendait sur la ville, une première neige couvrait déjà les rues et, au Bureau des Chômeurs où attendaient quelques files de personnes (lesquelles portaient sur leur visage cette appréhension que je ressentais si fortement moi-même), on me dit:

— Revenez plus tard, il n'y a pas que vous sur terre! On fait passer les pères de famille d'abord...

Je me souvenais de ce que Germaine Léonard m'avait dit un jour: «Je n'ai pas beaucoup d'amitié pour vous, Pauline Archange, mais si un jour vous avez besoin de moi, je vous aiderai.» Alors je décidai de venir la voir à l'hôpital, mais dans ma maladresse, j'attirai sur moi sa colère:

— Un jour, c'est ce fanatique de Benjamin Robert qui vient mendier mon secours pour ses alcooliques, ses débauchés, un autre, c'est vous! Je ne peux pas vous aider. De toute façon, il n'y a rien à faire pour vous ici.

— Mais c'est urgent. Mon père m'enlèvera ma machine à écrire si je ne paie pas ma pension.

— Quelle impatience fébrile, chez vous, c'est irritant à la fin. Vous ne changez pas.

Elle posait sur moi un regard qui n'était pas dépourvu de bienveillance mais, dans sa fatigue, dans son aigreur aussi, elle ne pouvait pas contenir sa rageuse déception de me revoir, «toujours pareille, à ses yeux, à l'enfant vicieuse, à l'amie de Jacquou dans le ravin», et même si j'essayais de lui dire que j'avais beaucoup changé depuis ces jours-là, que ce qu'elle voyait n'était qu'un revêtement d'apparences, un aspect bien ténu de moi-même, elle n'avait pour ma nouvelle vie et ce qu'elle appelait mes «petites expériences de travail» que des paroles sans compréhension:

— Il faut être dérangée comme vous l'êtes pour aller travailler dans un asile d'aliénés.

— Je ne le regrette pas. C'était mon expérience.

— Bien sûr, vous ne regrettez jamais rien. Comme ce Philippe L'Heureux dont vous aimez les œuvres, vous cultivez vous aussi votre délire. C'est bien rusé de votre part, sous prétexte d'avoir besoin de travail, de venir chercher ici dans l'hôpital où je travaille ce que vous appelez votre «expérience». Comme si j'avais assez d'amitié pour vous pour vous supporter à mes côtés toute la journée. Quand ma vie est déjà si encombrée de gens...

— Je ne suis pas rusée.

— Vous ne vous connaissez pas: comment pouvez-vous juger cela? C'est une ruse cachée à vous-même, celle de l'instinct et de l'inconscient, une impulsion venue de l'obscur de vous-même, mais c'est une ruse irrépressible à cause de son aveuglement même. Pourquoi ne voyez-vous pas un psychanalyste? Je connais d'excellents médecins qui pourraient vous aider, non seulement vous, mais aussi ce Philippe L'Heureux si décadent, ce misérable criminel... Cela vous empêcherait aussi de commettre moins de bêtises. Je ne dis pas que ce genre de ruse, quand elle habite les gens, ne s'exerce pas contre eux-mêmes et vous pourriez un jour en souffrir beaucoup. Mais cela ne me concerne pas, après tout, je n'ai pas de temps à perdre avec quelqu'un comme vous qui depuis des années n'a fait aucun effort pour changer, moralement ou physiquement. Car vous êtes encore aussi mal habillée qu'autrefois, c'est de la mauvaise volonté, cela! Comme j'allais quitter

Germaine Léonard (car je ne voulais pas pleurer devant elle),
elle me dit plus doucement:

— Tenez, voici un peu d'argent, cela vous sera peut-être
utile... Et pensez parfois à ce que je vous ai dit, ce n'était pas
par méchanceté, je vous assure...

Mais ce geste n'avait pas effacé cet autre geste, ce don
unique que cette femme avait su m'offrir: le don d'un inoubliable mépris...

Mais si Germaine Léonard n'était pas assez habile pour
découvrir qui j'étais sous les apparences, je ne savais peut-être
pas davantage qui elle était, elle. Dans son légitime effort pour
protéger ses secrets contre le jugement d'autrui, ne devait-elle
pas opérer sur sa nature une transposition complète, et parce
qu'elle craignait de montrer qu'elle aimait passionnément un
homme, la contrainte qu'elle imposait à sa passion ne se ma-
nifestait-elle pas par une sorte «d'arrêt du cœur», une sécheresse qui provenait de la force même de cet amour qu'elle
n'arrivait pas à vaincre? Même si elle côtoyait Pierre Olivier
tout le jour et continuait près de lui ses recherches au laboratoire, elle avait tué «ce lien», disait-elle, et c'est sur un ton
agressif et douloureux qu'elle lui répétait avec fierté:

— Je vous l'ai dit. C'est bien fini entre nous!

Car, trop atteinte, elle ressentait la nécessité, en le bles-
sant, de le voir souffrir avec elle. Mais s'il osait affronter cette
véhémence avec calme, en disant: «Comme vous aimez vous
faire du mal!» elle devenait plus furieuse encore et disait d'une
voix qu'il ne reconnaissait plus:

— Je méprise votre sympathie!

Après avoir dit ces paroles qu'elle n'éprouvait pas, elle
était souvent paisible et ne l'insultait plus pendant quelques

jours. Pierre Olivier s'attristait de voir que cet amour, hier si joyeux et si créateur et qui avait été parfois d'une si rafraîchissante bonté dans leurs vies, ne leur apportait plus désormais que des tortures et un désaccord qui menaçait gravement leurs travaux. L'irrationnelle conduite de Germaine Léonard le confondait: il eût été étonné d'apprendre que ce désir de rupture ne reposait pas seulement sur ce que Germaine Léonard avait appelé si souvent devant lui ses «croyances morales» ou son «goût de l'intégrité» mais sur une crainte plus cachée et plus orgueilleuse, celle qu'elle avait de le perdre et que pour cette raison elle préférait rompre dès maintenant des liens qui, dans leur continuité, risquaient, comme d'autres liaisons de sa vie (moins heureuses et moins belles mais qu'elle ne cessait de prendre pour modèles) de se terminer dans l'humiliation ou l'aridité. Ce n'était pas non plus que la peur de l'humiliation qui lui inspirait de rompre sans tarder, mais la violence même de son amour pour Pierre Olivier. Permettre à cet amour qu'elle appelait intérieurement «une maladie» d'envahir ses pensées, toute sa vie, de troubler ses habitudes de travail, n'était-ce pas vivre «dans une perte de conscience, un désordre d'esprit qui ressemblait plus à l'ivresse qu'à l'amour»? En même temps, elle ne parvenait pas à chasser Pierre de sa vie car elle avait besoin de lui et elle qui avait toujours aimé sa solitude, son indépendance surtout, depuis qu'elle connaissait Pierre Olivier, ne supportait plus la pensée de vivre un jour «seule, sans lui». C'était avec beaucoup de courage qu'elle édifiait ses refus, toute sa résistance contre lui, mais au moment où elle croyait avoir enfin achevé son œuvre et se disait, comme pour se rassurer: «Enfin, je suis libérée de cette affaire!» soudain, elle ne savait comment, Pierre Olivier, d'un geste auquel elle ne savait comment résister, elle qui était si gauche, d'un mouvement de tendresse imprévu qu'elle ne pouvait combattre, comme si elle eût oublié sur le coup tous ses principes, Pierre Olivier détruisait cette forteresse qu'elle avait si patiemment élaborée contre lui, et dès qu'il la prenait dans ses bras, même si elle luttait contre lui en disant: «Laissez-moi, je vous hais... Je vous hais...», un espoir insensé faisait battre son cœur, ses peurs se dissipaient peu à peu, et de cet être sauvage qui avait dit: «Je vous hais...» elle entendait ce cri de déchirement et de plaisir qu'elle renierait plus tard, mais en vain, pensait-elle, «car malgré tout, dans ces choses-là, on recommence toujours» et c'est avec angoisse qu'elle écoutait cette voix qui montait d'elle «pour trahir tous les secrets», cette autre voix qu'elle ne maîtrisait plus et qui disait à Pierre Olivier: «Comme je suis misérable de tant vous aimer!»

*

J'allais chaque matin au Bureau des Chômeurs mais on me disait toujours:

— Encore vous! Revenez plus tard, les jeunes passent en dernier.

Mon père devenait si irrité de me voir «rôder par les rues dans un manteau en guenilles» qu'il me dit:

— Viens-t'en au magasin, je vais t'acheter une autre froque. Je peux plus te voir comme ça!

— C'est mon manteau.

Mais je ne voulais pas me dépouiller d'un vêtement qui avait vécu si longtemps avec moi et je refusai l'acte de générosité de mon père, lequel était le fruit de son orgueil ulcéré (rien ne l'offensait comme «l'air d'être pauvre» quand il travaillait tant pour sa famille), de son amour plus maternel que paternel car ne m'avait-il pas dit aussi que je «lui faisais pitié», mais geste, selon lui, «qui ne se refusait pas», car c'était la première fois qu'il s'appliquait «à tout donner» à l'un de ses enfants.

— Tant pis, va-t'en dans tes lambeaux puisqu't'es si ingrate!

Cette tempête dont mon père avait fait un récit si vivant, autrefois, elle emprisonnait maintenant toute la ville et, comme disait ma mère, «ça tombait à grosse bordée comme la tempête de l'autre jour de l'An au temps où t'étais pas née»; en traversant la ville pour chercher du travail, on craignait d'être soulevé par le vent, on ne luttait plus contre une tempête ordinaire mais contre un océan en furie et, songeant à cette plainte qui achevait le récit de mon père: «Ah! je suis bien fatigué, c'est comme si mon cœur ne battait plus au bout de sa corde!» je sentais déjà l'épuisement de cet hiver si long et qui venait à peine de commencer. Mais un soir, comme je passais devant une boucherie éclairée, je vis, dans une blouse couverte de sang, debout près d'un homme qui devait être son père et l'aidant à découper un bœuf, André Chevreux, cet étudiant dont Julien Laforêt m'avait dit: «Tiens, il disparaît tout de suite après les cours, ce Chevreux, où va-t-il donc? Il refuse de me le dire.» Et je pensai que si André Chevreux n'avait rien dit de ce labeur nocturne à son ami, c'était par délicatesse et aussi à cause de ce sentiment de honte que j'avais connu si souvent moi-même devant le privilège. Il s'approcha de la fenêtre givrée et me sourit. Il y avait dans ce sourire une telle amitié, une si tendre vaillance que je sentis soudain renaître mon courage et, emportant cette vision dans la tempête, je courais en pensant avec joie: «C'est lui... l'ange de Dürer, je l'ai vu, enfin!»

fin

TABLE

Manuscrits de Pauline Archange 7

Vivre! Vivre! 123

Les Apparences 215

DANS LA COLLECTION «BORÉAL COMPACT»

1. Louis Hémon
   Maria Chapdelaine

2. Michel Jurdant
   Le Défi écologiste

3. Jacques Savoie
   Le Récif du Prince

4. Jacques Bertin
   Félix Leclerc, le roi heureux

5. Louise Dechêne
   Habitants et Marchands de Montréal au XVIIe siècle

6. Pierre Bourgault
   Écrits polémiques

7. Gabrielle Roy
   La Détresse et l'Enchantement

8. Gabrielle Roy
   De quoi t'ennuies-tu Évelyne? suivi de *Ély! Ély! Ély!*

9. Jacques Godbout
   L'Aquarium

10. Jacques Godbout
    Le Couteau sur la table

11. Louis Caron
    Le Canard de bois

12. Louis Caron
    La Corne de brume

13. Jacques Godbout
    Le Murmure marchand

14. Paul-André Linteau, René Durocher, Jean-Claude Robert
    Histoire du Québec contemporain (Tome I)

15. Paul-André Linteau, René Durocher, Jean-Claude Robert,
    François Ricard
    Histoire du Québec contemporain (Tome II)

16. Jacques Savoie
    Les Portes tournantes

17. Françoise Loranger
    Mathieu

18. Sous la direction de Craig Brown
    Édition française dirigée par Paul-André Linteau
    Histoire générale du Canada

19. Marie-Claire Blais
    Le jour est noir suivi de *L'Insoumise*

20. Marie-Claire Blais
    Le Loup

21. Marie-Claire Blais
    Les Nuits de l'Underground

22. Marie-Claire Blais
    Visions d'Anna

23. Marie-Claire Blais
    Pierre

24. Marie-Claire Blais
Une saison dans la vie d'Emmanuel

25. Denys Delâge
Le Pays renversé

26. Louis Caron,
L'Emmitouflé

27. Pierre Godin
La Fin de la grande noirceur

28. Pierre Godin
La Difficile Recherche de l'égalité

29. Philippe Breton et Serge Proulx
L'Explosion de la communication

30. Lise Noël
L'Intolérance

31. Marie-Claire Blais
La Belle Bête

32. Marie-Claire Blais
Tête Blanche

33. Marie-Claire Blais
Manuscrits de Pauline Archange, Vivre! Vivre!
et *Les Apparences*

34. Marie-Claire Blais
Une liaison parisienne

Achevé   Imprimerie
d'imprimer Gagné Ltée
au Canada Louiseville

En août 1991